JN386457

개정판

인체해부학실습

저자 박승택 최영자 서영미

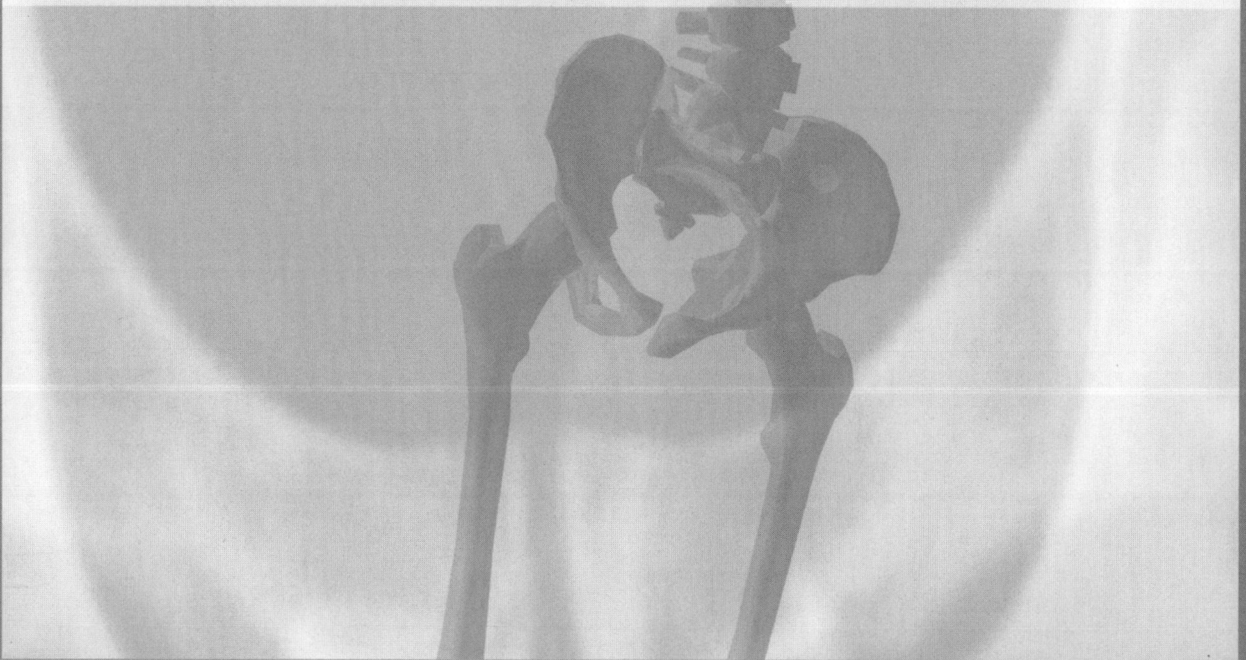

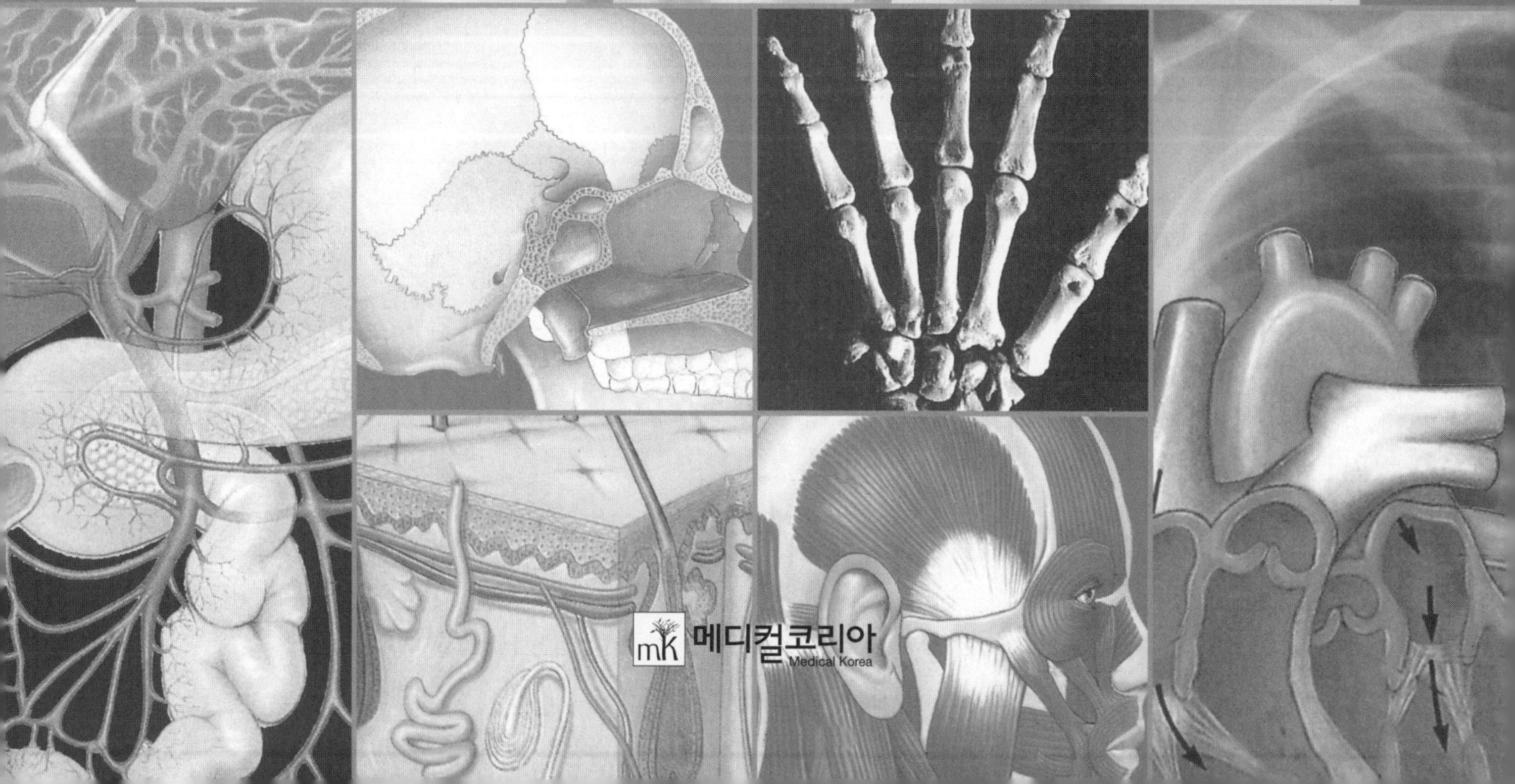

메디컬코리아
Medical Korea

머리말

보건의학계열은 물론이고 인체와 관련된 학문을 추구하는 모든 분야에 있어 공통적으로 인체해부학은 필수적인 학문이다. 이는 주체가 인체이기 때문에 사람의 건강이나 병변의 예방 및 치료를 위해서는 인체를 구성하고 있는 각 장기의 구조와 기능에 대한 전반적인 지식을 주지하고 있지 않으면 안 된다. 특히, 인체해부학은 공부하는 기회가 실제로 그리 흔하지 않을 뿐만 아니라 오직 강의에 의한 이론만으로는 이해하기가 매우 힘든 경우가 대부분이다. 따라서 각 장기의 구조나 기능을 정확히 이해하기 위해서는 이론과 실기를 바탕으로 한 인체실습서에 의한 부단한 노력이 절실히 요구된다. 이에 저자들은 인체해부학을 공부하는 여러 계층의 관련 학도들을 위하여 조금이나마 도움이 되었으면 하는 마음에서 본 실습서를 발간하게 되었다.

본 실습서는 인체를 구성하고 있는 장기를 계통별로 분류하여 많은 이해를 돕기 위해 다양한 그림을 선택적으로 삽입하였으며 더욱이 인체해부학 공부를 위하여 꼭 알아야 할 이론지식을 주관식 형태의 문제로 수록하였다. 아무튼 이 책의 출판을 위하여 많은 정성을 쏟았으나 오히려 미흡한 점이 많을 것으로 생각되어 앞으로 하나씩 착실하게 보완해 나가겠으며 이를 위해 지속적으로 여러분의 많은 지도편달을 바란다.

끝으로 이 책의 출간을 기꺼이 허락해 주신 메디컬코리아 김기봉 사장님께 깊이 감사드리며 아울러 어려운 여건속에서도 모든 정성을 다하여 열심히 도와주신 출판사 모든 임직원 여러분들께 진심으로 감사를 드린다.

2010년 2월

저자 일동

차 례

제 1 장

서 론

1

해부학적 위치 및 방향

Q&A 다음 질문에 답하시오.

1 인체를 좌우대칭으로 나누는 단면을 무엇이라 하는가?

2 인체를 이마봉합(관상봉합)과 평행하게 나누는 단면을 무엇이라 하는가?

3 해부학적 자세란?

4 해부학적 자세에서 팔의 가쪽(외측)을 무엇이라고 하는가?

Q&A

1 정중시상단면 **2** 관상면(전두면) **3** 고개를 들어 눈은 정면을 바라보며 팔은 자연스럽게 늘어뜨려 손바닥이 앞을 향한 자세 **4** 가쪽(외측)

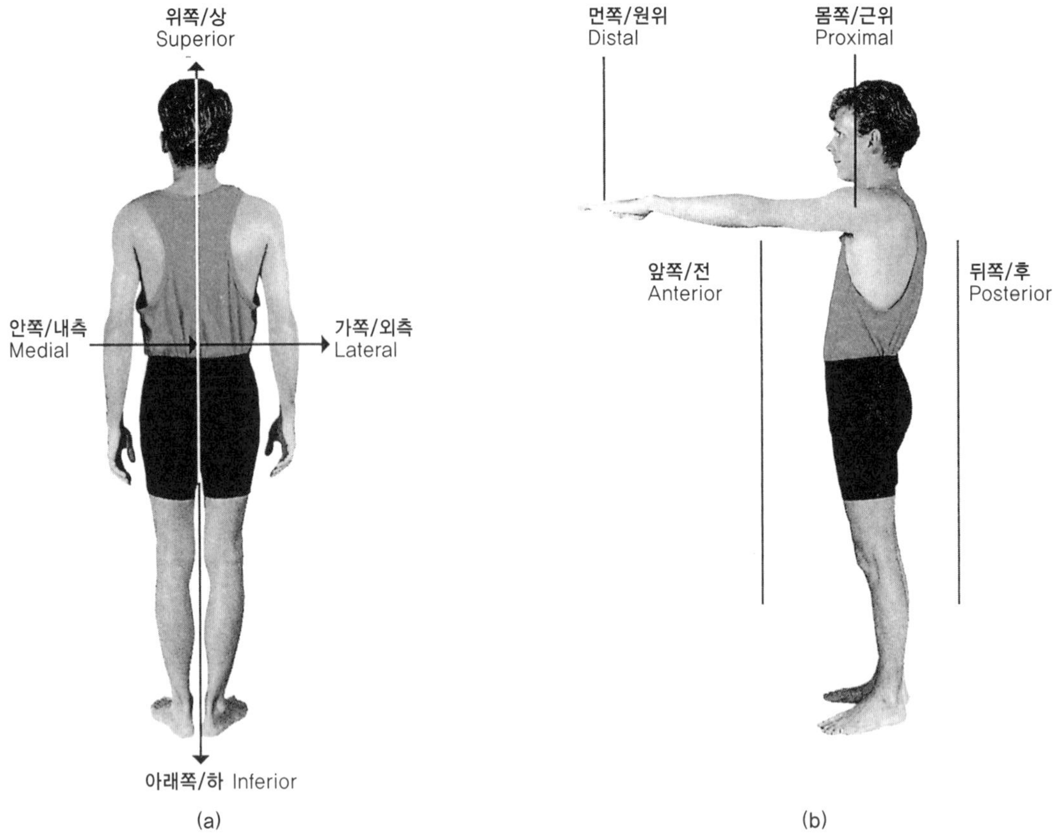

그림 1-1 • (a) 뒤에서 본 사진 (b) 가쪽에서 본 사진

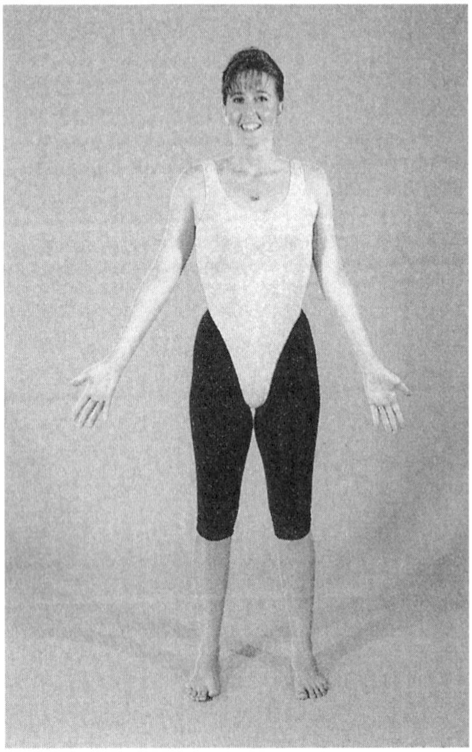

그림 1-2 • 해부학적 자세

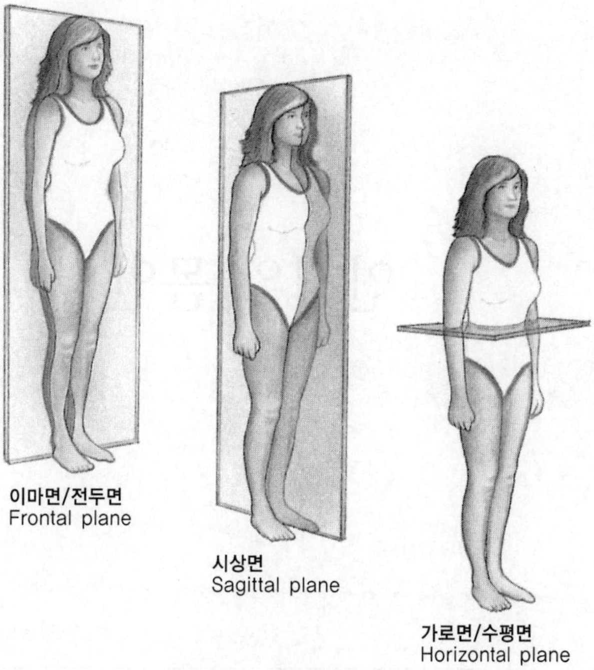

그림 1 – 3 • 인체면

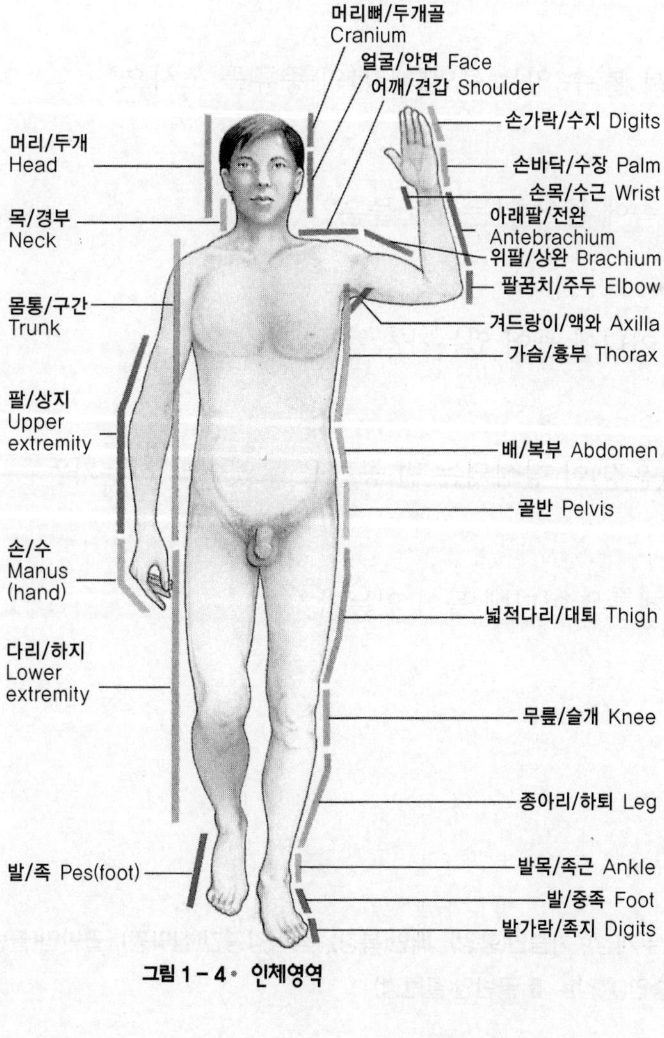

그림 1 – 4 • 인체영역

2

인체의 몸안

Q&A 다음 질문에 답하시오.

1 인체에서 볼 수 있는 몸안(체강)의 종류를 쓰시오.

2 척주관 속에 들어 있는 구조물은?

3 심장은 어디에 들어 있는가?

4 가슴안(흉강)이 형성되는 빈 공간을 무엇이라 하는가?

5 생식기계통은 어디에 들어 있는가?

Q&A

1 머리뼈공간(두개강), 가슴안(흉강), 배안(복강), 심막강공간(심막강), 골반안(골반강) **2** 척수 **3** 심막강공간(심막강) **4** 가슴안(흉강) **5** 골반안(골반강)

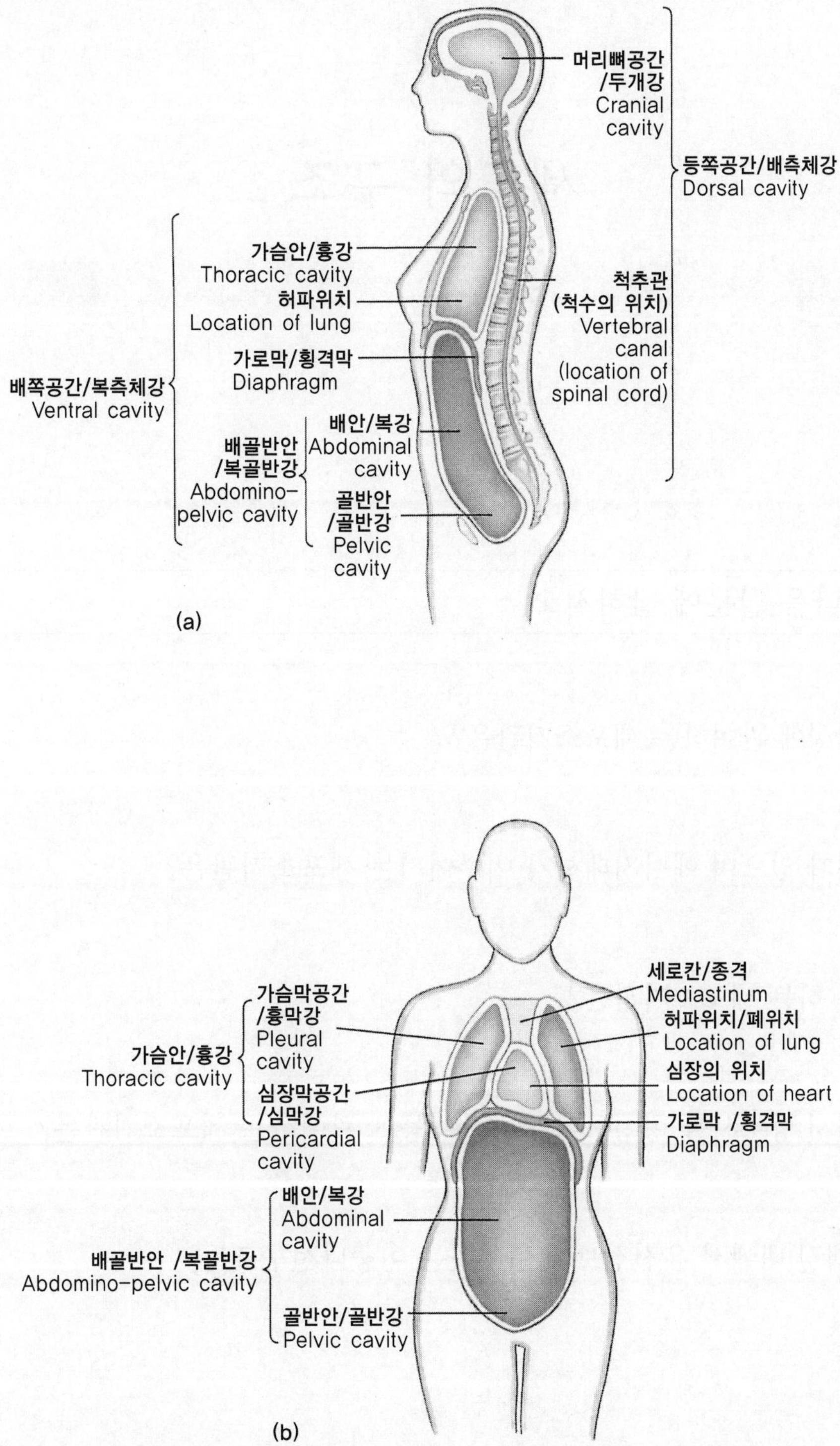
머리뼈공간
/두개강
Cranial
cavity
등쪽공간/배측체강
Dorsal cavity
가슴안/흉강
Thoracic cavity
허파위치
Location of lung
척추관
(척수의 위치)
Vertebral
canal
(location of
spinal cord)
가로막/횡격막
Diaphragm
배쪽공간/복측체강
Ventral cavity
배안/복강
Abdominal
cavity
배골반안
/복골반강
Abdomino-
pelvic cavity
골반안
/골반강
Pelvic
cavity
(a)
세로칸/종격
Mediastinum
가슴막공간
/흉막강
Pleural
cavity
허파위치/폐위치
Location of lung
가슴안/흉강
Thoracic cavity
심장의 위치
Location of heart
심장막공간
/심막강
Pericardial
cavity
가로막 /횡격막
Diaphragm
배안/복강
Abdominal
cavity
배골반안 /복골반강
Abdomino-pelvic cavity
골반안/골반강
Pelvic cavity
(b)

그림 1 – 5 • 몸안

3

세포의 구조

Q&A 다음 질문에 답하시오.

1 단백질합성에 관여하는 세포소기관은?

2 크리스테가 있으며 에너지대사가 이루어지는 세포소기관은?

3 식작용을 하는 세포소기관은?

4 세포분열시 방추사를 형성하여 염색체이동에 관여하는 세포소기관은?

5 핵형질(핵질)내에서 유전정보에 관여하는 이중나선구조는?

Q&A

1 리보솜 **2** 미토콘드리아(사립체) **3** 리소좀(용해소체) **4** 중심소체 **5** DNA

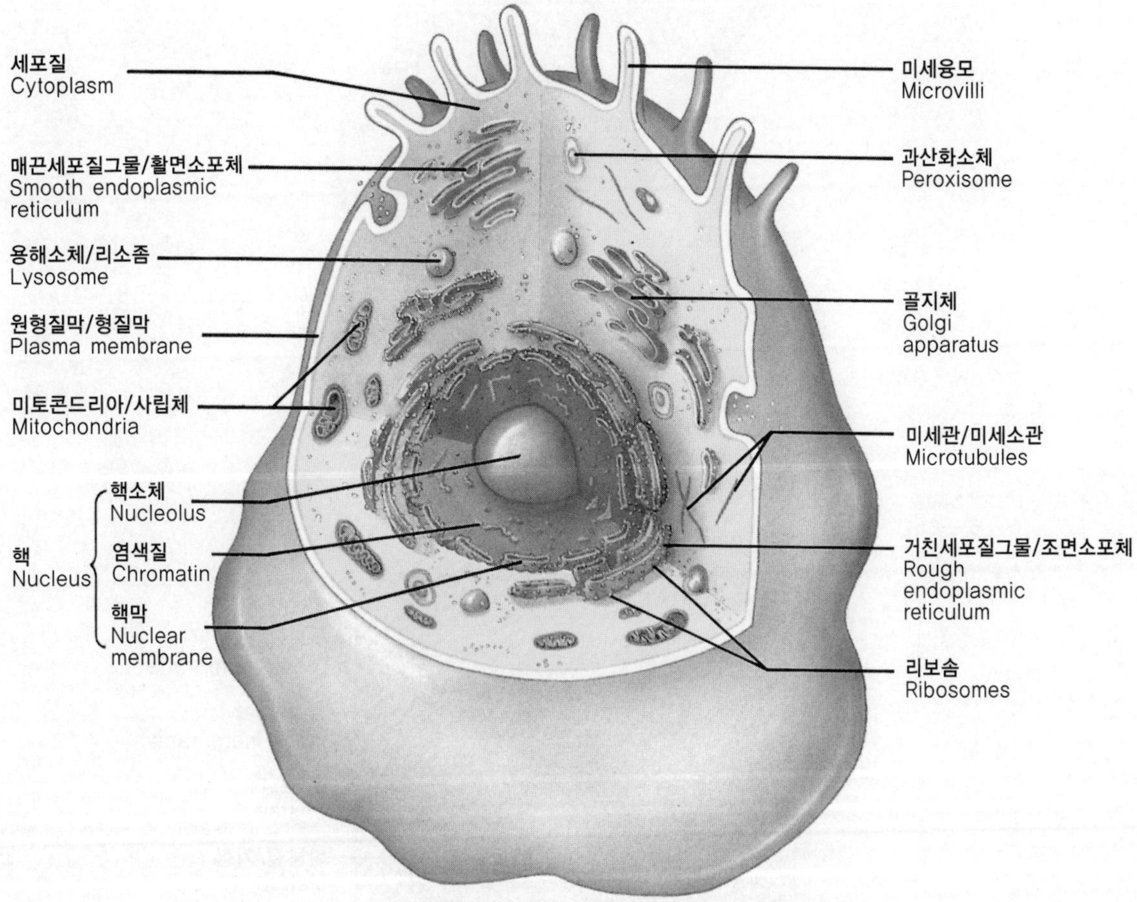
세포질
Cytoplasm
매끈세포질그물/활면소포체
Smooth endoplasmic reticulum
용해소체/리소좀
Lysosome
원형질막/형질막
Plasma membrane
미토콘드리아/사립체
Mitochondria
핵
Nucleus
핵소체
Nucleolus
염색질
Chromatin
핵막
Nuclear membrane
미세융모
Microvilli
과산화소체
Peroxisome
골지체
Golgi apparatus
미세관/미세소관
Microtubules
거친세포질그물/조면소포체
Rough endoplasmic reticulum
리보솜
Ribosomes

그림 1－6• 세포 골격

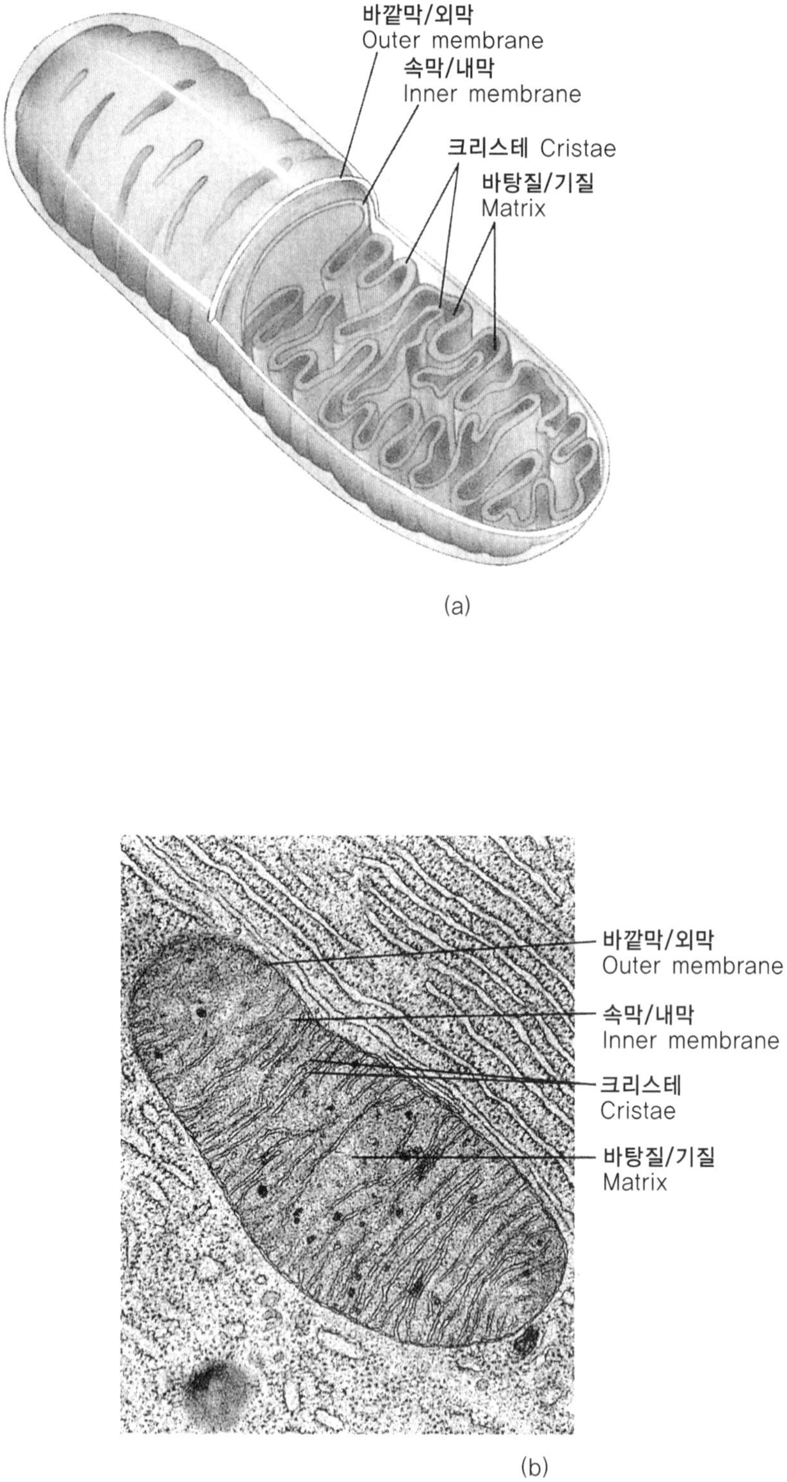
바깥막/외막
Outer membrane
속막/내막
Inner membrane
크리스테 Cristae
바탕질/기질
Matrix
(a)
바깥막/외막
Outer membrane
속막/내막
Inner membrane
크리스테
Cristae
바탕질/기질
Matrix
(b)

그림 1 – 7 · 미토콘드리아

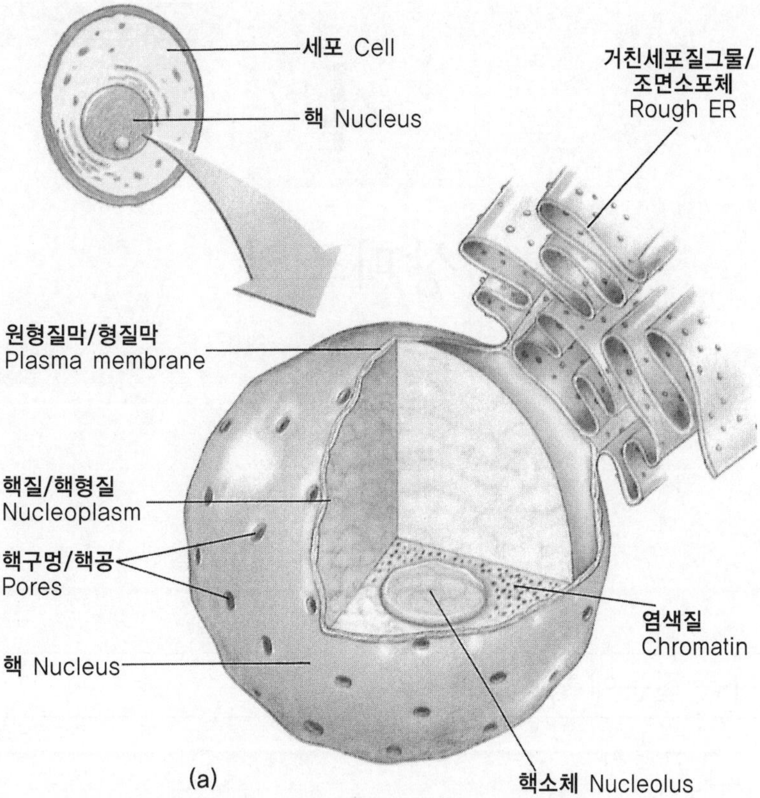
세포 Cell
핵 Nucleus
거친세포질그물/
조면소포체
Rough ER
원형질막/형질막
Plasma membrane
핵질/핵형질
Nucleoplasm
핵구멍/핵공
Pores
핵 Nucleus
염색질
Chromatin
(a)
핵소체 Nucleolus

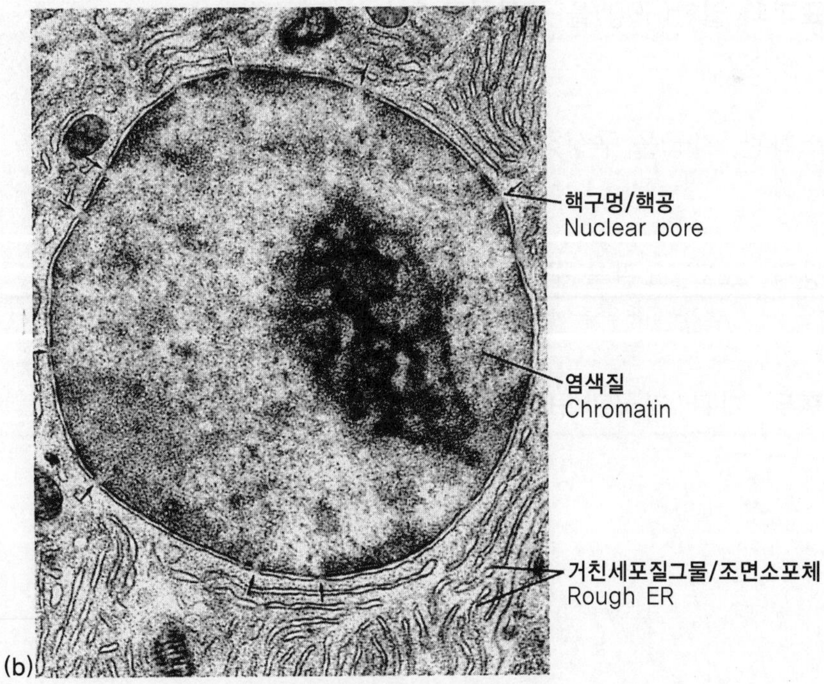
핵구멍/핵공
Nuclear pore
염색질
Chromatin
거친세포질그물/조면소포체
Rough ER
(b)

그림 1-8 • 핵

4

상피조직

Q&A 다음 질문에 답하시오.

1 표피를 구성하는 상피조직은?

2 표피와 입안(구강)을 구성하고 있는 상피조직은?

3 소화관, 자궁을 구성하는 상피조직은?

4 방광, 요도, 요관을 구성하는 상피조직은?

5 후두, 기관, 자궁관(난관)을 구성하는 상피조직은?

Q&A

1 단층편평상피 **2** 중층편평상피 **3** 원주상피 **4** 이행상피 **5** 섬모원주상피

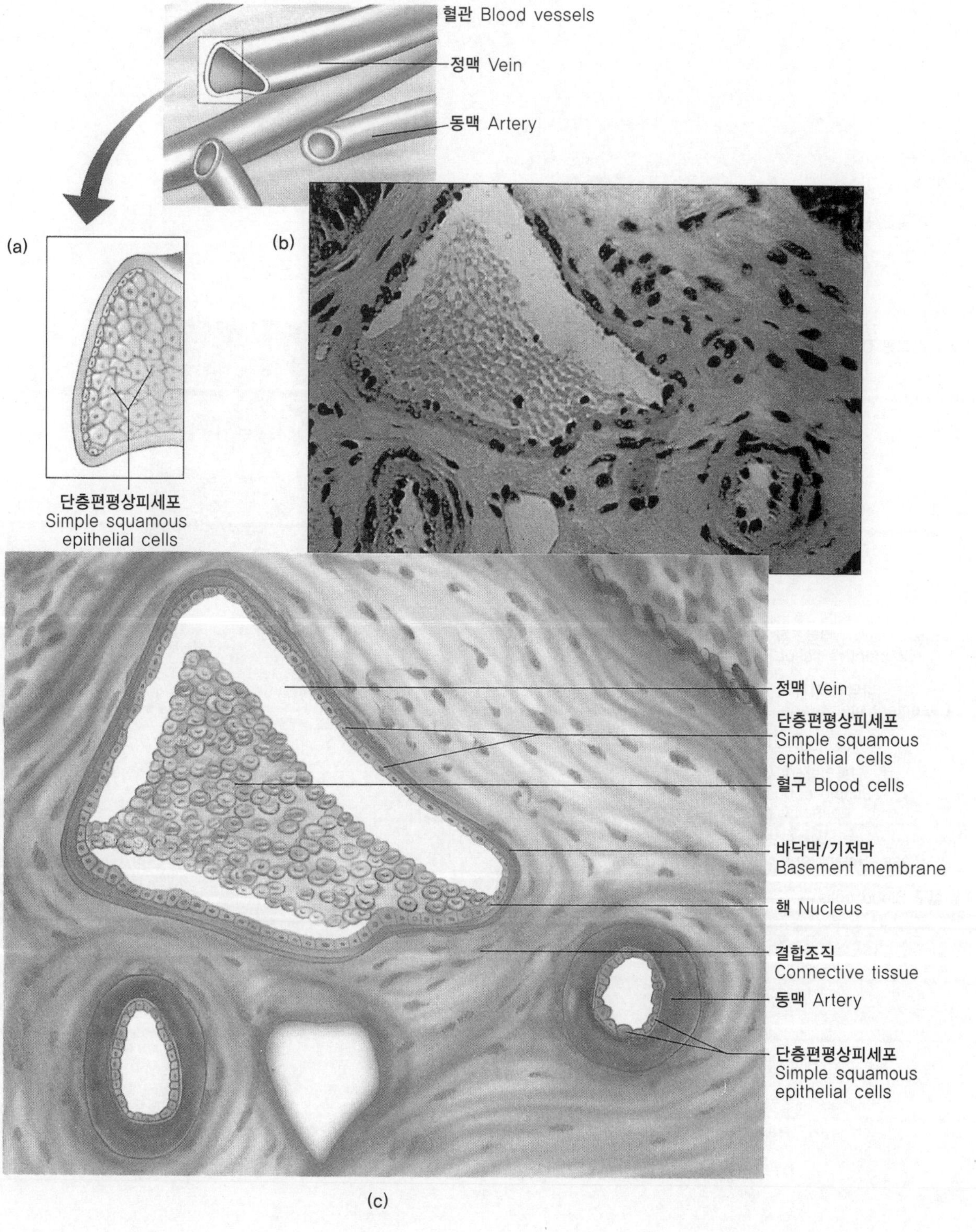
혈관 Blood vessels
정맥 Vein
동맥 Artery
(a)
(b)
단층편평상피세포
Simple squamous epithelial cells
정맥 Vein
단층편평상피세포
Simple squamous epithelial cells
혈구 Blood cells
바닥막/기저막
Basement membrane
핵 Nucleus
결합조직
Connective tissue
동맥 Artery
단층편평상피세포
Simple squamous epithelial cells
(c)

그림 1-9 • 단층편평상피

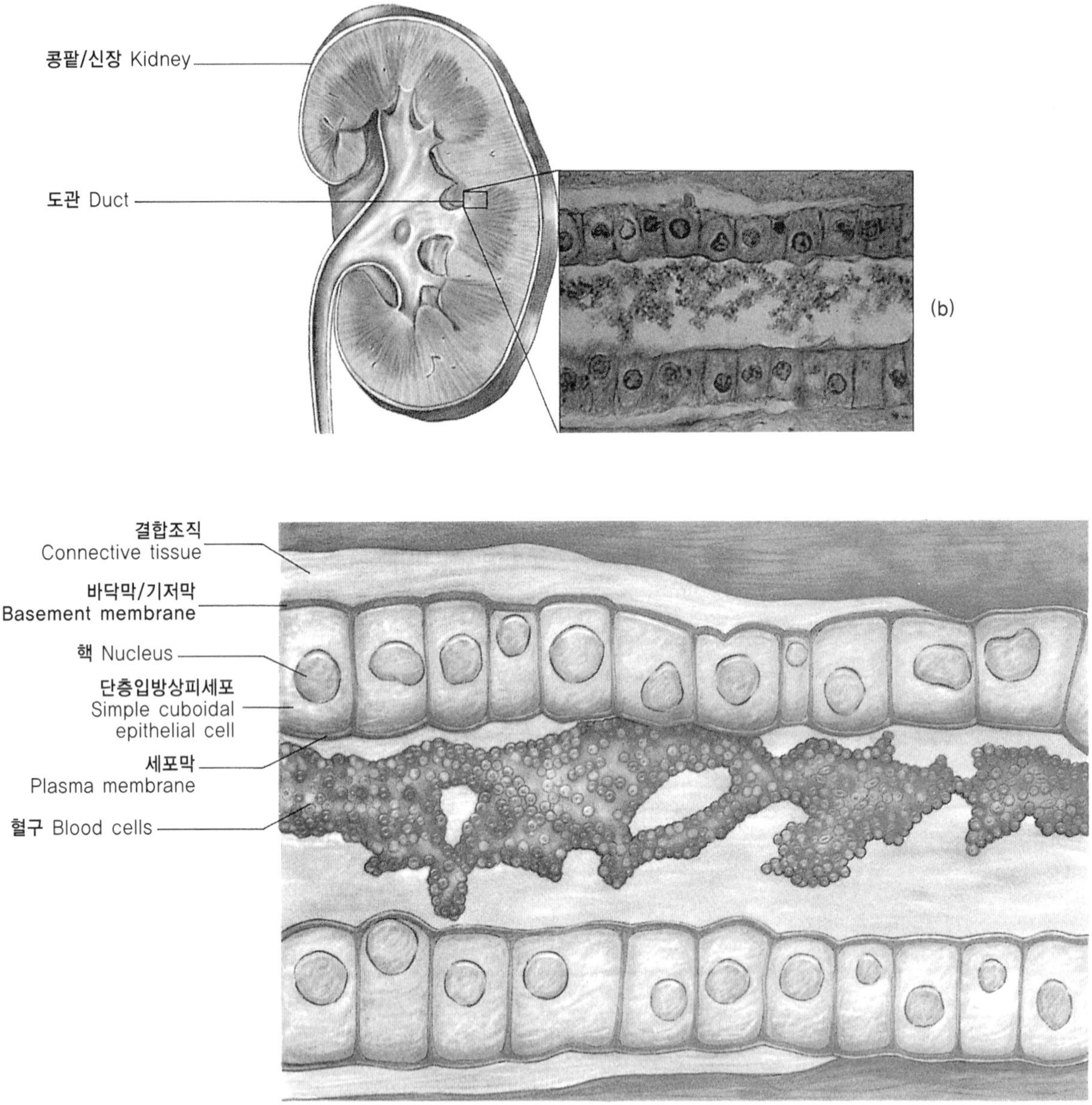

그림 1 – 10 • 단층입방상피

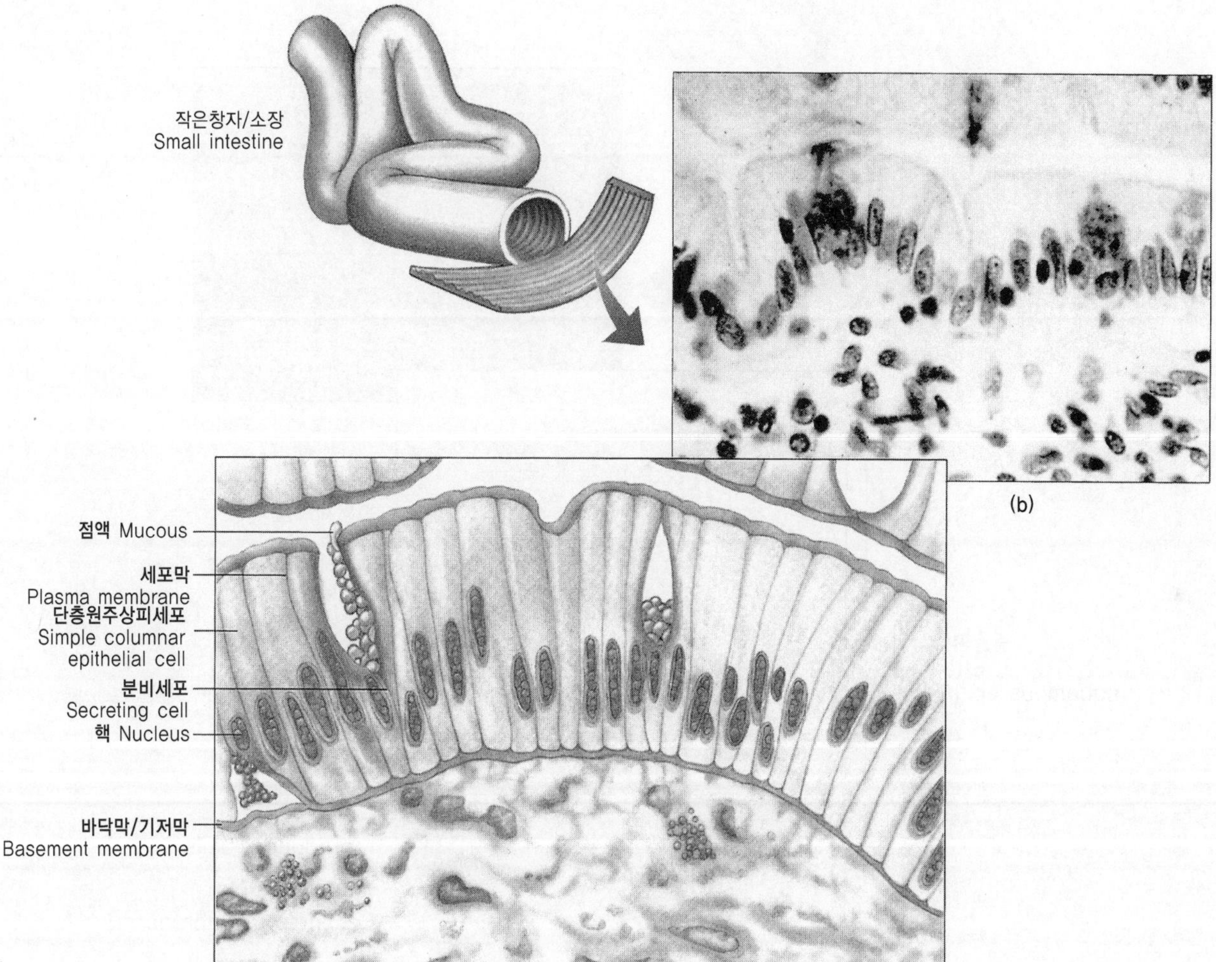

그림 1 - 11 • 단층원주상피

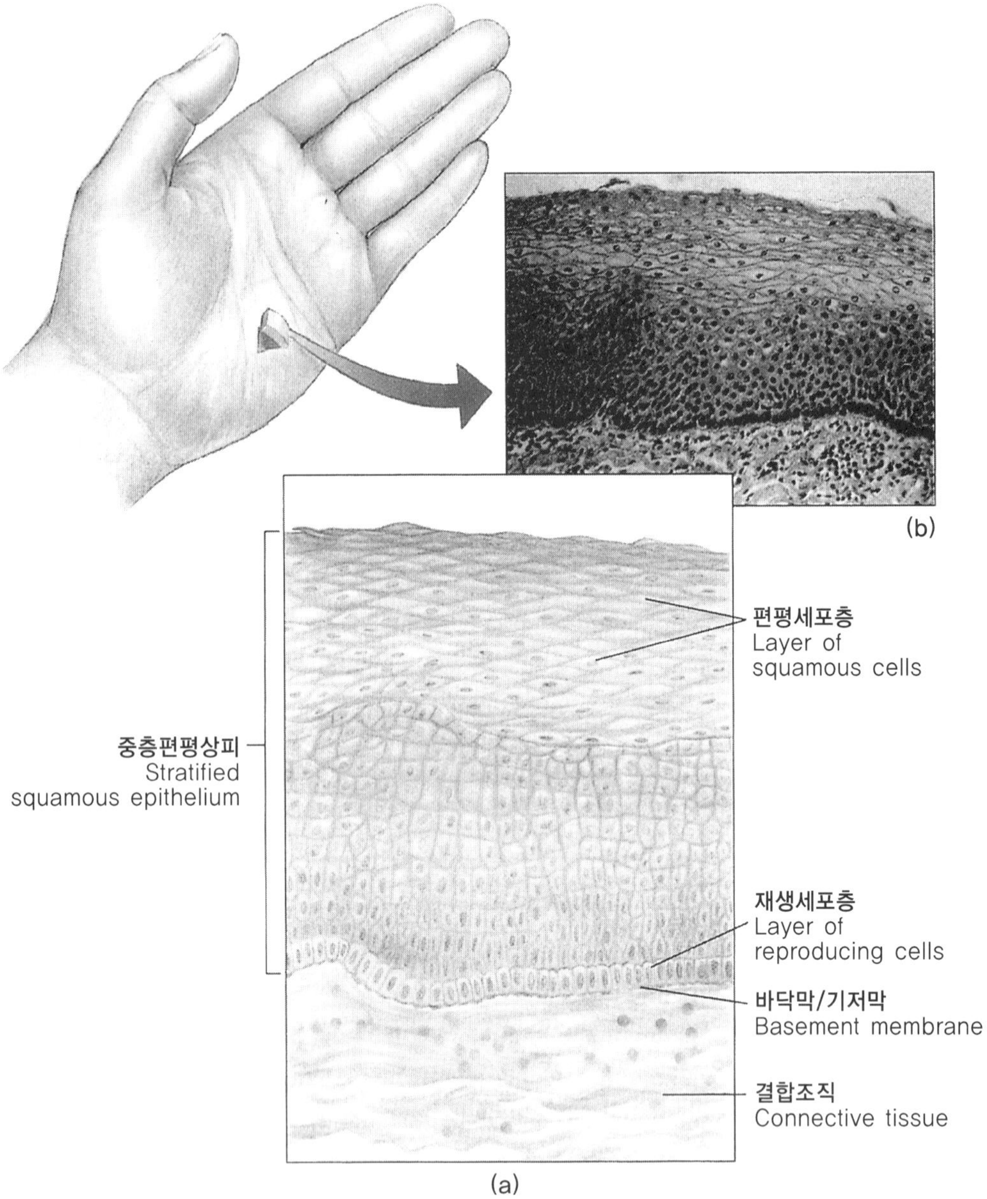

그림 1 – 12 • 중층편평상피

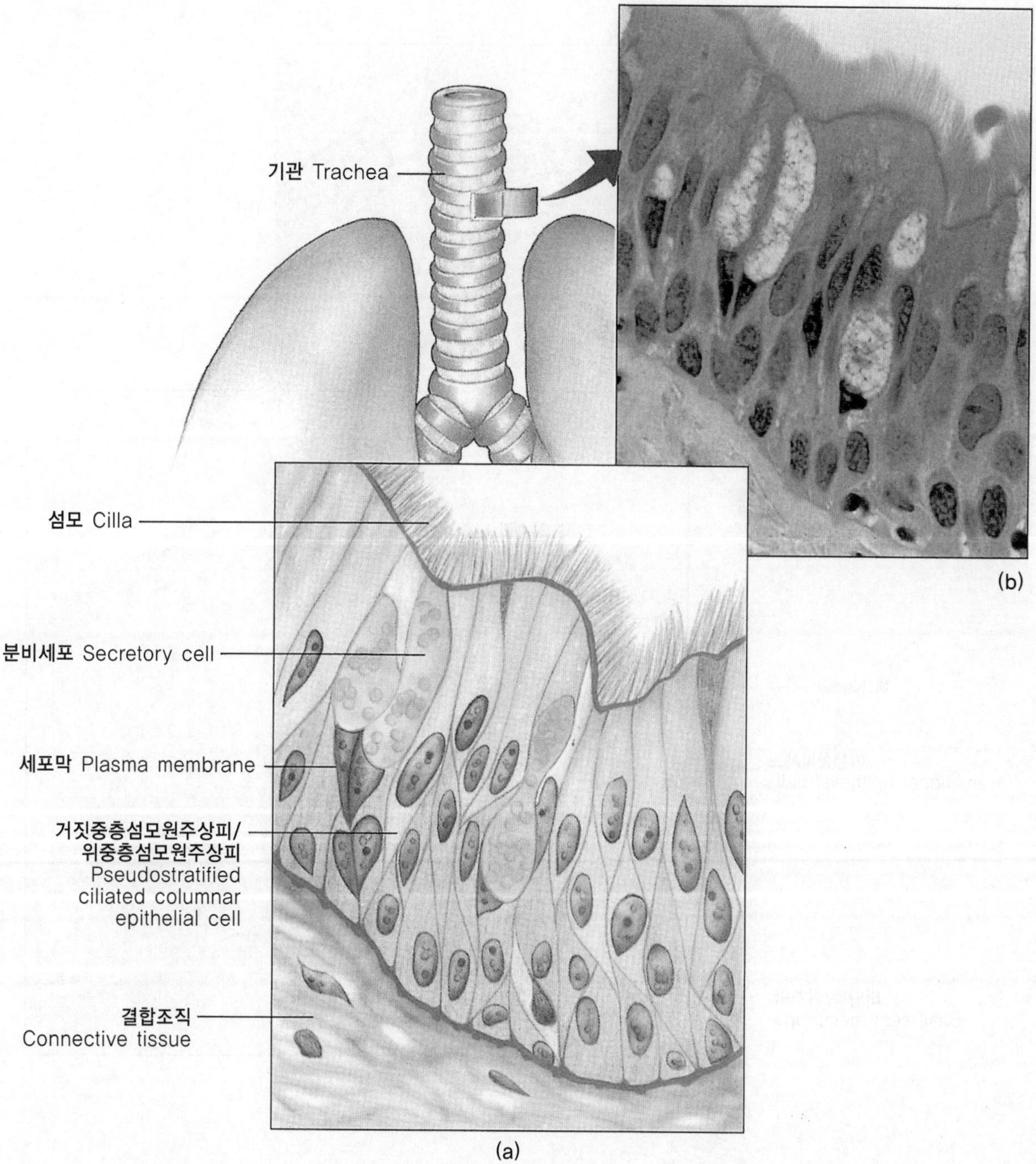

그림 1 – 13 • 위중층섬모원주상피

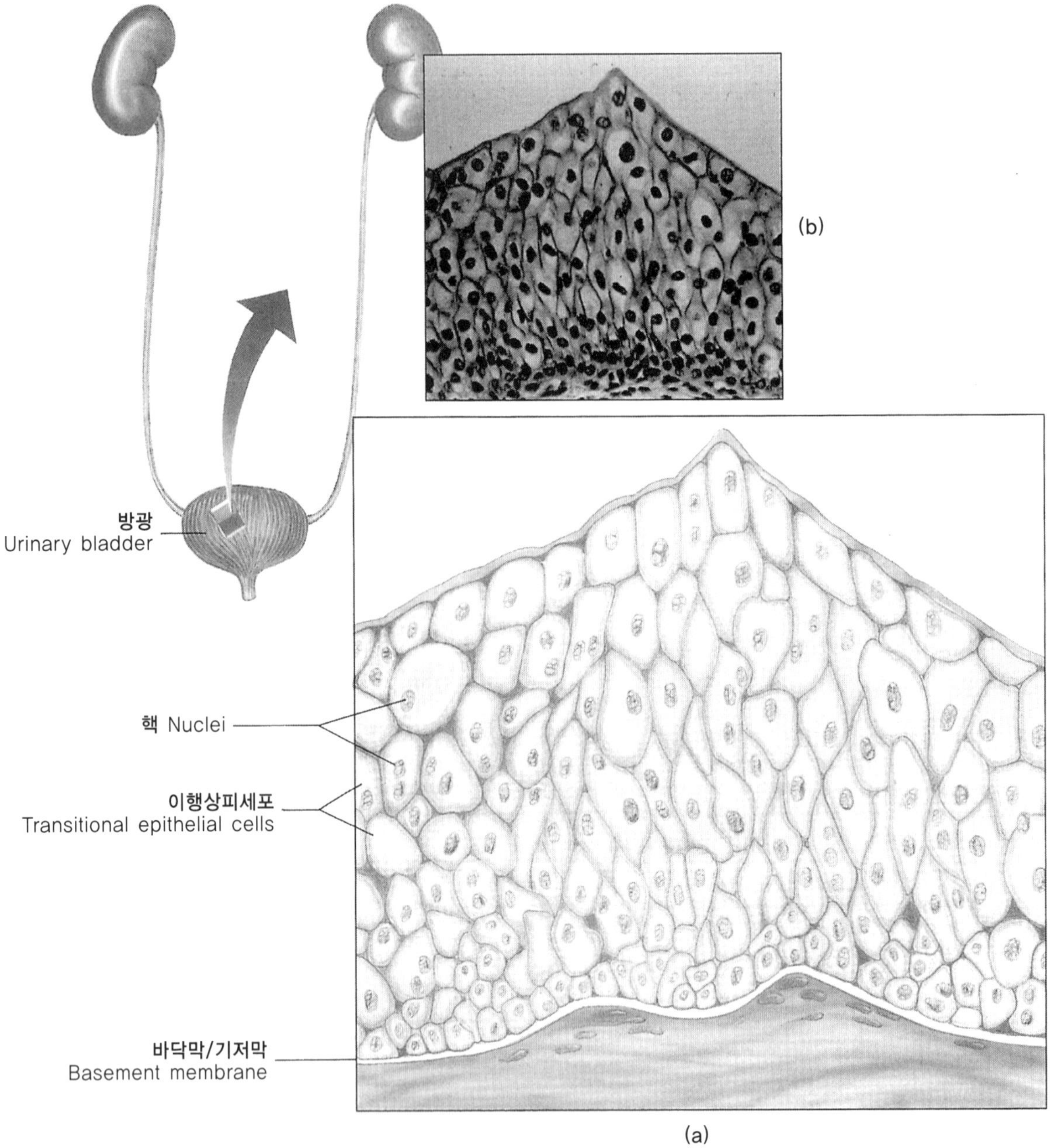
방광
Urinary bladder
(b)
핵 Nuclei
이행상피세포
Transitional epithelial cells
바닥막/기저막
Basement membrane
(a)

그림 1 – 14 • 이행상피

5

고유결합조직

Q&A 다음 질문에 답하시오.

1 결합조직을 크게 두 종류로 분류하시오.

2 고유결합조직은 성긴결합조직(소성결합조직)과 무슨 결합조직으로 나누는가?

3 뼈대근육(골격근)의 근육섬유(근섬유) 사이나 근육다발(근섬유다발)을 구성하고 있는 결합조직섬유는?

4 결합조직섬유 중 간(간장), 창자(장), 지라(비장), 골수 등에서 주로 관찰되는 섬유는?

5 뼈, 혈액, 지방 등은 어느 결합조직에 해당되는가?

Q&A

1 고유결합조직, 특수결합조직 **2** 치밀결합조직 **3** 아교섬유(교원섬유) **4** 그물섬유(세망섬유) **5** 특수결합조직

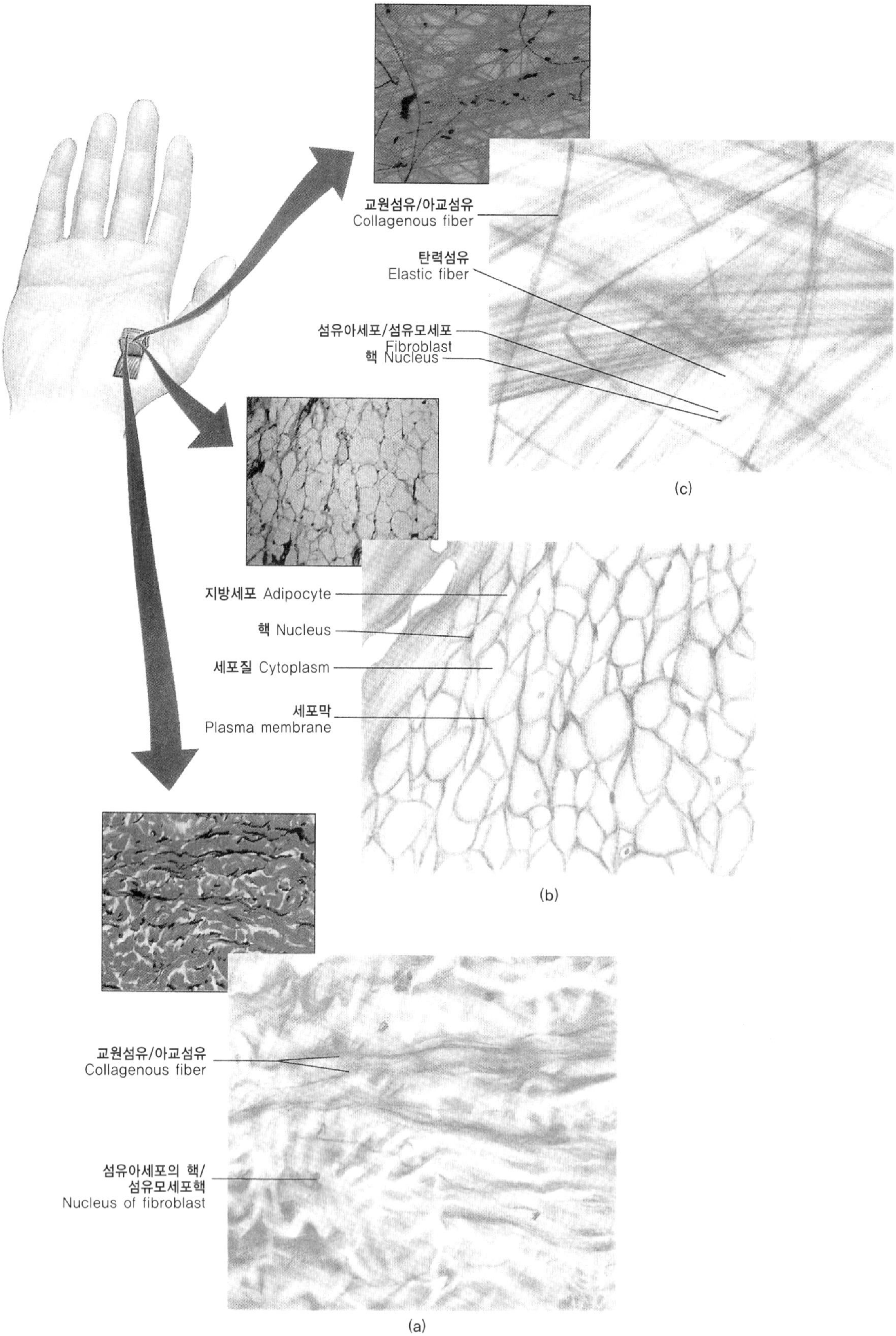

그림 1 - 15 • 소성결합조직, 지방조직 및 치밀불규칙 결합조직

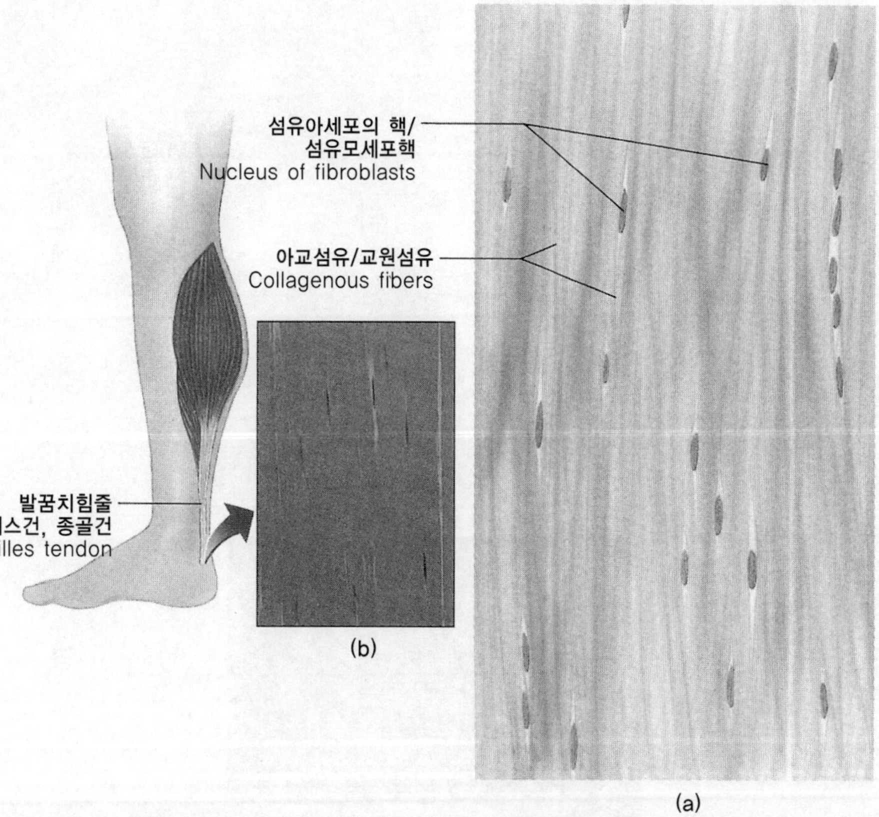

그림 1 – 16 • 치밀규칙결합조직

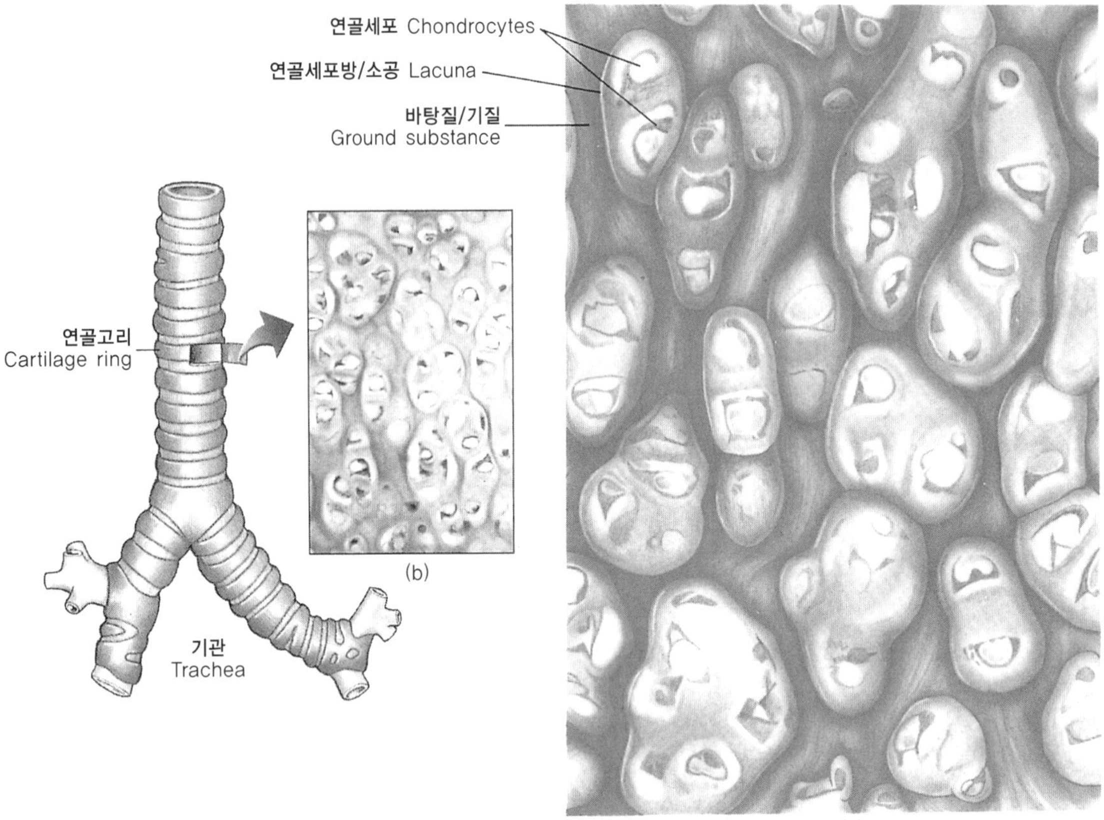

그림 1-17 • 유리연골/초자연골

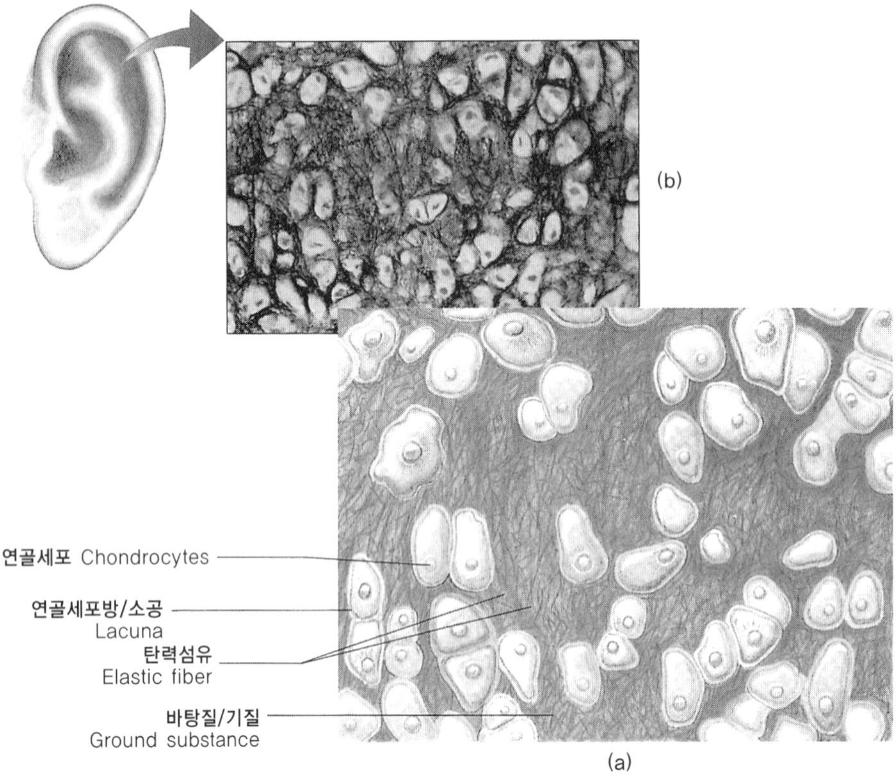

그림 1-18 • 탄력연골

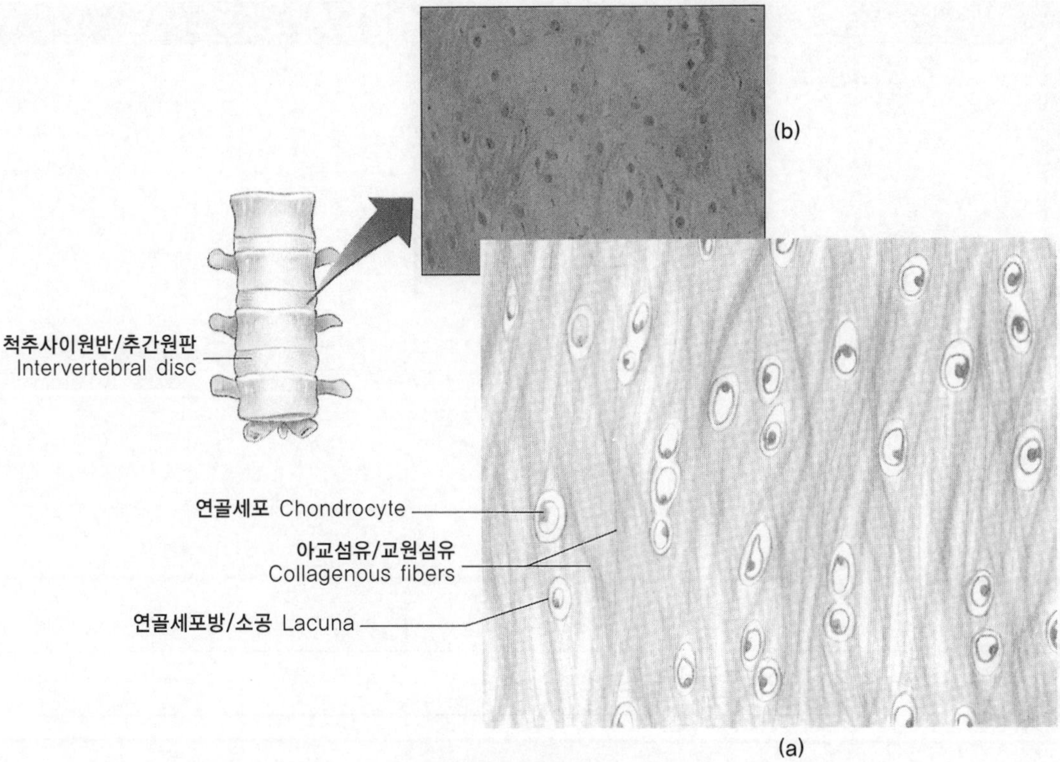

그림 1 - 19 • 섬유연골

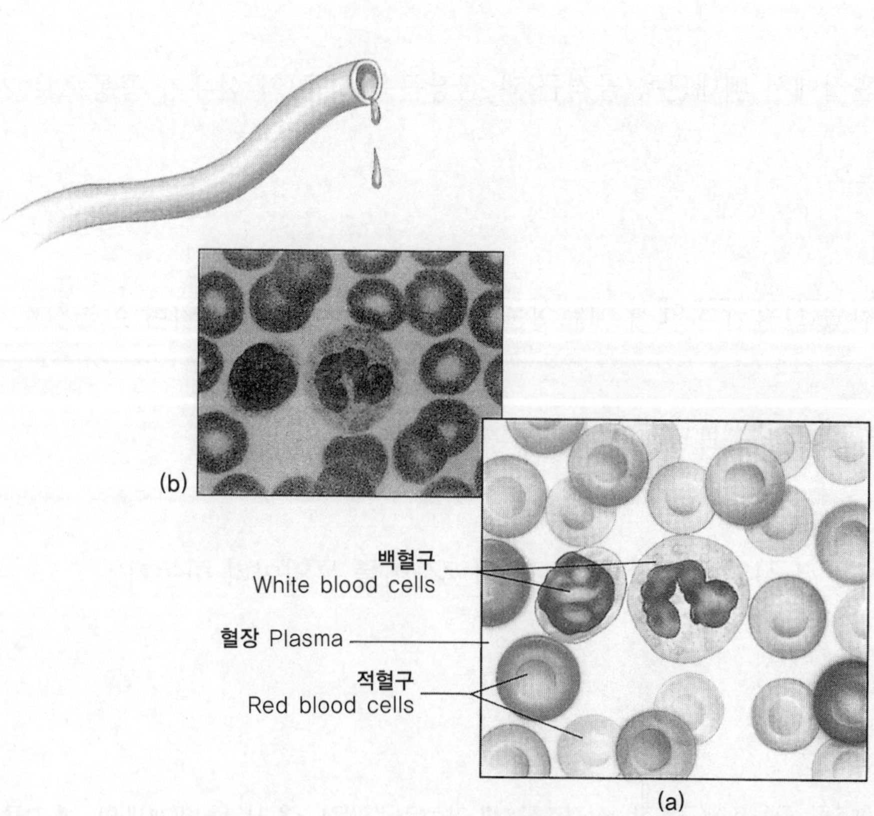

그림 1 - 20 • 혈액

6

근육조직

Q&A 다음 질문에 답하시오.

1 인체 기본조직은?

2 현미경 관찰에서 뼈대근육(골격근)과 심장근육(심근)의 섬유가 공통으로 가지고 있는 구조는?

3 심장근육(심근)의 구조에서 계단상의 짙은 무늬모양을 무엇이라 하는가?

4 민무늬근육(평활근)과 심장근육(심근)을 지배하는 신경은?

5 뼈대근육(골격근)의 구조상 단위로 Z와 Z사이를 무엇이라 하는가?

Q&A

1 상피조직, 결합조직, 근육조직(근조직), 신경조직 **2** 가로무늬(횡문) **3** 사이원반(개재판) **4** 자율신경 **5** 근육원섬유마디(근절)

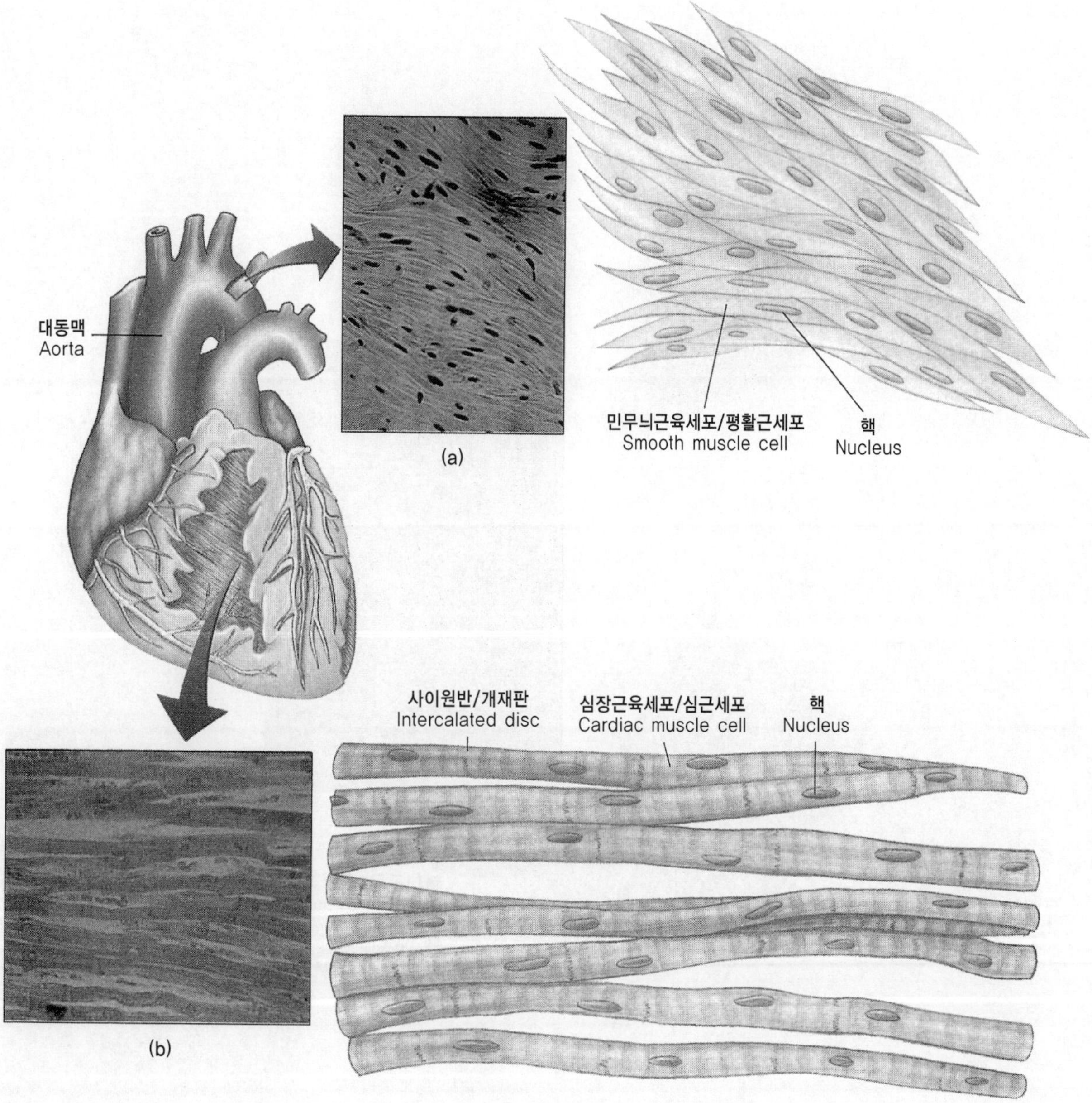

그림 1 - 21 • 민무늬근육과 심장근육

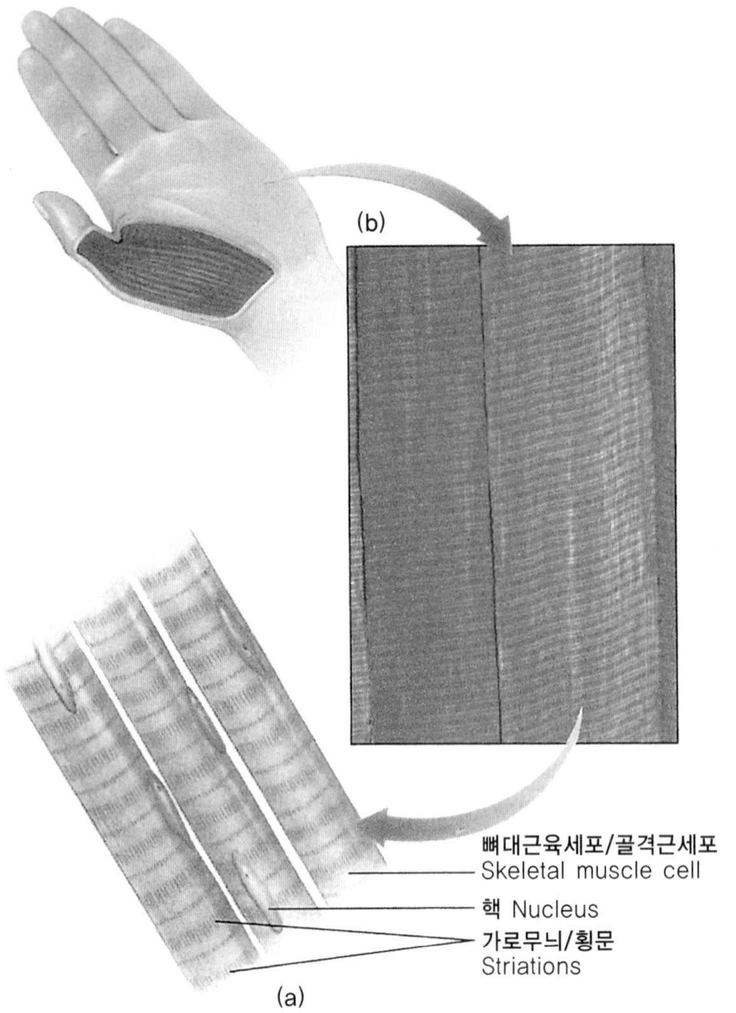
(b)
뼈대근육세포/골격근세포
Skeletal muscle cell
핵 Nucleus
가로무늬/횡문
Striations
(a)

그림 1 – 22 • 뼈대근육

7

신경조직

Q&A 다음 질문에 답하시오.

1 신경조직을 형성하고 있는 기본단위는?

2 신경세포돌기 중 자극을 멀리 전달하는 원심성인 것을 무엇이라 하는가?

3 신경세포의 축삭을 싸고 말이집섬유(유수신경섬유)를 형성하는 구조물은?

4 뇌실의 맥락얼기(맥락총)를 형성하는 신경아교세포(신경교세포)는 무엇인가?

5 식작용에 관여하는 신경아교세포(신경교세포)는 무엇인가?

Q&A

1 신경세포(신경원) **2** 축삭 **3** 말이집(수초) **4** 뇌실막세포(상의세포) **5** 미세아교세포(소교세포)

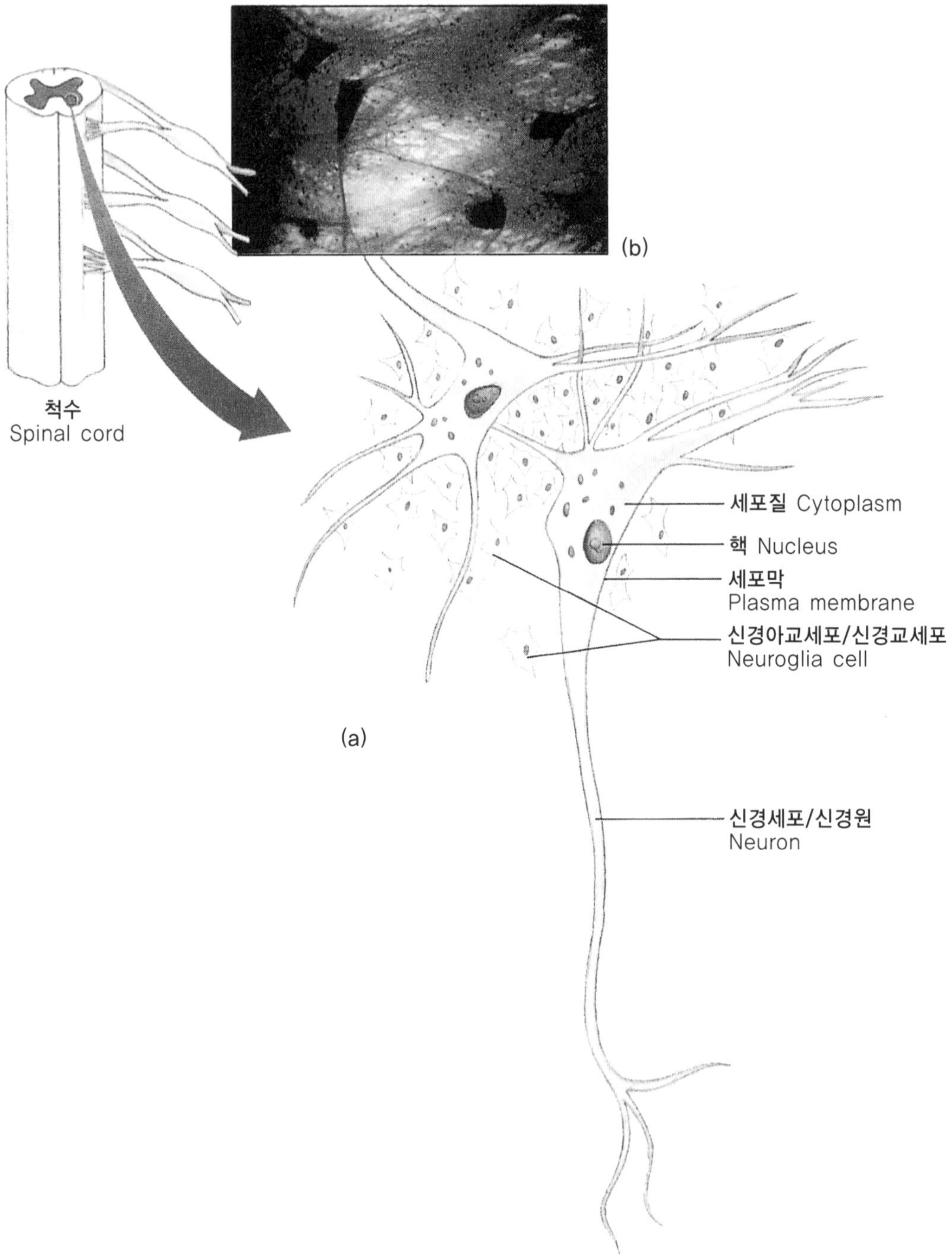
척수
Spinal cord
(b)
세포질 Cytoplasm
핵 Nucleus
세포막
Plasma membrane
신경아교세포/신경교세포
Neuroglia cell
(a)
신경세포/신경원
Neuron

그림 1 – 23 • 신경조직

제 2 장

뼈대계통

1

뼈의 종류

Q&A 다음 질문에 답하시오.

1 납작뼈(편평골)에 해당하는 뼈의 종류를 3개 이상 쓰시오.

2 긴뼈(장골)에 해당되는 뼈의 이름을 3개 이상 쓰시오.

3 인체에서 가장 큰 종자뼈는?

4 인체에서 볼 수 있는 공기뼈(함기골)를 쓰시오.

Q&A

1 이마뼈(전두골), 마루뼈(두정골), 복장뼈(흉골), 어깨뼈(견갑골), 관자뼈(측두골) **2** 위팔뼈(상완골), 노뼈(요골), 자뼈(척골), 넙적다리뼈(대퇴골), 종아리뼈(비골) **3** 무릎뼈(슬개골) **4** 이마뼈(전두골), 나비뼈(접형골), 벌집뼈(사골), 위턱뼈(상악골)

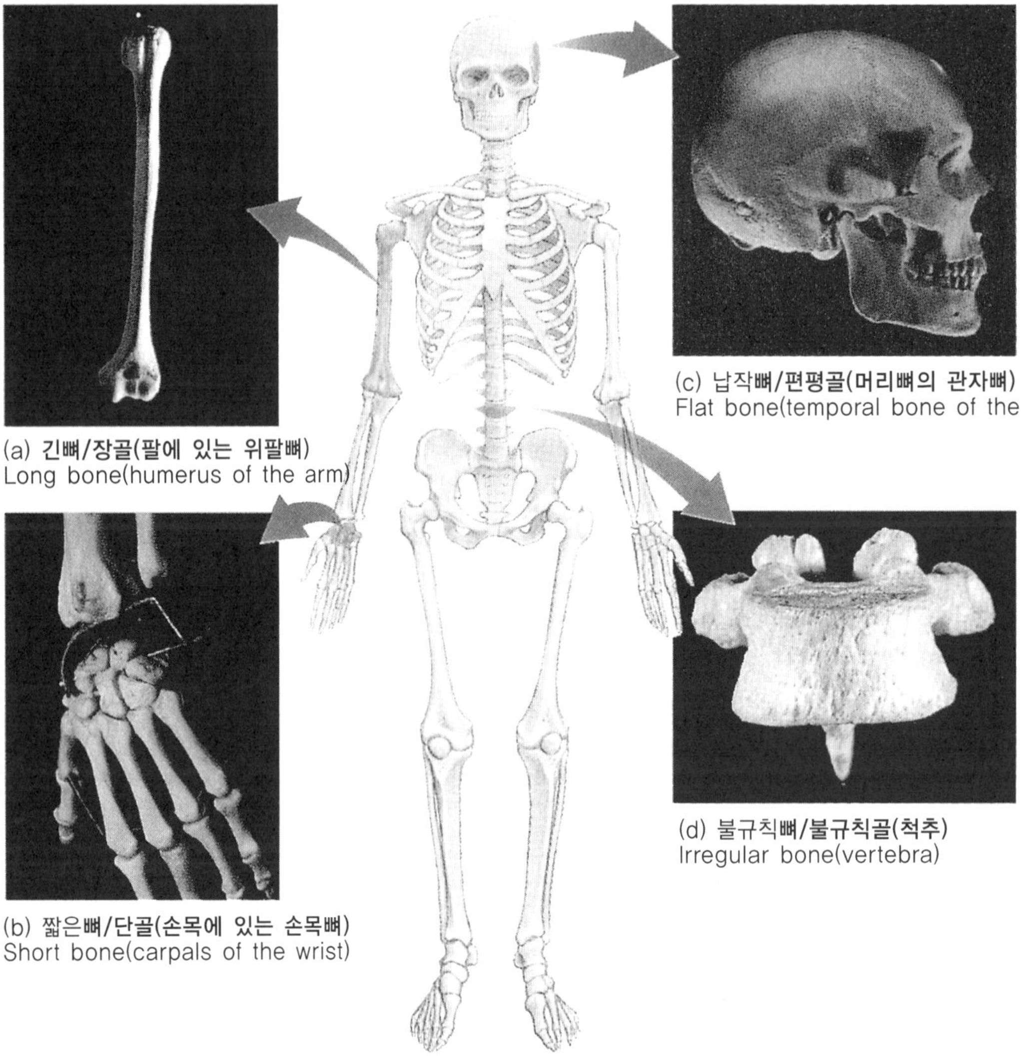

(a) 긴뼈/장골(팔에 있는 위팔뼈)
Long bone(humerus of the arm)

(b) 짧은뼈/단골(손목에 있는 손목뼈)
Short bone(carpals of the wrist)

(c) 납작뼈/편평골(머리뼈의 관자뼈)
Flat bone(temporal bone of the skull)

(d) 불규칙뼈/불규칙골(척추)
Irregular bone(vertebra)

그림 2-1 • 뼈의 유형

2

뼈의 구조

Q&A 다음 질문에 답하시오.

1 뼈를 싸고 있는 질긴막으로 부피성장에 관여하는 구조물은?

2 뼈의 치밀결합에 있는 구조로 혈관과 신경의 통로는?

3 조혈작용을 하고 있다는 증거를 나타내는 골수 이름은?

4 뼈의 구조에서 길이성장에 관여하고 있는 구조물은?

5 뼈의 해면조직에서 불규칙한 그물같이 된 작은 기둥모양의 구조물은?

Q&A

1 뼈바깥막(골막) **2** 하버시안관, 볼크만관 **3** 적색골수(적골수) **4** 뼈끝선(골단판) **5** 뼈기둥(골소주)

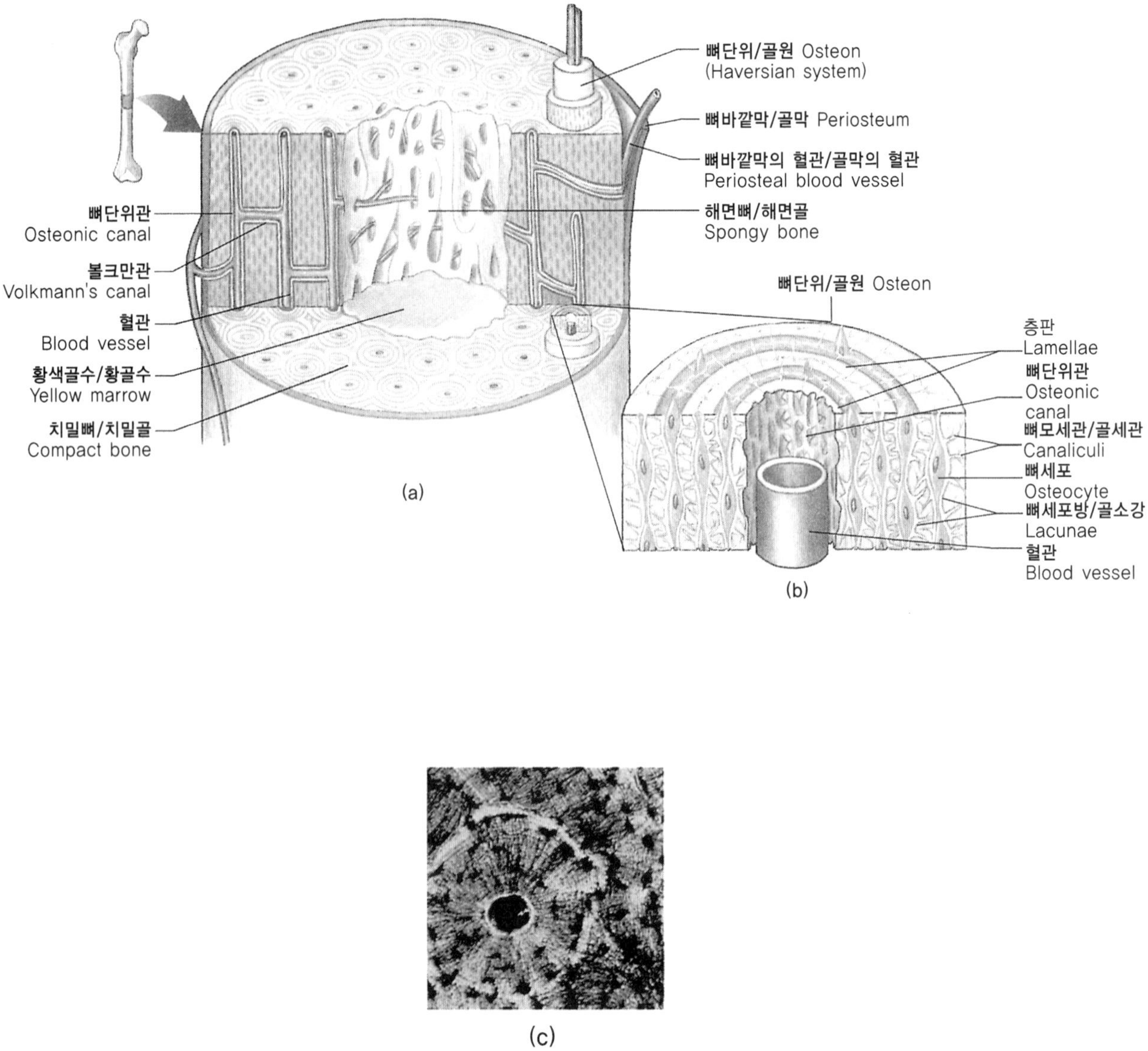

그림 2-2 • 뼈의 현미경적 구조

3

인체의 뼈대(골격)

Q&A 다음 질문에 답하시오.

1 인체를 구성하는 몸통뼈대(중축성 골격)는?

2 머리뼈(두개골) 중 뇌머리뼈(뇌두개)의 종류를 쓰시오.

3 머리뼈(두개골) 중 얼굴뼈(안면두개)의 종류를 쓰시오.

4 다리뼈(하지뼈)의 종류를 쓰시오.

5 팔뼈(상지뼈)의 종류를 쓰시오.

Q&A

1 머리뼈(두개골), 복장뼈(흉골), 척주, 갈비뼈(늑골) **2** 이마뼈(전두골), 마루뼈(두정골), 관자뼈(측두골), 뒤통수뼈(후두골), 나비뼈(접형골), 벌집뼈(사골) **3** 위턱뼈(상악골), 아래턱뼈(하악골), 광대뼈(관골), 눈물뼈(누골), 아래코선반(하비갑개), 보습뼈(서골), 코뼈(비골), 입천장뼈(구개골), 목뿔뼈(설골) **4** 볼기뼈(관골), 넙다리뼈(대퇴골), 정강뼈(경골), 종아리뼈(비골), 무릎뼈(슬개골), 발목뼈(족근골), 발허리뼈(중족골), 발가락뼈(지골) **5** 위팔뼈(상완골), 자뼈(척골), 노뼈(요골), 어깨뼈(견갑골), 빗장뼈(쇄골), 손목뼈(수근골), 손허리뼈(중수골), 손가락뼈(지골)

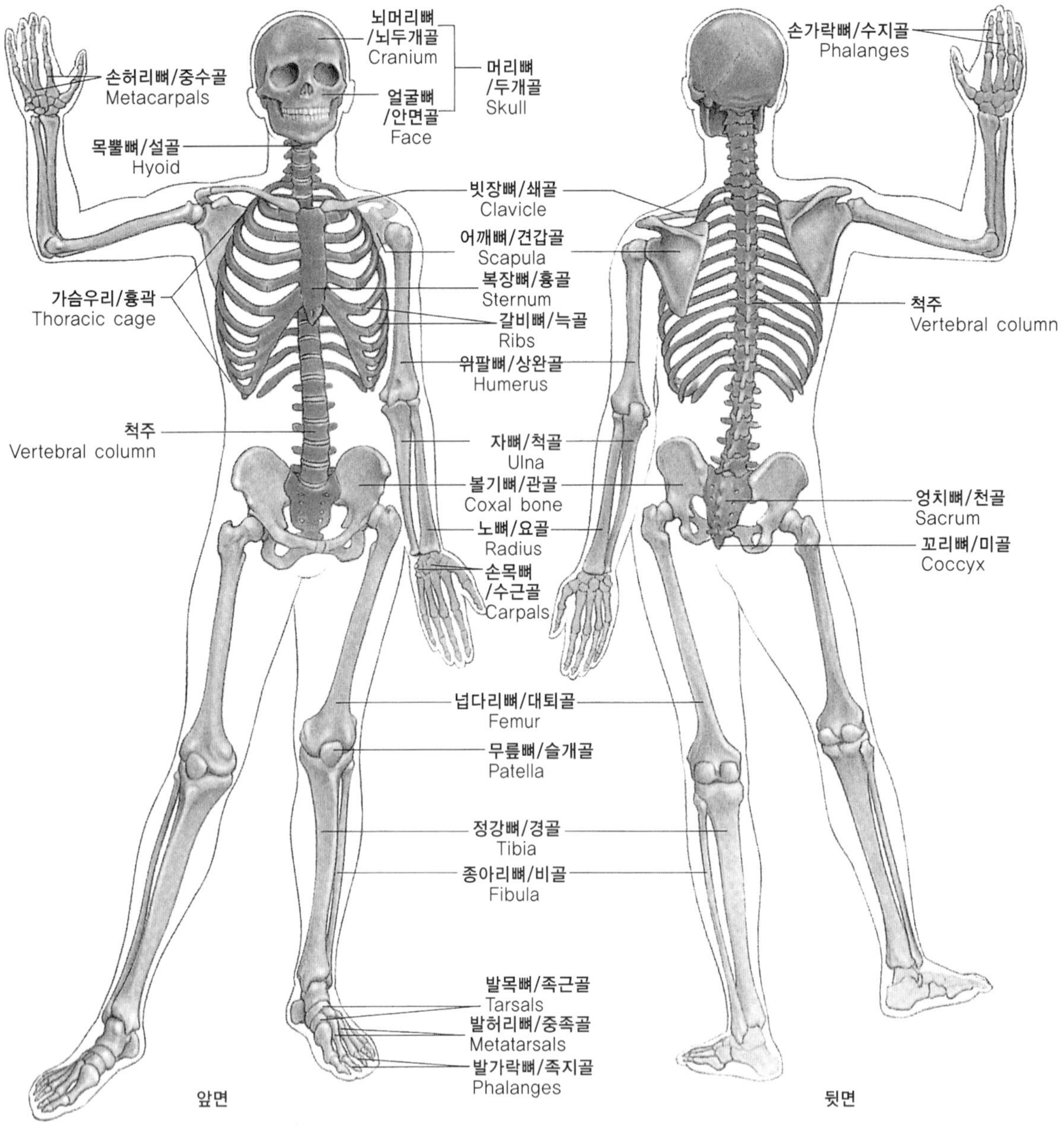
뇌머리뼈
/뇌두개골
Cranium
머리뼈
/두개골
Skull
얼굴뼈
/안면골
Face
손허리뼈/중수골
Metacarpals
목뿔뼈/설골
Hyoid
빗장뼈/쇄골
Clavicle
어깨뼈/견갑골
Scapula
복장뼈/흉골
Sternum
가슴우리/흉곽
Thoracic cage
갈비뼈/늑골
Ribs
위팔뼈/상완골
Humerus
척주
Vertebral column
자뼈/척골
Ulna
볼기뼈/관골
Coxal bone
노뼈/요골
Radius
손목뼈
/수근골
Carpals
넙다리뼈/대퇴골
Femur
무릎뼈/슬개골
Patella
정강뼈/경골
Tibia
종아리뼈/비골
Fibula
발목뼈/족근골
Tarsals
발허리뼈/중족골
Metatarsals
발가락뼈/족지골
Phalanges
앞면
손가락뼈/수지골
Phalanges
척주
Vertebral column
엉치뼈/천골
Sacrum
꼬리뼈/미골
Coccyx
뒷면

그림 2－3• 뼈대 계통

4

머리뼈(두개골)

Q&A 다음 질문에 답하시오.

1 위눈확틈새(상안와열)로 통과하는 구조물을 쓰시오.

2 이마뼈(전두골)와 마루뼈(두정골)가 만나는 봉합의 명칭은?

3 양쪽 마루뼈(두정골)가 만나는 봉합의 명칭은?

4 눈확아래신경(안와하신경)이 통과하는 눈확아래구멍(안와하공)이 위치하고 있는 뼈는?

5 아래턱뼈(하악골)에서 턱끝신경(이신경)이 통과하는 구멍의 이름은?

Q&A

1 눈돌림신경(동안신경), 도르레신경(활차신경), 갓돌림신경(외전신경), 눈신경(안신경), 윗눈정맥(상안정맥)
2 관상(전두)봉합 **3** 시옷봉합(시상봉합) **4** 위턱뼈(상악골) **5** 턱끝구멍(이공)

Q&A 다음 질문에 답하시오.

6 마루뼈(두정골)와 관자뼈(측두골)가 만나는 봉합의 명칭은?

7 관자뼈(측두골)의 광대돌기(관골돌기)와 광대뼈(관골)의 관자돌기(측두돌기)가 만나서 형성되는 것은?

8 아래턱뼈(하악골)에서 턱끝신경(이신경)이 통과하는 이공 외에 하악신경이 통과하는 구멍 이름은?

9 위턱뼈(상악골)에서 볼 수 있는 4개의 돌기명은?

10 코의 코중격(비중격) 상부를 구성하는 뼈대(골격)와 부위명칭은?

11 뇌하수체를 수용하는 뼈대(골격)와 부위명칭은?

12 관자뼈(측두골)의 바깥귀길(외이도)에 이어 내면에서 속귀신경(청신경)이 통과하는 구멍은?

13 뒤통수뼈(후두골)에서 밖으로 가장 많이 돌출된 부위는?

14 목의 위아래관절(상하관절)을 형성하는 1번 경추인 고리뼈(환추)와 관절하는 뼈의 이름과 위치는?

15 머리뼈바닥(두개골저)에서 얼굴신경(안면신경)이 통과하는 구멍의 이름은?

16 위턱뼈(상악골)와 입천장뼈(구개골)가 만나는 봉합의 명칭은?

Q&A

6 비늘봉합(인상봉합) **7** 광대활(관골궁) **8** 아래턱뼈구멍(하악공) **9** 이마뼈돌기(전두돌기), 광대돌기(관골돌기), 입천장돌기(구개돌기), 이틀돌기(치조돌기) **10** 벌집뼈(사골), 수직판 **11** 나비뼈(접형골), 뇌하수체오목(뇌하수체와) **12** 안귀길(내이도) **13** 바깥뒤통수뼈융기(외후두융기) **14** 뒤통수뼈(후두골), 뒤통수뼈관절융기(후두과) **15** 붓돌기꼭지구멍(경유돌공) **16** 가로입천장봉합(횡구개봉합)

Q&A 다음 질문에 답하시오.

17 아래턱관절(악관절)을 구성하는 골격의 이름과 위치를 쓰시오.

18 숨뇌(연수)와 척수의 경계를 이루고 있는 구멍의 이름은?

19 나비뼈(접형골)의 큰날개(대익)에 위치하고 있는 3쌍의 구멍은?

20 나비뼈(접형골)에서 위턱신경(상악신경)이 통과하는 구멍 이름은?

21 나비뼈(접형골)에서 뇌막동맥구멍(극공)으로 통과하는 구조물은?

22 벌집뼈(사골)의 벌집체판(사판)으로 통과하는 신경은?

23 혀밑신경(설하신경)이 통과하는 혀밑신경관(설하신경관)이 있는 뼈의 명칭은?

24 눈확(안와)에서 아래눈확틈새(하안와열)로 통과하는 구조물의 종류를 쓰시오.

25 눈확(안와)의 위벽(상벽)을 형성하는 뼈는?

26 눈확(안와)의 아래벽을 형성하는 뼈는?

27 눈확(안와)의 가쪽벽(외측벽)을 형성하는 뼈는?

Q&A

17 관자뼈(측두골)의 턱관절오목(하악와), 아래턱뼈(하악골)의 관절돌기 **18** 큰구멍(대후두공) **19** 원형구멍(정원공), 타원구멍(난원공), 뇌막동맥구멍(극공) **20** 원형구멍(정원공) **21** 중경질막동맥(중뇌경막동맥) **22** 후각신경(후신경) **23** 뒤통수뼈(후두골) **24** 눈확아래신경(안와하신경), 동맥, 정맥, 위턱신경(상악신경) **25** 이마뼈(전두골), 나비뼈(접형골) **26** 위턱뼈(상악골), 입천장뼈(구개골), 광대뼈(관골) **27** 이마뼈(전두골), 광대뼈(관골), 나비뼈(접형골)

Q&A 다음 질문에 답하시오.

28 시상봉합과 관상봉합이 만나는 곳에 위치하는 숫구멍(천문) 이름은?

29 코안(비강)을 형성하는 뼈의 이름은?

30 코곁동굴(부비동)의 종류를 쓰시오.

31 중간코길(중비도)에 개구하는 코곁동굴(부비동)은?

32 위코길(상비도)에 개구하는 코곁동굴(부비동)은?

33 코곁동굴(부비동) 중 가장 큰 것은?

34 얼굴머리뼈(안면두개골) 중 가장 크고 단단한 뼈는?

35 얼굴뼈(두개골) 아랫면에서 아래턱신경(하악신경)이 빠져 나가는 구멍은?

36 아래턱뼈(하악골)에서 관자뼈(측두골)의 아래턱오목(하악와)과 관절하는 돌기 이름은?

37 아래턱뼈(하악골)의 앞(전)면에 있는 구멍으로 턱끝신경(이신경)이 통과하는 구멍의 명칭은?

Q&A

28 앞숫구멍(대천문) **29** 벌집뼈(사골), 보습뼈(서골), 위턱뼈(상악골), 입천장뼈(구개골), 아래코선반(하비갑개), 코뼈(비골) **30** 이마뼈동굴(전두동), 위턱뼈동굴(상악동), 나비뼈동굴(접형골동), 벌집뼈동굴(사골동) **31** 벌집뼈동굴의 앞구멍(사골동의 전공), 이마뼈동굴(전두동), 위턱뼈동굴(상악동) **32** 나비뼈동굴(접형골동), 벌집뼈동굴(사골동)의 뒤구멍(후공) **33** 위턱뼈동굴(상악동) **34** 아래턱뼈(하악골) **35** 타원구멍(난원공) **36** 아래턱관절돌기(관절돌기) **37** 턱끝구멍(이공)

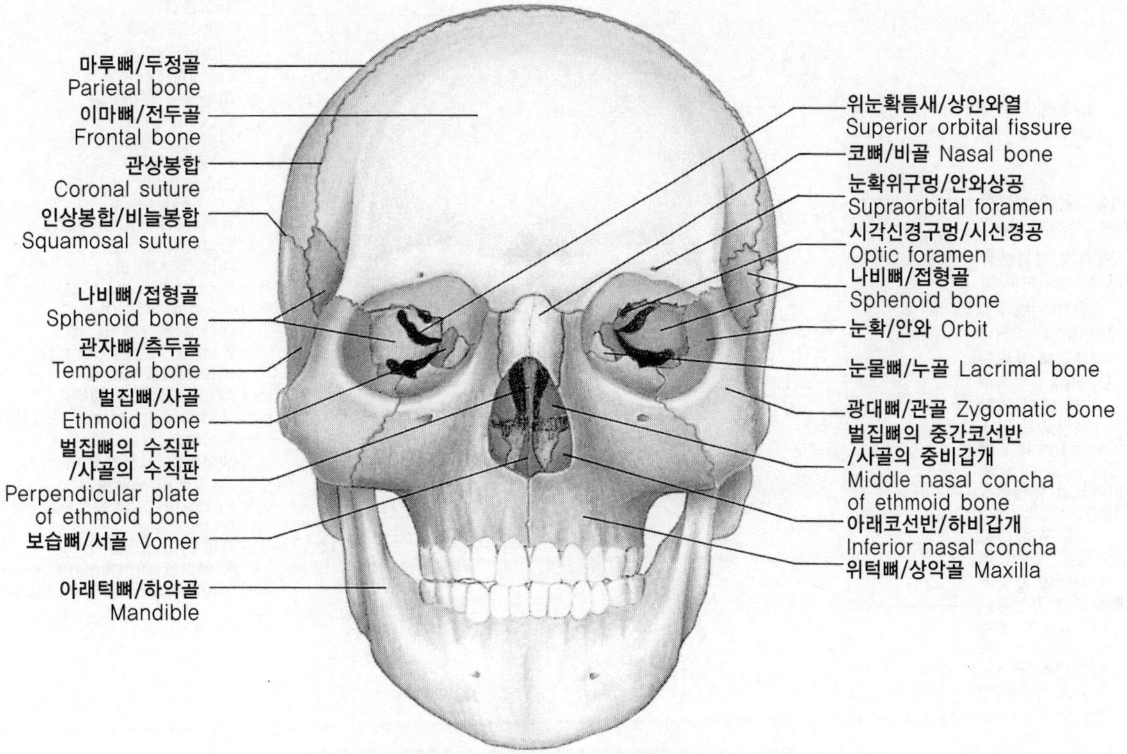

그림 2－4 • 앞에서 본 머리뼈의 모습

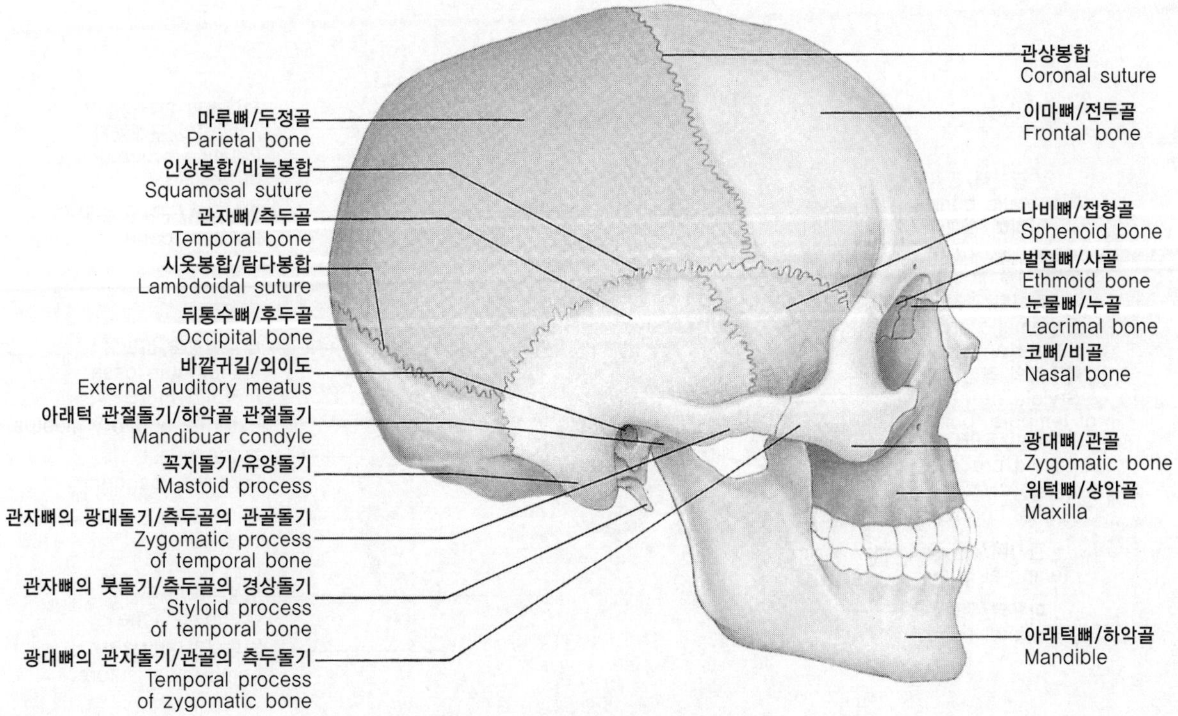

그림 2－5 • 머리뼈를 외측에서 본 모습

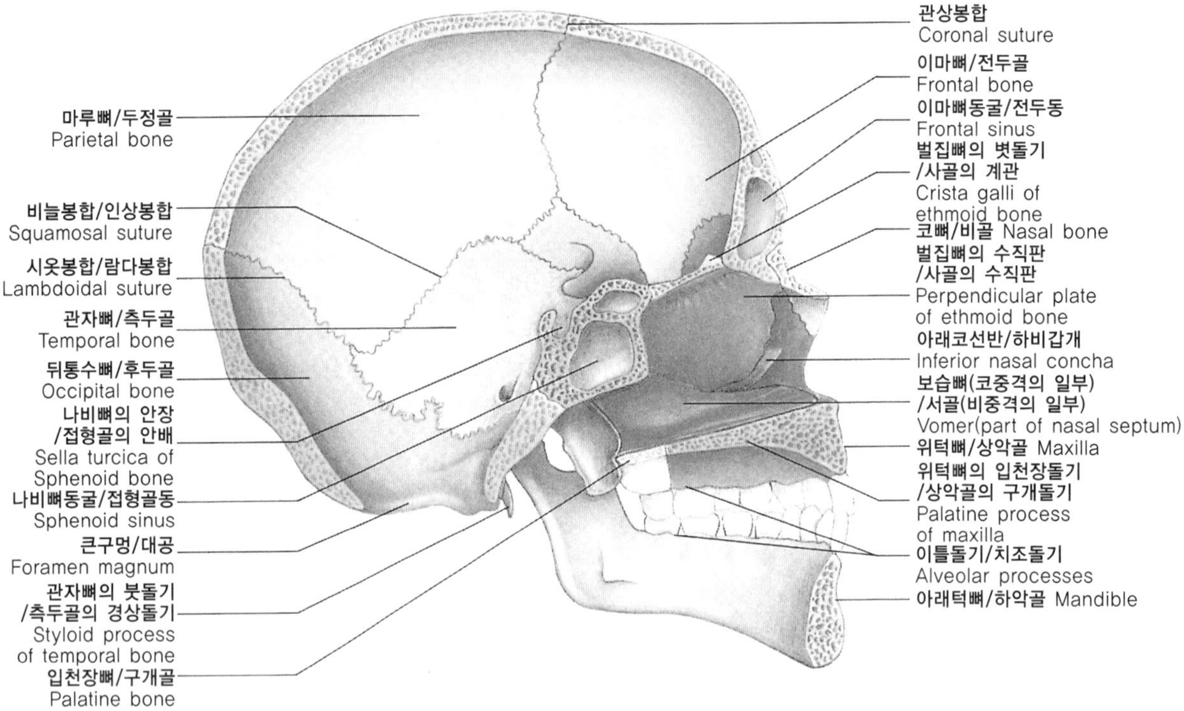

그림 2-6 • 머리뼈의 정중시상단면을 외측면에서 본 모습

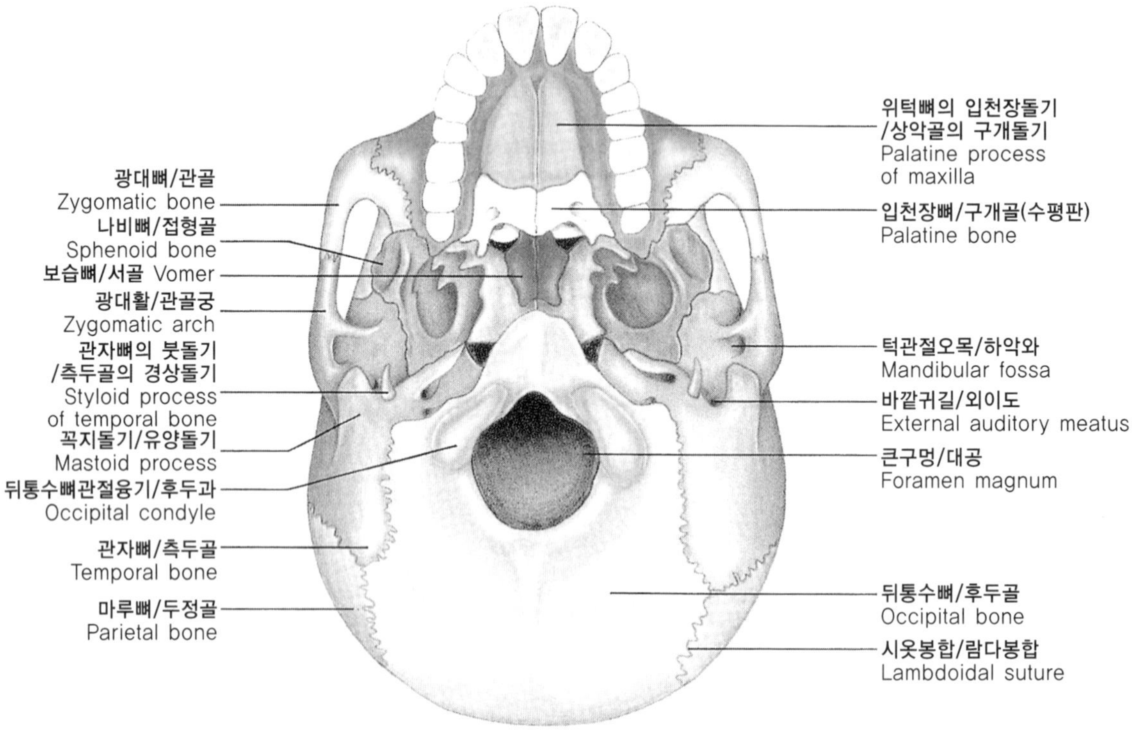

그림 2-7 • 아래턱뼈를 제거하고 머리뼈를 밑에서 본 모습

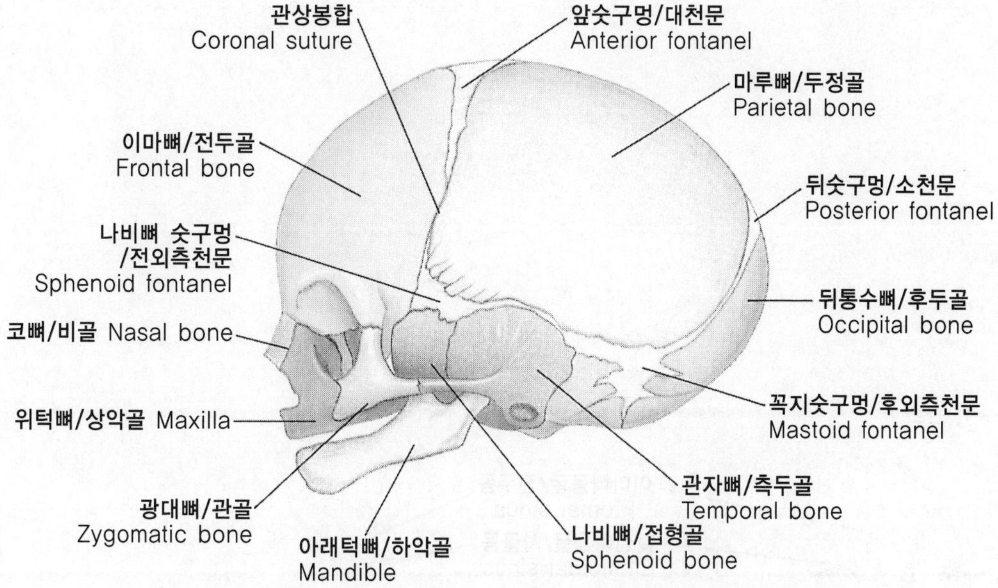

(a)

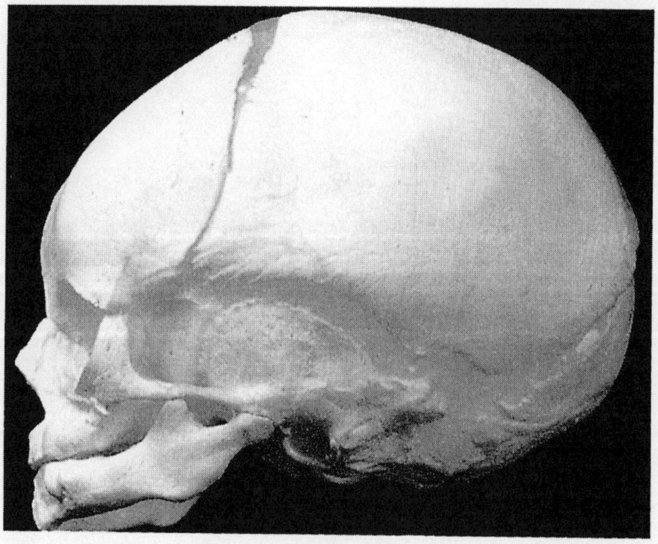

(b)

그림 2 – 8 • 태아 또는 신생아의 머리뼈

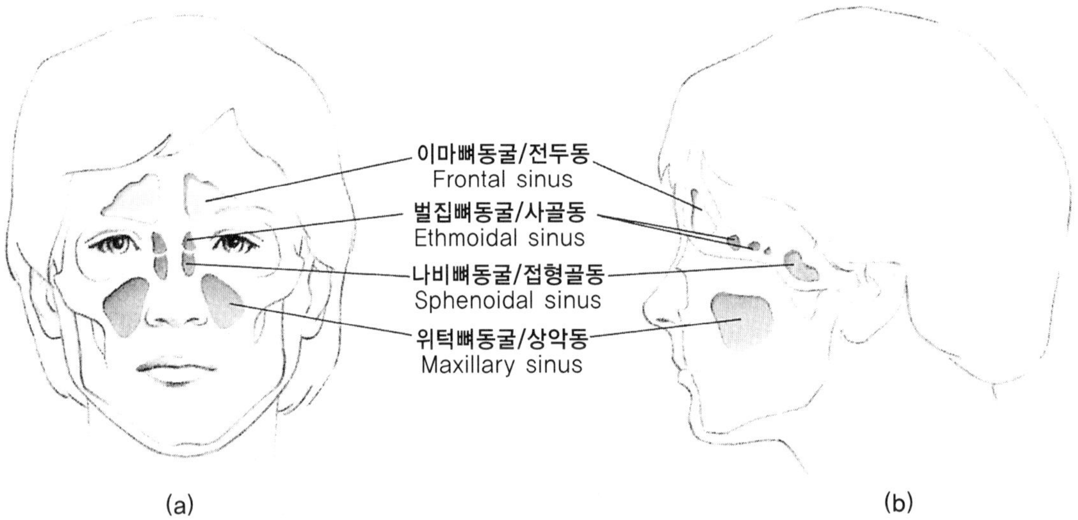

그림 2-9 • 머리뼈에 있는 코곁동굴

5

척주와 굽이(만곡)

Q&A 다음 질문에 답하시오.

1 성인의 척주를 구성하는 척추사이원반(추간원판)은 몇 개인가?

2 성인 척주를 구성하는 뼈대(골격)의 이름과 수를 위에서부터 차례대로 쓰시오.

3 성인의 엉치뼈(천골)는 몇개의 엉치뼈(천추)가 융합된 것인가?

4 척주의 1차굽이(1차만곡)를 쓰시오.

5 성인의 척주길이는 대략 얼마 정도인가?

Q&A

1 23개 **2** 목뼈(경추) 7개, 등뼈(흉추) 12개, 허리뼈(요추) 5개, 엉치뼈(천골) 1개, 꼬리뼈(미골) 1개 **3** 5개
4 등굽이(흉부만곡), 엉치꼬리굽이(천부만곡) **5** 70~75 cm

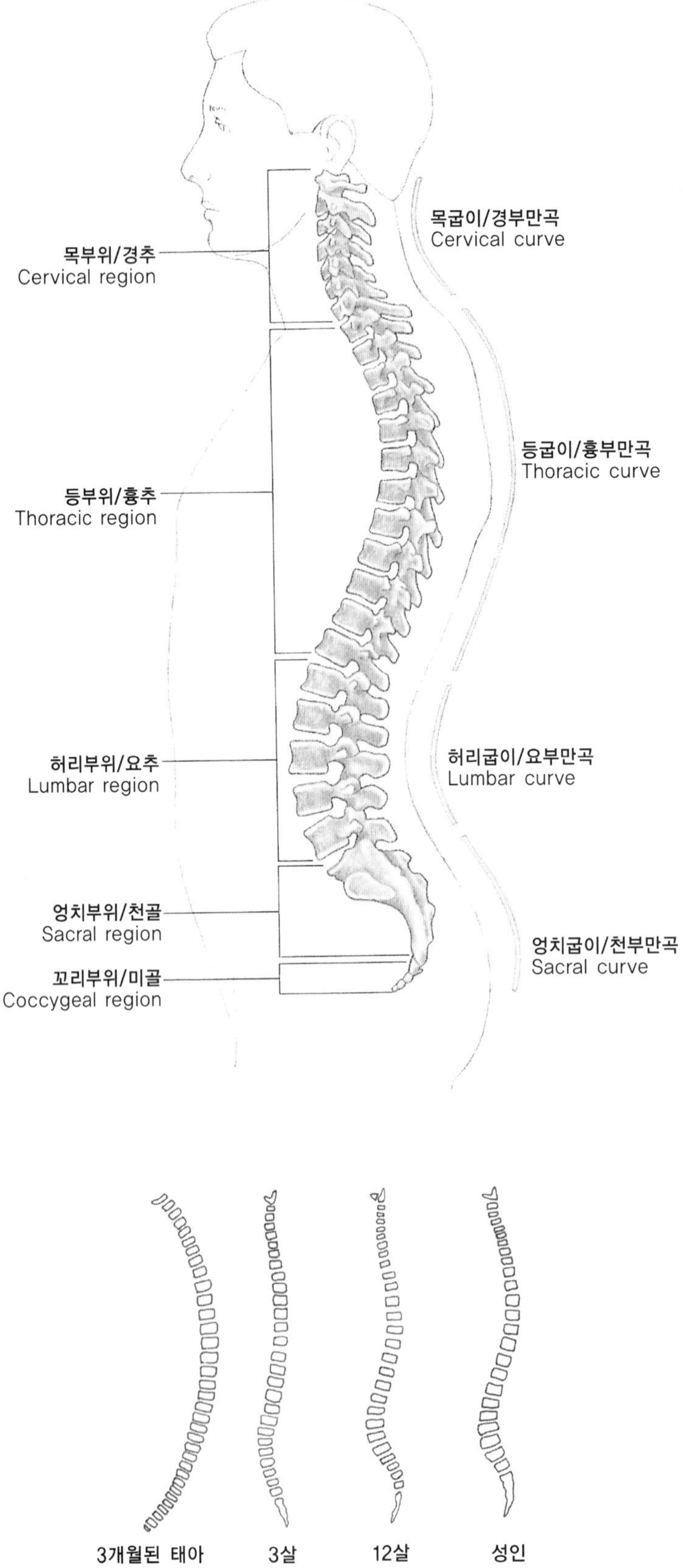
목부위/경추
Cervical region
등부위/흉추
Thoracic region
허리부위/요추
Lumbar region
엉치부위/천골
Sacral region
꼬리부위/미골
Coccygeal region
목굽이/경부만곡
Cervical curve
등굽이/흉부만곡
Thoracic curve
허리굽이/요부만곡
Lumbar curve
엉치굽이/천부만곡
Sacral curve
3개월된 태아
3살
12살
성인

그림 2－10 • 척추

6

목뼈(경추)

Q&A 다음 질문에 답하시오.

1 가시돌기(극돌기)의 이분 및 가로돌기구멍(횡돌기공)을 가지고 있는 척추뼈(추골)는?

2 일반적으로 척추뼈(추골)는 몇종 몇개의 돌기로 구성되어 있는가?

3 치아돌기(치돌기)가 발달되어 있는 척추뼈(추골)는은?

4 척추몸통(추체)이 없고 고리모양을 하고 있는 척추뼈(추골)는?

5 목뼈부(경추부)와 등뼈부(흉추부)를 구분하는 기준점이 되며 가시돌기(극돌기)가 이분되어 있지 않은 목뼈(경추)는?

Q&A

1 목뼈(경추) **2** 3종 7개 **3** 중쇠뼈(축추) **4** 고리뼈(환추) **5** 융추(제7경추)

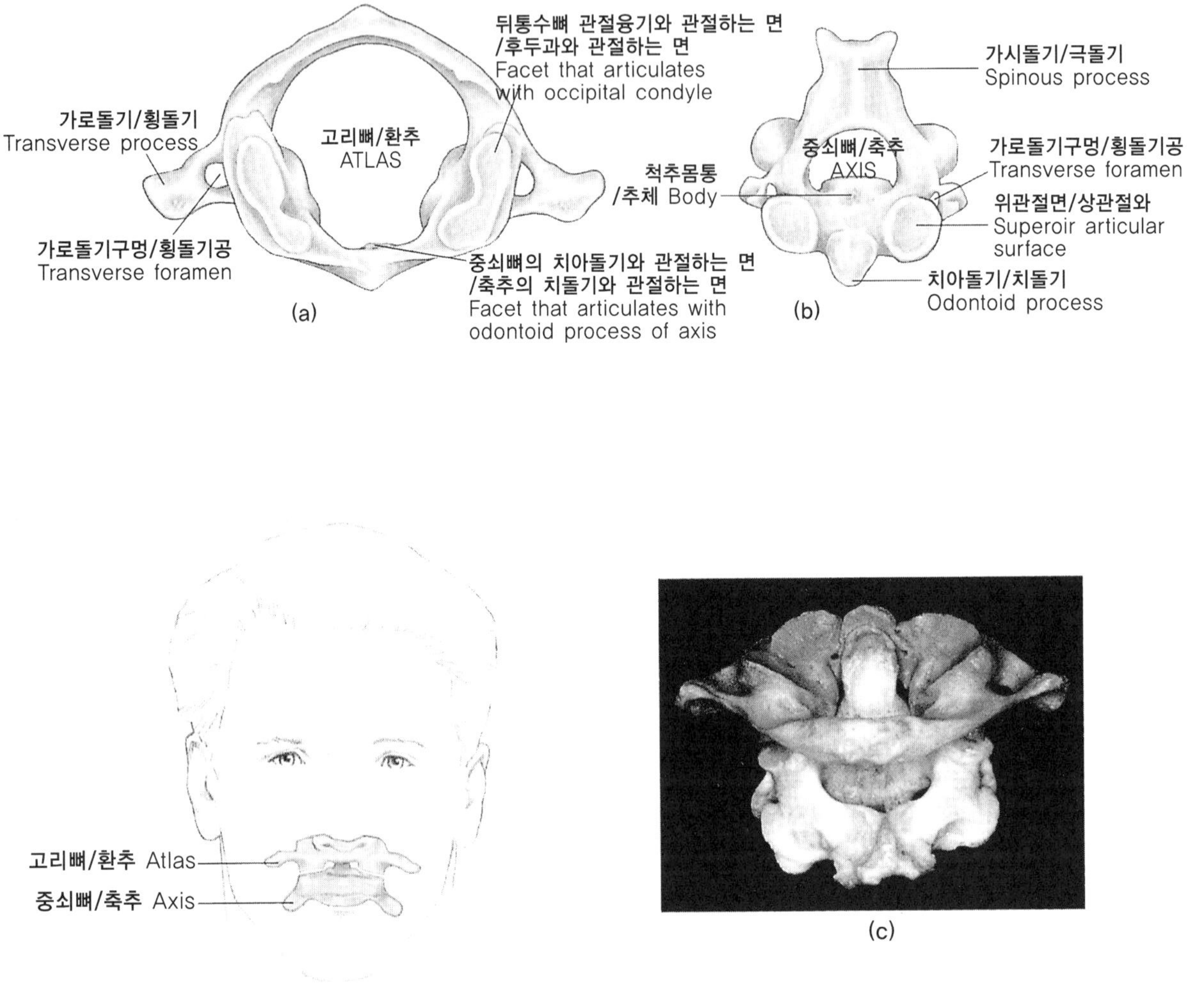

그림 2 – 11 • 제1, 2 목뼈를 위에서 본 모습

7

등뼈(흉추)와 허리뼈(요추)

Q&A 다음 질문에 답하시오.

1 등뼈(흉추)를 구성하는 척추뼈(추골)는 몇 개인가?

2 등뼈(흉추)에서 갈비뼈머리(늑골두)와 복장뼈몸통(흉골체)과 만나는 곳을 무엇이라 하는가?

3 등뼈(흉추)의 가로돌기(횡돌기)와 갈비뼈결절(늑골결절)이 만나는 곳을 무엇이라 하는가?

4 척추뼈(추골) 중에 가장 크고 무거운 척추뼈(추골)는?

5 허리뼈(요추)는 일반적인 척추뼈(추골)와 비교해서 두 종류의 돌기를 더 가지고 있는데 이들 돌기 이름은?

Q&A

1 12개 **2** 갈비오목(늑골와) **3** 가로돌기갈비오목(횡돌늑골와) **4** 허리뼈(요추) **5** 덧돌기(부돌기), 유두돌기

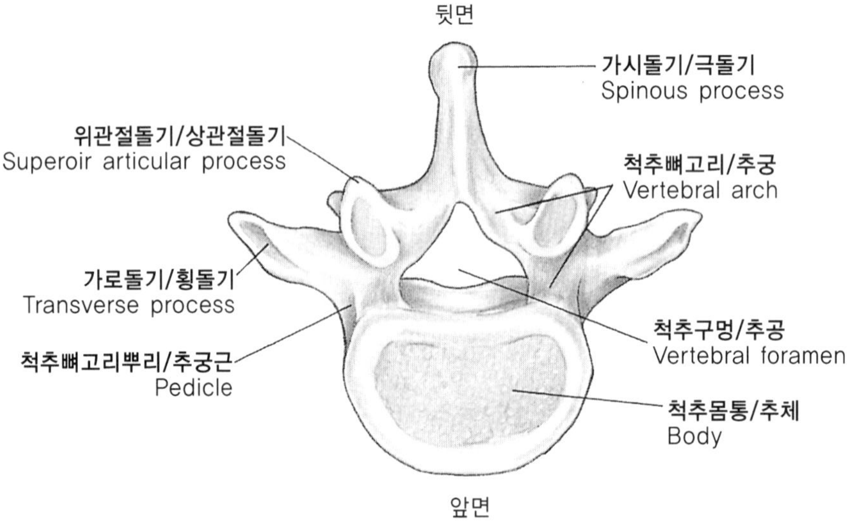

그림 2 – 12 • 전형적인 척추의 특징, 위에서 본 모습

8

엉치뼈(천골)와 꼬리뼈(미골)

Q&A 다음 질문에 답하시오.

1 엉치뼈(천골)는 몇 개의 척추뼈(추골)가 하나로 융합되었는가?

2 엉치뼈(천골)에서 볼기뼈(장골)와 관절하는 귀모양의 면을 무엇이라 하는가?

3 엉치뼈(천골)에는 몇쌍의 구멍이 있는가?

4 엉치뼈(천골) 안쪽면(내면)에 골반대(골반)를 계측하는 기준점은?

Q&A

1 5개 **2** 귀모양면(이상면) **3** 5쌍 **4** 엉치뼈곶(천골갑각)

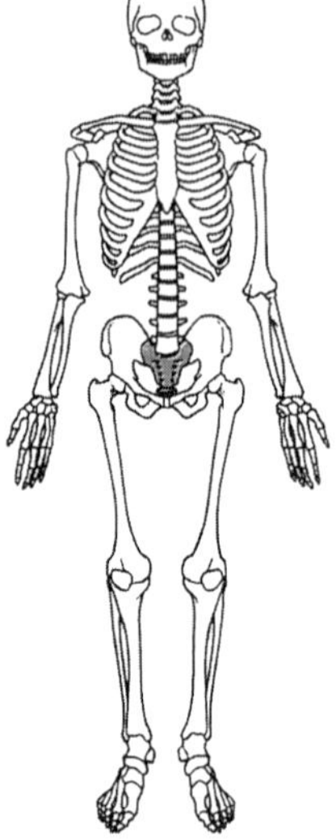

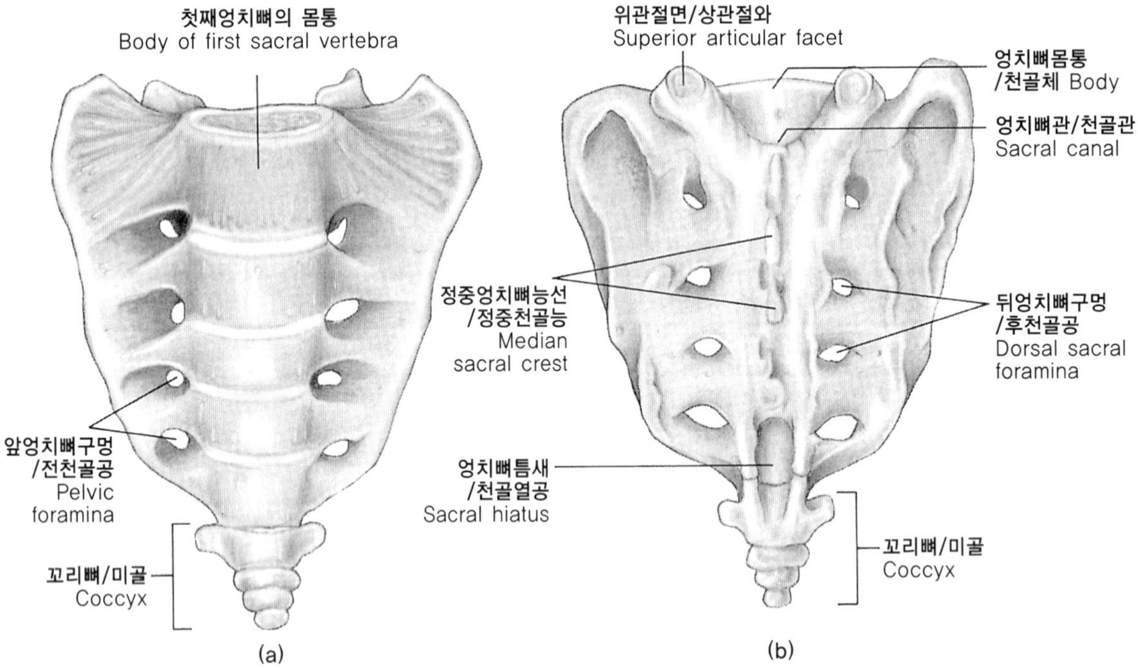
첫째엉치뼈의 몸통
Body of first sacral vertebra
앞엉치뼈구멍
/전천골공
Pelvic
foramina
꼬리뼈/미골
Coccyx
(a)
위관절면/상관절와
Superior articular facet
엉치뼈몸통
/천골체 Body
엉치뼈관/천골관
Sacral canal
정중엉치뼈능선
/정중천골능
Median
sacral crest
뒤엉치뼈구멍
/후천골공
Dorsal sacral
foramina
엉치뼈틈새
/천골열공
Sacral hiatus
꼬리뼈/미골
Coccyx
(b)

그림 2 - 13 • 엉치뼈

9

가슴우리(흉곽)의 구조

Q&A 다음 질문에 답하시오.

1 가슴우리(흉곽)를 구성하는 뼈대(골격)의 이름과 수를 쓰시오.

2 등뼈(흉골)에 직접 부착하는 갈비뼈(늑골)는 몇쌍인가?

3 갈비뼈(늑골) 중 8번째부터 12번째 갈비뼈(늑골)까지를 무슨 갈비뼈(늑골)라 부르는가?

4 뜬갈비뼈(부유늑골)는 몇번째 갈비뼈(늑골)를 말하는가?

Q&A

1 복장뼈(흉골) 1개, 등뼈(흉추) 12개, 갈비뼈(늑골) 12쌍 **2** 7쌍 **3** 거짓갈비뼈(가늑골) **4** 제11, 12번째

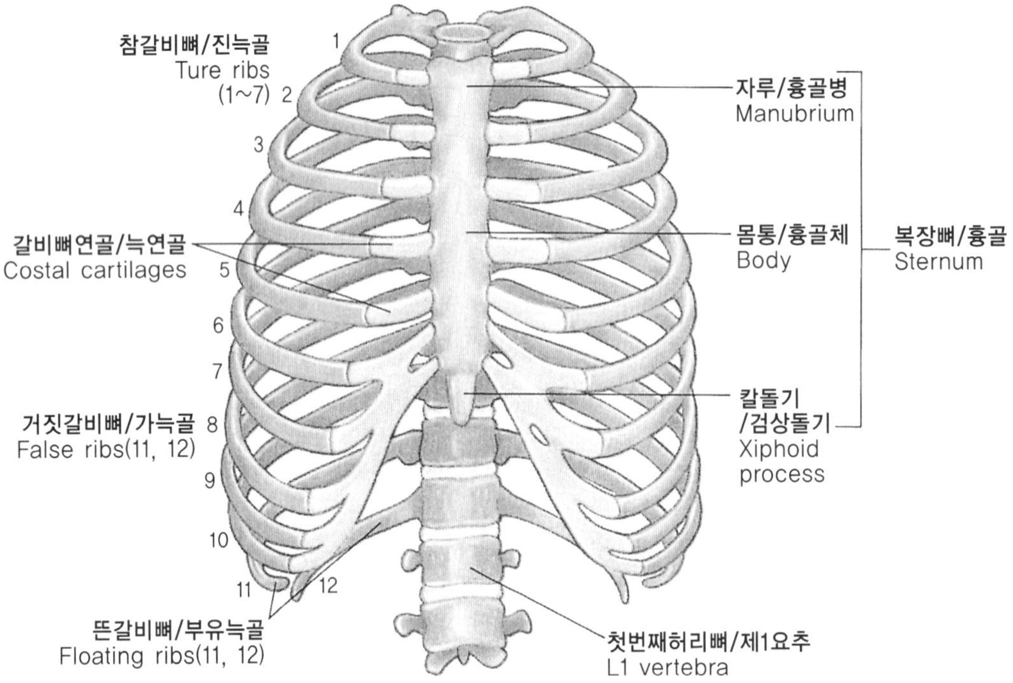

참갈비뼈/진늑골
Ture ribs
(1~7)
1
2
3
4
5
6
7
8
9
10
11
12
자루/흉골병
Manubrium
갈비뼈연골/늑연골
Costal cartilages
몸통/흉골체
Body
복장뼈/흉골
Sternum
칼돌기
/검상돌기
Xiphoid
process
거짓갈비뼈/가늑골
False ribs(11, 12)
뜬갈비뼈/부유늑골
Floating ribs(11, 12)
첫번째허리뼈/제1요추
L1 vertebra

(a)

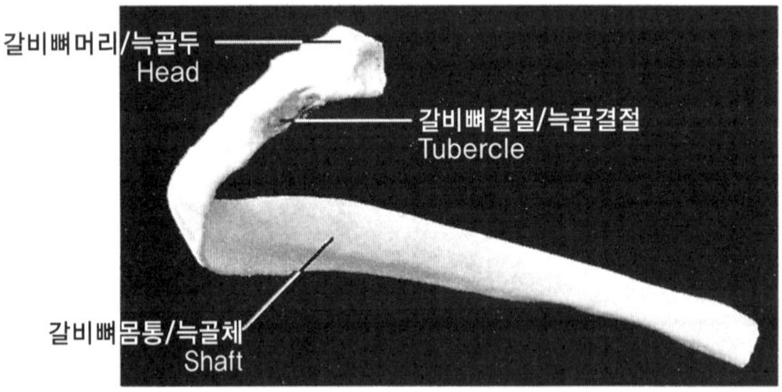

갈비뼈머리/늑골두
Head
갈비뼈결절/늑골결절
Tubercle
갈비뼈몸통/늑골체
Shaft

(b)

그림 2 – 14

10

갈비뼈(늑골)와 복장뼈(흉골)

Q&A 다음 질문에 답하시오.

1 갈비뼈(늑골)는 몇 개의 뼈로 구성되어 있는가?

2 갈비뼈(늑골)의 갈비뼈결절(늑골결절)은 등뼈(흉추)의 어느 곳과 관절하는가?

3 가슴막(흉막)천자의 위치로 어느 곳을 주로 선택하는가?

4 복장뼈(흉골)에서 골수천자를 시행하는 부위는?

5 복장뼈각(흉골각)의 위치에는 몇번째 갈비뼈연골(늑연골)이 부착하는가?

Q&A

1 24개 **2** 가로돌기(횡돌기) **3** 제7,8 갈비사이공간(늑간극) **4** 복장뼈몸통(흉골체) **5** 제2갈비뼈연골(늑연골)

11

팔뼈(상지골)

Q&A 다음 질문에 답하시오.

1 빗장뼈(쇄골)와 어깨뼈(견갑골)는 위팔뼈(상완골)의 분류 중 어느 부위에 속하는가?

2 가까운쪽 손목뼈(근위수근골)를 가쪽(외측)에서 안쪽(내측)으로 순서대로 이름을 쓰시오.

3 어깨관절(견관절)을 구성하는 뼈대(골격) 이름과 위치를 쓰시오.

4 해부학적 자세에서 아래팔(전완)의 안쪽뼈(내측뼈)와 가쪽뼈(외측뼈)의 이름은 각각 무엇인가?

Q&A

1 팔이음뼈(상지대) **2** 손배뼈(주상골)–반달뼈(월상골)–세모뼈(삼각골)–알머리뼈(두상골) **3** 위팔뼈머리(상완골두), 어깨뼈(견갑골)의 관절오목(관절와) **4** 자뼈(척골), 노뼈(요골)

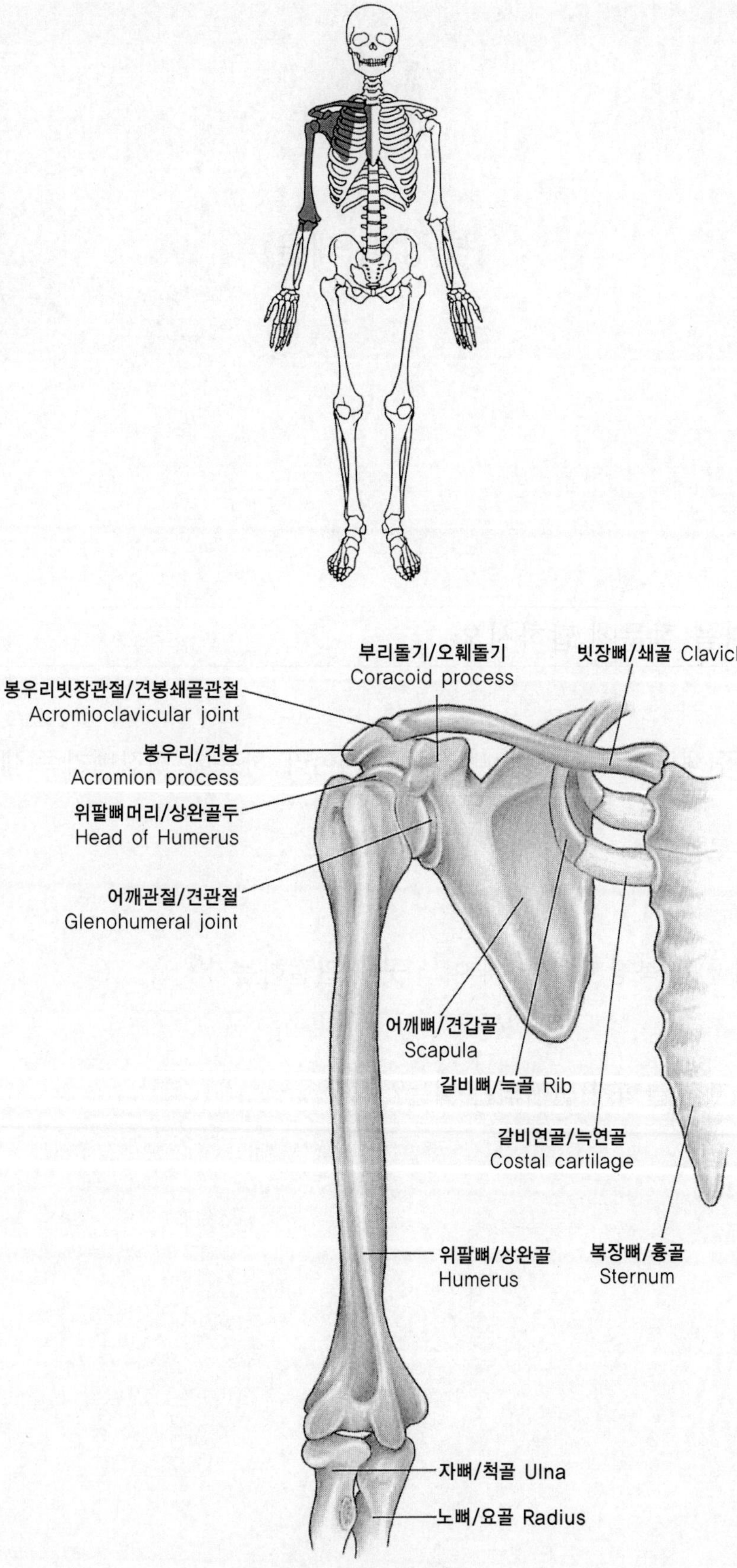
부리돌기/오훼돌기
Coracoid process
빗장뼈/쇄골 Clavicle
봉우리빗장관절/견봉쇄골관절
Acromioclavicular joint
봉우리/견봉
Acromion process
위팔뼈머리/상완골두
Head of Humerus
어깨관절/견관절
Glenohumeral joint
어깨뼈/견갑골
Scapula
갈비뼈/늑골 Rib
갈비연골/늑연골
Costal cartilage
위팔뼈/상완골
Humerus
복장뼈/흉골
Sternum
자뼈/척골 Ulna
노뼈/요골 Radius

그림 2 – 15 • 팔이음뼈

11-1

빗장뼈(쇄골)

Q&A 다음 질문에 답하시오.

1 빗장뼈안쪽(쇄골내측)을 복장뼈끝(흉골단)이라 하는데 빗장뼈가쪽(쇄골외측)은 무엇이라 부르는가?

2 빗장뼈(쇄골)는 복장뼈(흉골)의 어느 곳과 관절하는가?

3 인체에서 가장 골화가 먼저되는 뼈는?

Q&A

1 봉우리끝(견봉단) **2** 빗장뼈패임(쇄골절흔) **3** 빗장뼈(쇄골)

11-2

어깨뼈(견갑골)

Q&A 다음 질문에 답하시오.

1 어깨뼈(견갑골)에서 어깨관절(견관절)을 형성하는 부위명칭은?

2 어깨관절(견관절)을 형성하는 연골판을 무엇이라 부르는가?

3 어깨뼈(견갑골)가 빗장뼈(쇄골)와 관절하는 부위를 무엇이라 하는가?

4 어깨뼈(견갑골)에서 위팔뼈(상완골)와의 주요 인대부착부인 돌기는?

Q&A

1 관절오목(관절와) **2** 관절둘레연골(관절순) **3** 봉우리(견봉) **4** 부리돌기(오훼돌기)

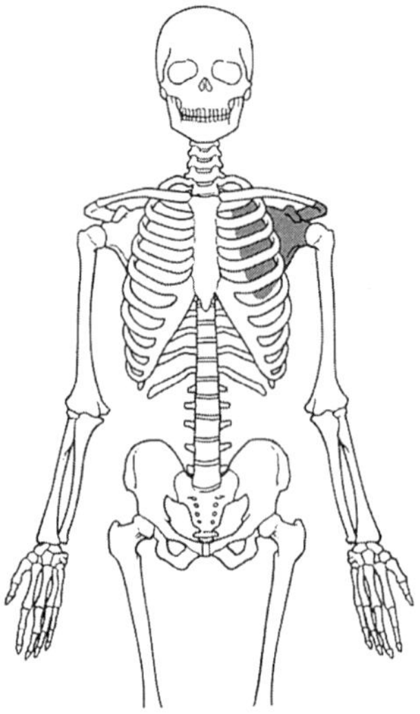

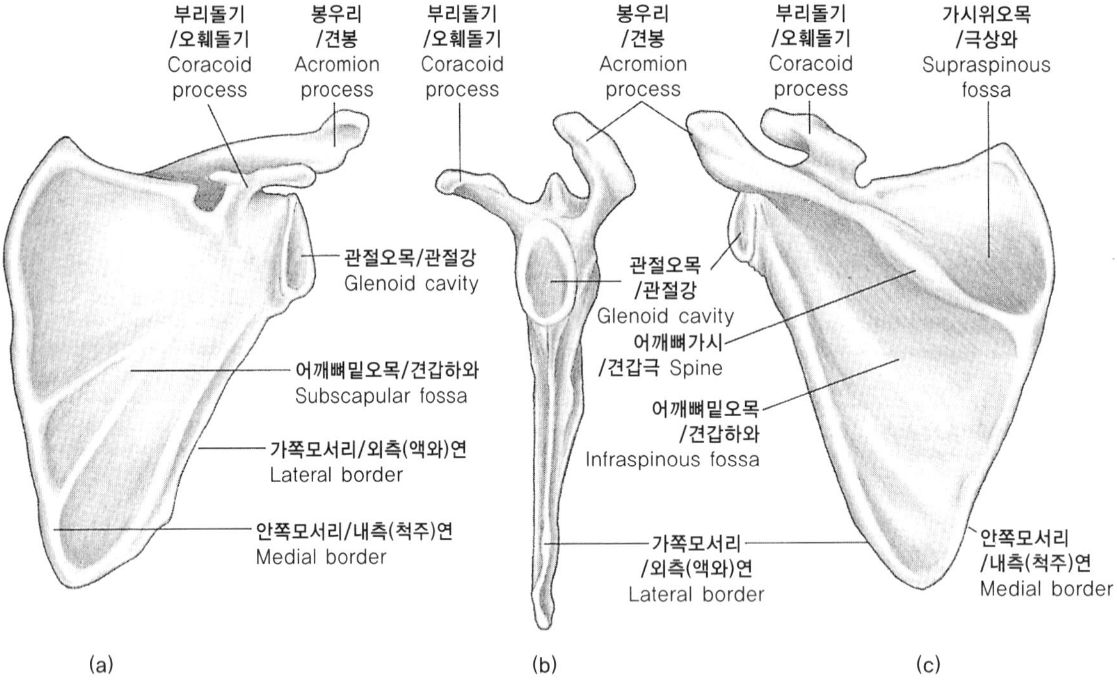
부리돌기
/오훼돌기
Coracoid
process
봉우리
/견봉
Acromion
process
관절오목/관절강
Glenoid cavity
어깨뼈밑오목/견갑하와
Subscapular fossa
가쪽모서리/외측(액와)연
Lateral border
안쪽모서리/내측(척주)연
Medial border
부리돌기
/오훼돌기
Coracoid
process
봉우리
/견봉
Acromion
process
관절오목
/관절강
Glenoid cavity
가쪽모서리
/외측(액와)연
Lateral border
부리돌기
/오훼돌기
Coracoid
process
가시위오목
/극상와
Supraspinous
fossa
어깨뼈가시
/견갑극 Spine
어깨뼈밑오목
/견갑하와
Infraspinous fossa
안쪽모서리
/내측(척주)연
Medial border
(a)
(b)
(c)

그림 2 - 16 • 어깨뼈

11-3

위팔뼈(상완골)

Q&A 다음 질문에 답하시오.

1 위팔(상지)에서 가장 긴뼈는?

2 위팔뼈(상완골)에서 어깨세모근(삼각근)이 정지하는 곳은?

3 위팔뼈(상완골)에서 볼 수 있는 목(경)부위의 명칭은?

Q&A

1 위팔뼈(상완골) **2** 세모근거친면(삼각근조면) **3** 해부목(해부경), 외과목(외과경)

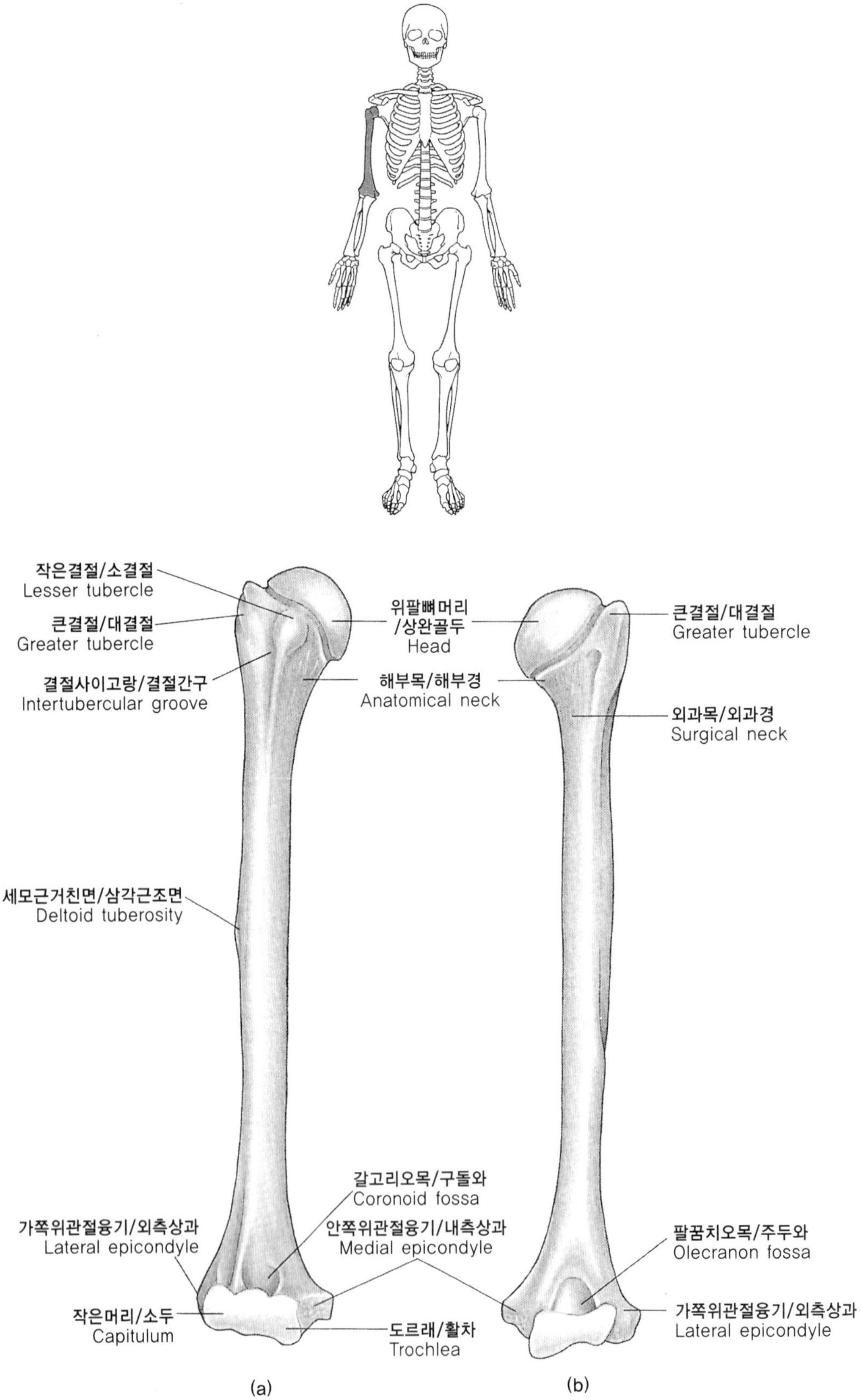

작은결절/소결절
Lesser tubercle
큰결절/대결절
Greater tubercle
결절사이고랑/결절간구
Intertubercular groove
위팔뼈머리
/상완골두
Head
해부목/해부경
Anatomical neck
큰결절/대결절
Greater tubercle
외과목/외과경
Surgical neck
세모근거친면/삼각근조면
Deltoid tuberosity
갈고리오목/구돌와
Coronoid fossa
가쪽위관절융기/외측상과
Lateral epicondyle
안쪽위관절융기/내측상과
Medial epicondyle
팔꿈치오목/주두와
Olecranon fossa
작은머리/소두
Capitulum
도르래/활차
Trochlea
가쪽위관절융기/외측상과
Lateral epicondyle
(a)
(b)

그림 2 – 17 • 위팔뼈

11-4

노뼈(요골)와 자뼈(척골)

Q&A 다음 질문에 답하시오.

1 위팔뼈(상완골)에서 자뼈(척골)의 팔꿈치머리(주두)와 관절하는 곳은?

2 위팔뼈(상완골)에서 노뼈(요골)의 노뼈머리(요골두)와 관절하는 곳은?

3 위팔뼈(상완골)에서 자뼈(척골)의 도르래패임(활차절흔)과 관절하는 곳은?

Q&A

1 팔꿈치오목(주두와) **2** 위팔뼈작은머리(상완골소두) **3** 도르래(활차)

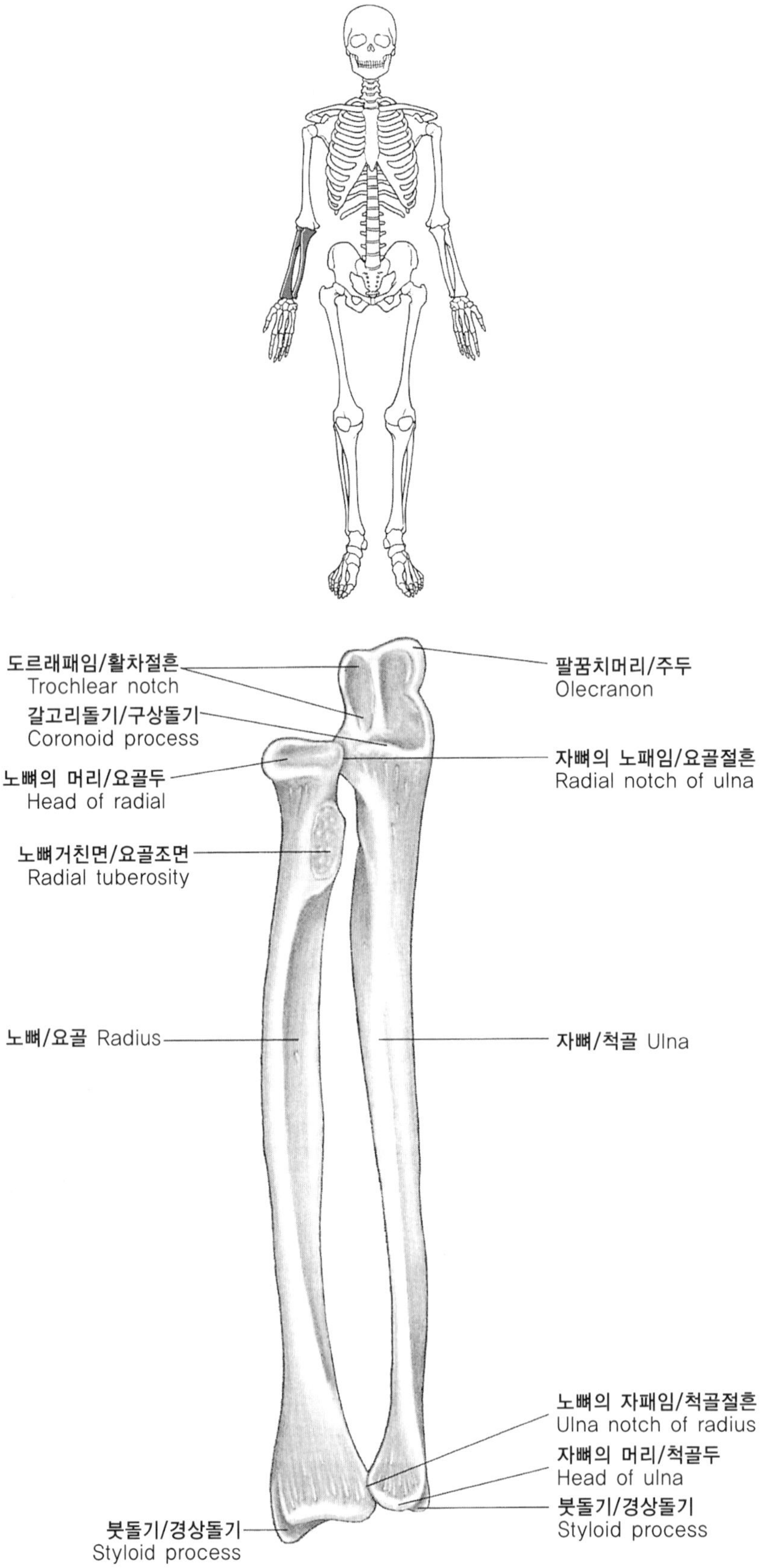
도르래패임/활차절흔
Trochlear notch
팔꿈치머리/주두
Olecranon
갈고리돌기/구상돌기
Coronoid process
자뼈의 노패임/요골절흔
Radial notch of ulna
노뼈의 머리/요골두
Head of radial
노뼈거친면/요골조면
Radial tuberosity
노뼈/요골 Radius
자뼈/척골 Ulna
노뼈의 자패임/척골절흔
Ulna notch of radius
자뼈의 머리/척골두
Head of ulna
붓돌기/경상돌기
Styloid process
붓돌기/경상돌기
Styloid process

그림 2 – 18 • 노뼈와 자뼈

11-5
손의 뼈

Q&A 다음 질문에 답하시오.

1 먼쪽부위(원위부)의 손목뼈(수근골)의 이름을 가쪽(외측)부터 순서대로 쓰시오.

2 손목관절(수근관절)을 이루는 가까운쪽 손목뼈(근위수근골)의 이름을 쓰시오.

3 한쪽 손의 손가락뼈는 모두 몇개인가?

Q&A

1 큰마름뼈(대능형골), 작은마름뼈(소능형골), 콩알뼈(유두골), 갈고리뼈(유구골) **2** 손배뼈(주상골), 반달뼈(월상골), 세모뼈(삼각골) **3** 14개

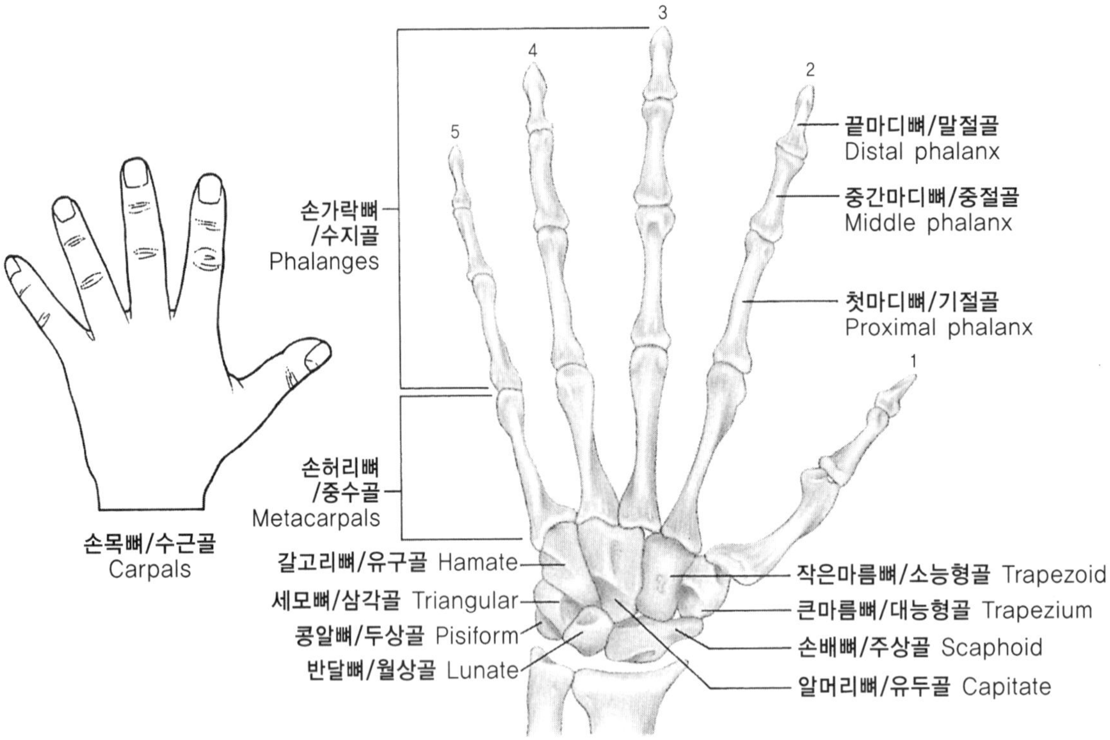

(a)

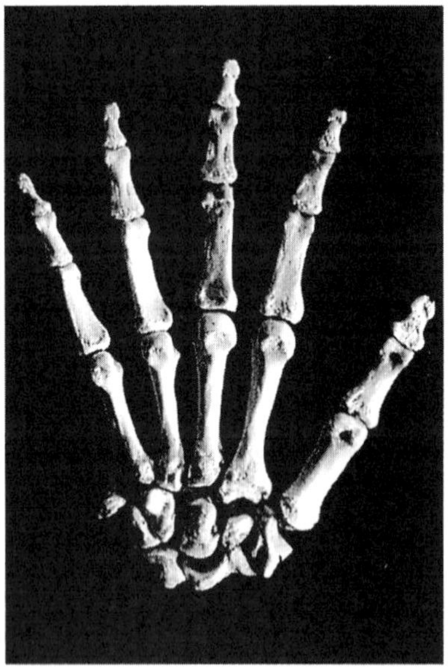

(b)

그림 2 – 19 • 손에 있는 뼈

12

다리뼈(하지골)

Q&A 다음 질문에 답하시오.

1 다리뼈(하지뼈)의 종류를 쓰시오.

2 인체에서 가장 크고 긴 뼈는?

3 엉덩관절(고관절)을 구성하는 뼈의 종류와 위치를 쓰시오.

4 해부학적 자세에서 아래다리(하퇴)의 안쪽(내측)에 위치하고 있는 뼈는?

Q&A

1 볼기뼈(관골), 넙다리뼈(대퇴골), 정강뼈(경골), 종아리뼈(비골), 무릎뼈(슬개골), 발목뼈(족근골), 발허리뼈(중족골), 발가락뼈(지골) **2** 넙다리뼈(대퇴골) **3** 넙다리뼈(대퇴골)의 넙다리뼈머리(대퇴골두), 볼기뼈(관골)의 볼기뼈절구(관골구) **4** 정강뼈(경골)

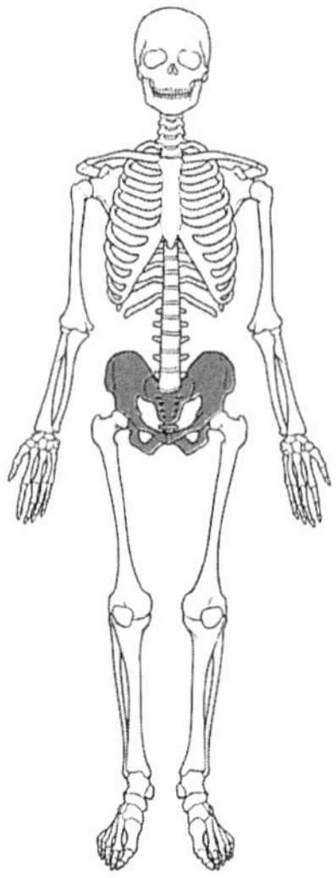

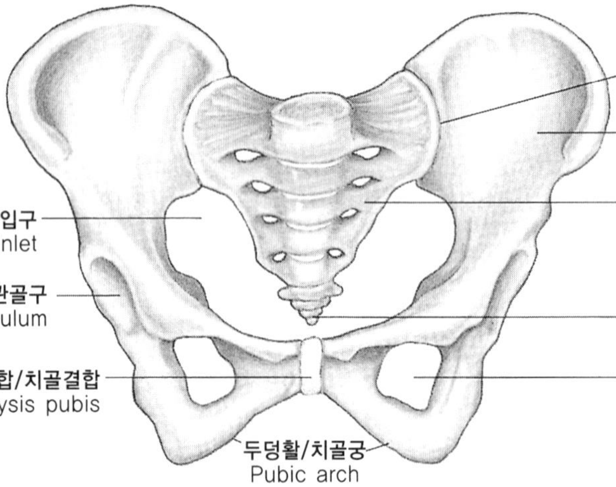

그림 2 – 20 • 골반대를 앞에서 본 모습

12-1

볼기뼈(관골)

Q&A 다음 질문에 답하시오.

1 융합전 볼기뼈(관골)를 구성하는 뼈의 종류는?

2 엉덩뼈(장골)와 엉치뼈(천골)가 관절하는 부위명은?

3 윤활관절(활막성 관절) 중 절구관절(구상관절)로 되어 있는 관절명을 쓰시오.

4 앉아 있을 때 체중을 가장 많이 받는 뼈는?

5 볼기뼈(관골)에 있는 큰 구멍의 이름은?

Q&A

1 엉덩뼈(장골), 궁둥뼈(좌골), 두덩뼈(치골) **2** 귓바퀴면(이상면) **3** 어깨관절(견관절), 엉덩관절(고관절) **4** 궁둥뼈(좌골) **5** 폐쇄구멍(폐쇄공)

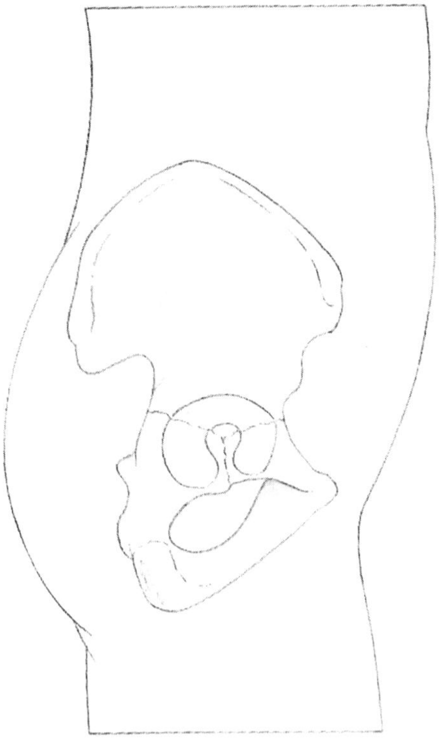

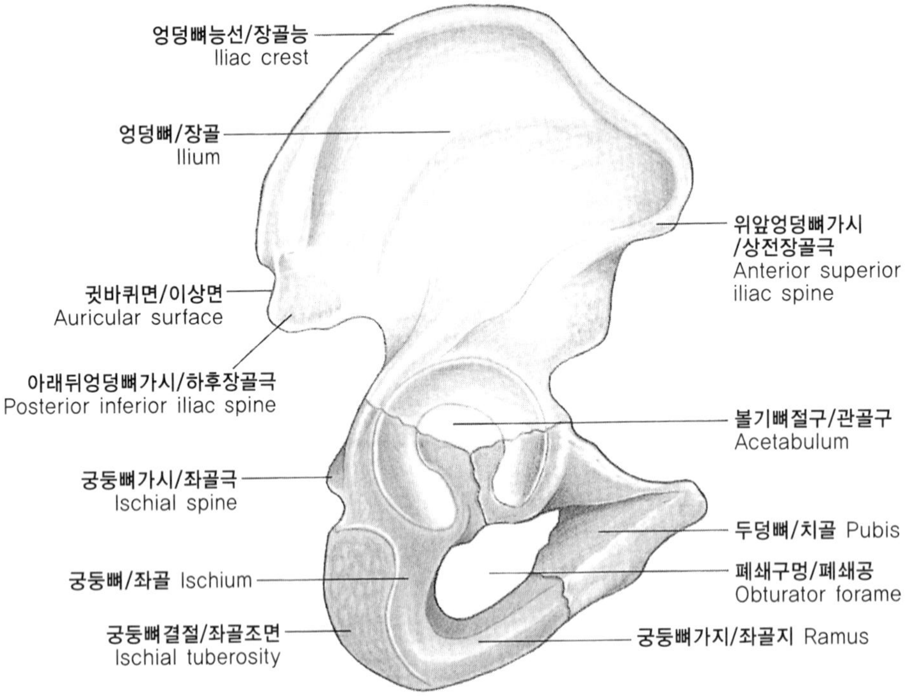

그림 2-21• 오른쪽 골반뼈

12-2

넙다리뼈(대퇴골)와 무릎뼈(슬개골)

Q&A 다음 질문에 답하시오.

1 볼기뼈절구(관골구)와 관절하여 엉덩관절(고관절)을 이루는 넙다리뼈(대퇴골)의 부위명칭은?

2 넙다리뼈뒤면(대퇴골후면)에 큰볼기근(대둔근)이 정지하는 곳은?

3 넙다리뼈(대퇴골)의 아래 움푹 파이어 십자인대가 부착하는 곳의 명칭은?

4 무릎관절(슬관절)을 구성하는 뼈대의 종류를 쓰시오.

Q&A

1 넙다리뼈머리(대퇴골두) **2** 엉덩이근거친면(둔근조면) **3** 융기사이오목(과간와) **4** 넙다리뼈(대퇴골), 정강뼈(경골), 무릎뼈(슬개골)

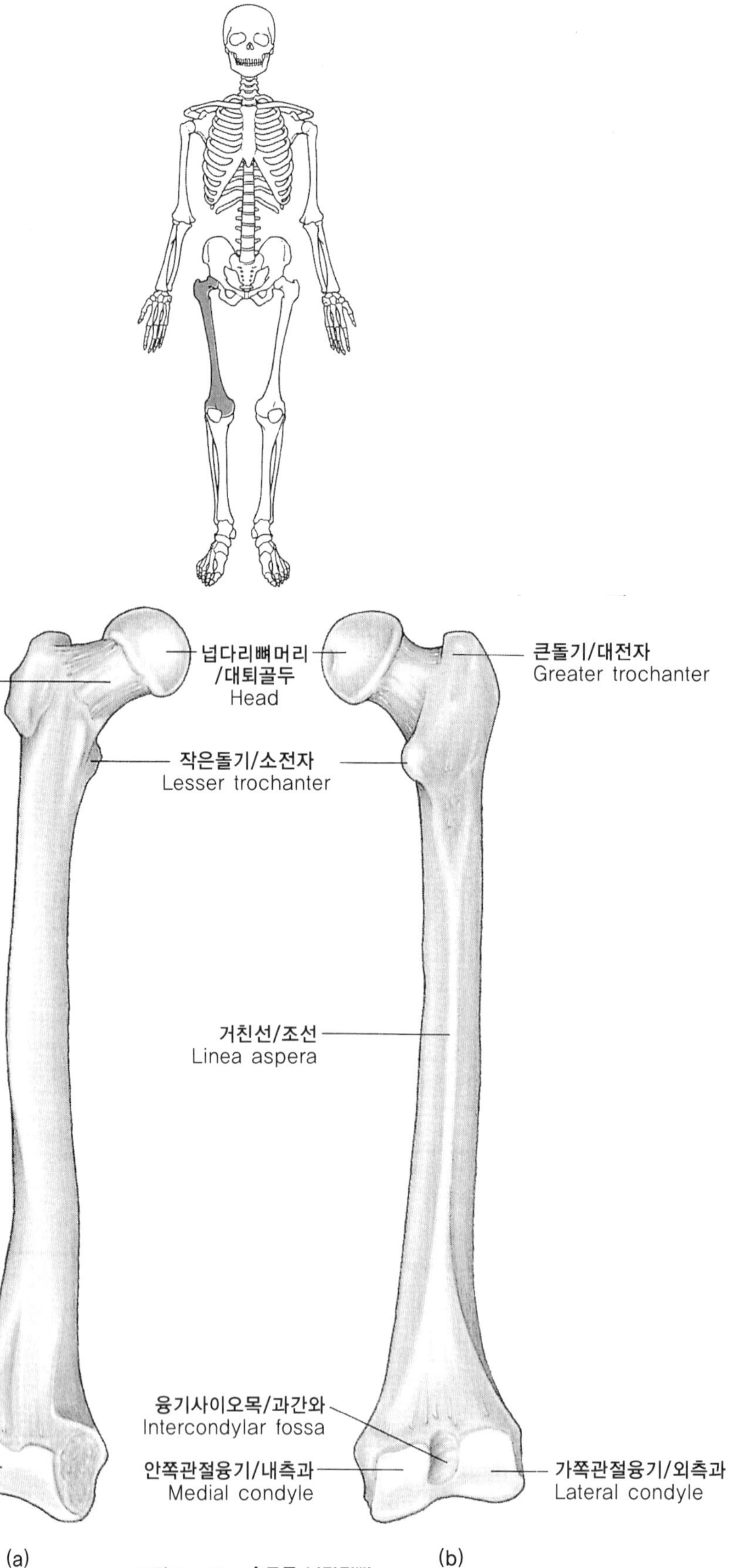

그림 2－22 • 오른쪽 넙다리뼈

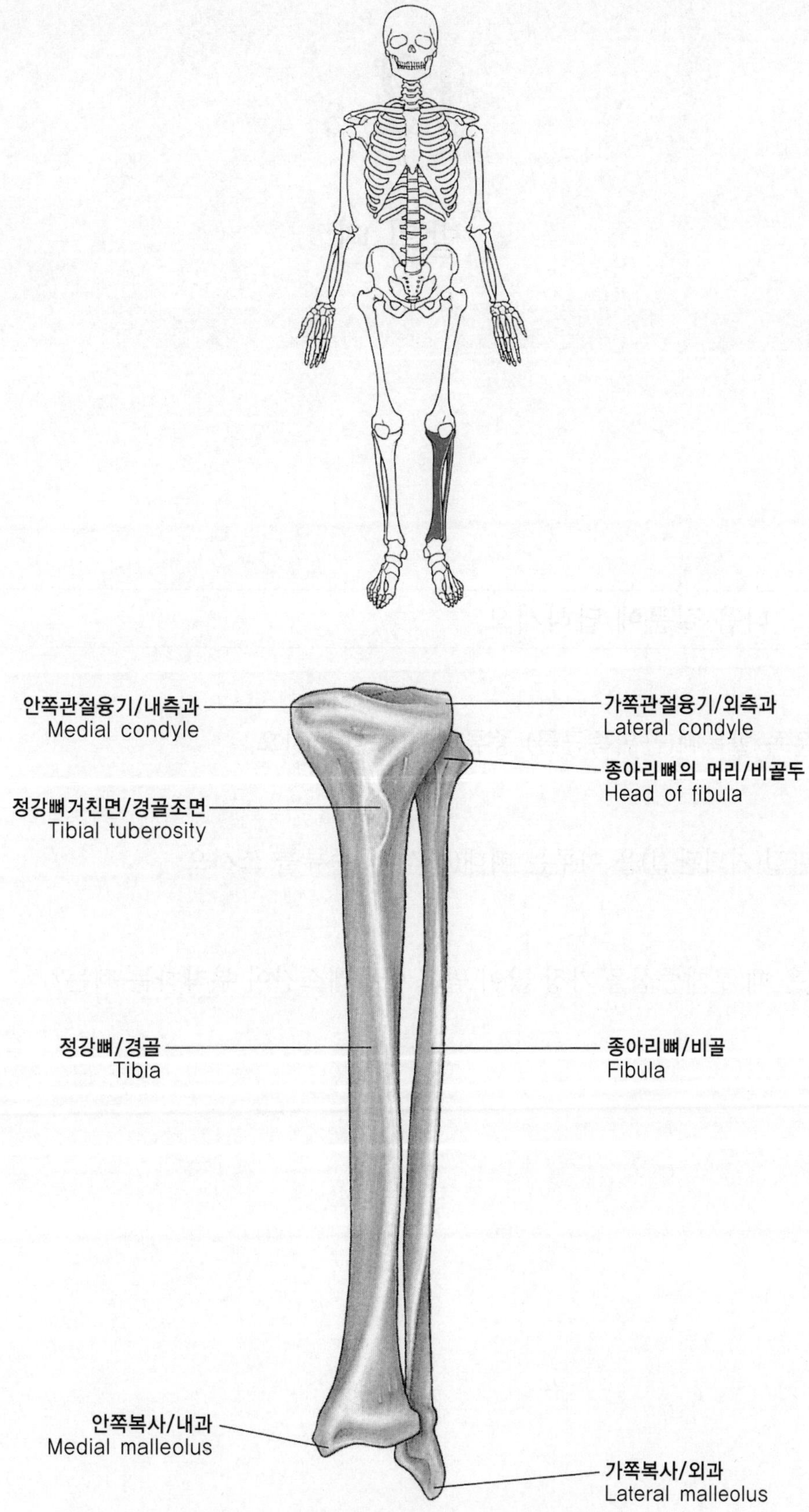

그림 2 – 23 • 오른쪽 종아리(leg)를 이루고 있는 뼈

12-3 발의 뼈

Q&A 다음 질문에 답하시오.

1 가까운쪽 발목뼈(근위족근골) 종류의 이름을 쓰시오.

2 발목관절(거퇴관절)을 이루는 뼈대(골격)의 종류를 쓰시오.

3 서 있을 때 무게중심을 가장 많이 받고 아킬레스건이 부착하는 뼈는?

Q&A

1 목말뼈(거골), 발꿈치뼈(종골), 발배뼈(주상골) **2** 정강뼈(경골), 종아리뼈(비골), 목말뼈(거골) **3** 발꿈치뼈(종골)

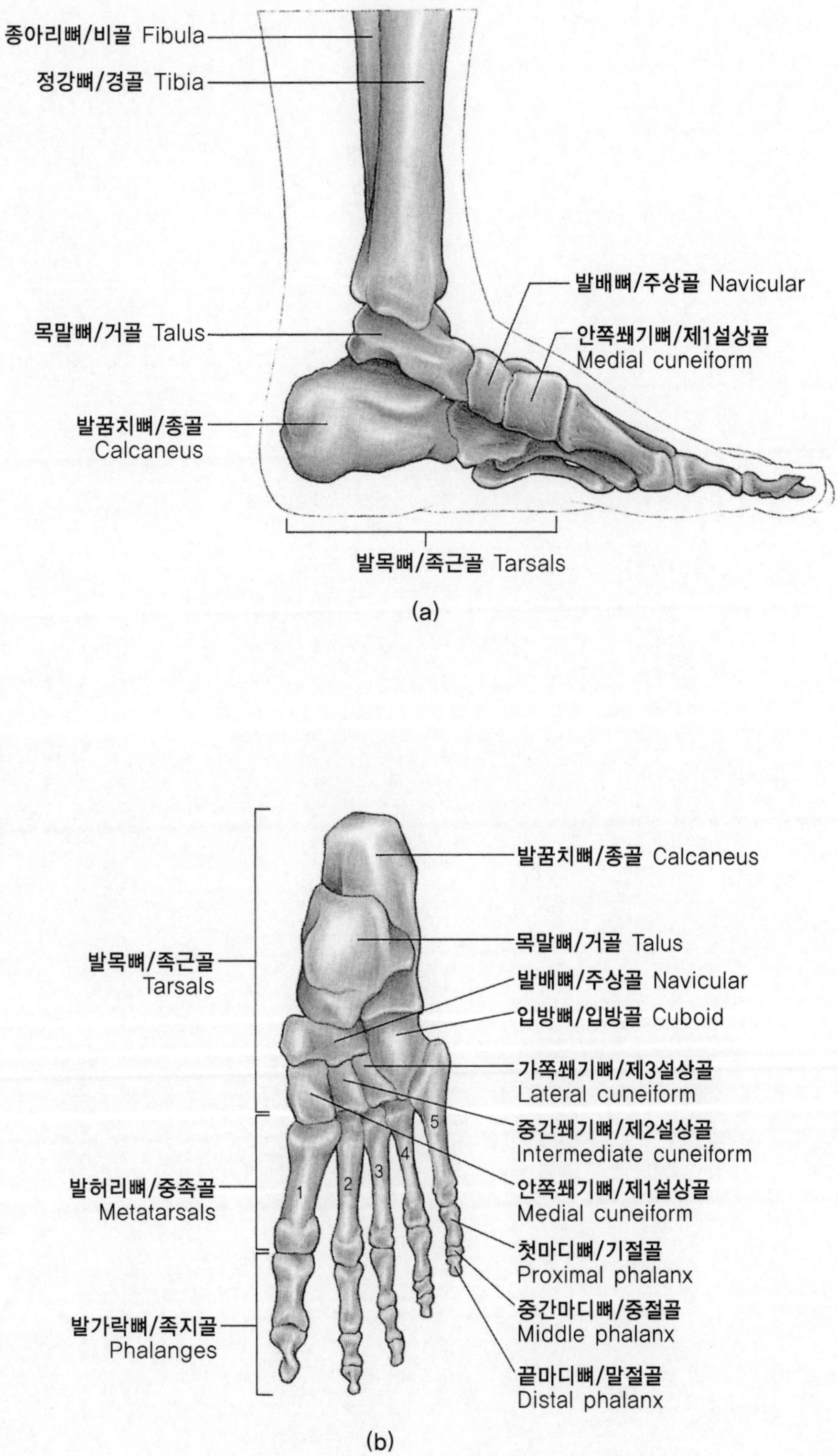
종아리뼈/비골 Fibula
정강뼈/경골 Tibia
발배뼈/주상골 Navicular
목말뼈/거골 Talus
안쪽쐐기뼈/제1설상골
Medial cuneiform
발꿈치뼈/종골
Calcaneus
발목뼈/족근골 Tarsals
(a)
발꿈치뼈/종골 Calcaneus
목말뼈/거골 Talus
발목뼈/족근골
Tarsals
발배뼈/주상골 Navicular
입방뼈/입방골 Cuboid
가쪽쐐기뼈/제3설상골
Lateral cuneiform
5
중간쐐기뼈/제2설상골
Intermediate cuneiform
4
3
2
1
발허리뼈/중족골
Metatarsals
안쪽쐐기뼈/제1설상골
Medial cuneiform
첫마디뼈/기절골
Proximal phalanx
중간마디뼈/중절골
Middle phalanx
발가락뼈/족지골
Phalanges
끝마디뼈/말절골
Distal phalanx
(b)

그림 2-24 • 왼쪽발뼈

제 3 장

관절계통

1

관절의 종류

Q&A 다음 질문에 답하시오.

1 운동성에 따른 관절을 분류하시오.

2 봉합은 섬유관절(섬유성관절), 연골관절(연골성관절), 윤활관절(활막성관절) 중 어디에 해당하는가?

3 두덩결합(치골결합)은 어느 관절에 속하는가?

4 치아와 치근의 결합을 무엇이라 하는가?

Q&A

1 부동관절, 반가동관절, 가동관절 **2** 섬유관절(섬유성관절) **3** 섬유관절(섬유성관절) **4** 못박이관절(정식)

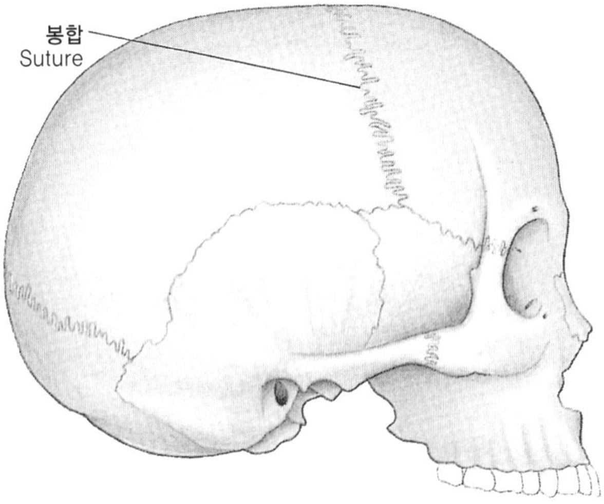

(a)

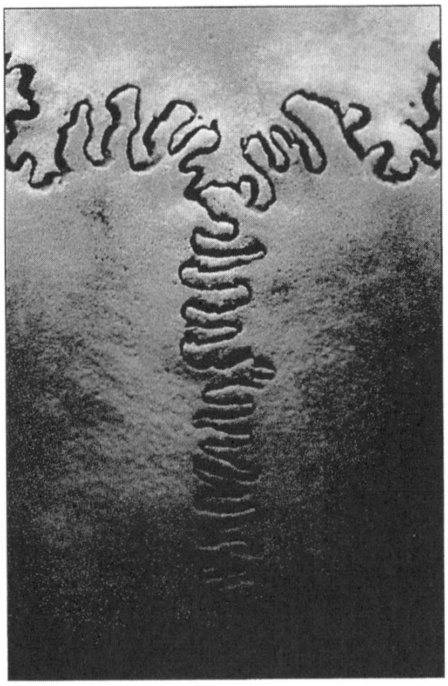

(b)

그림 3－1• 섬유관절

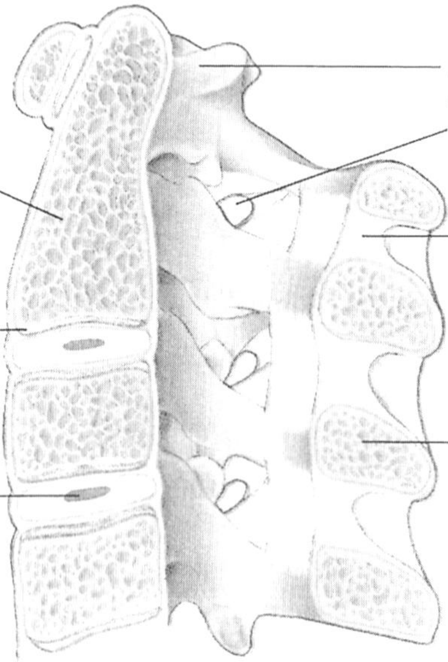

그림 3－2• 연골관절

1-1

윤활관절(활막성관절)

Q&A 다음 질문에 답하시오.

1 윤활(활액)은 어느 곳에서 분비되는가?

2 윤활관절(활막성관절)을 관절머리(관절두)와 관절오목(관절와)의 모양과 작용에 따라 분류하시오.

3 접번관절을 경첩관절이라고도 하는데 상지에서 이 관절을 형성하고 있는 관절명은?

4 고리중쇠관절(환축관절)은 어떤 관절에 해당되는가?

5 머리뼈(두개골) 중에서 윤활관절(활막성관절)을 이루는 관절은?

Q&A

1 관절오목(관절강) **2** 활주관절(평면관절), 경첩관절(접번관절), 절구관절(구상관절), 안장관절(안관절), 관절융기관절(과상관절), 중쇠관절(차축관절) **3** 팔꿈치관절(주관절), 발가락뼈사이관절(지절간관절) **4** 중쇠관절(차축관절) **5** 턱관절(악관절)

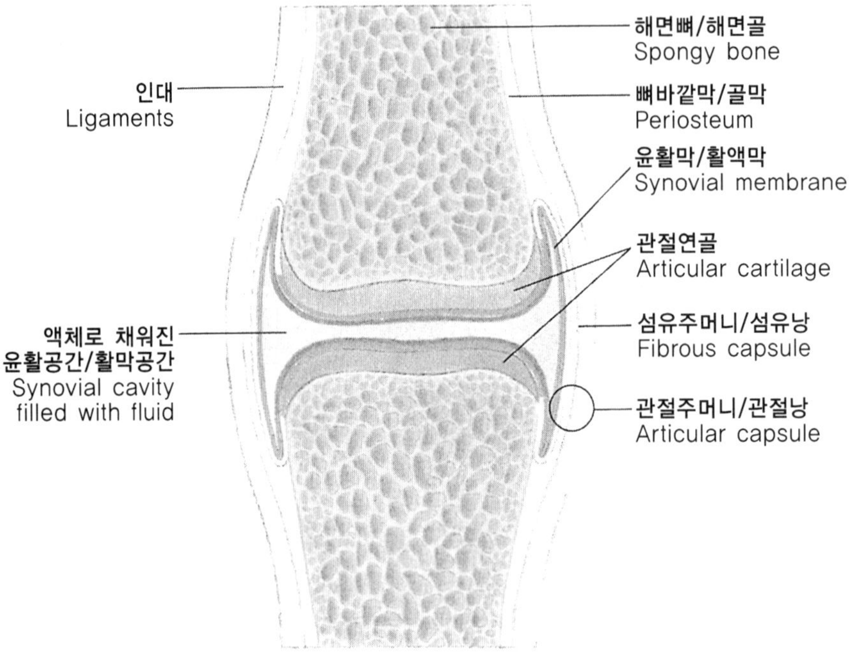

그림 3－3 • 전형적인 윤활관절

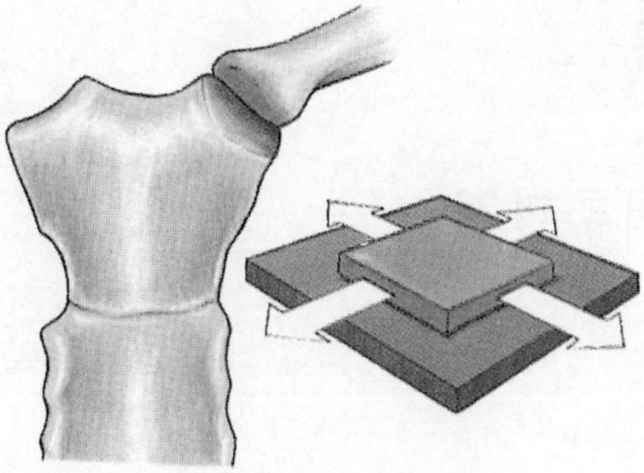

(a) 평면관절 Plane joint

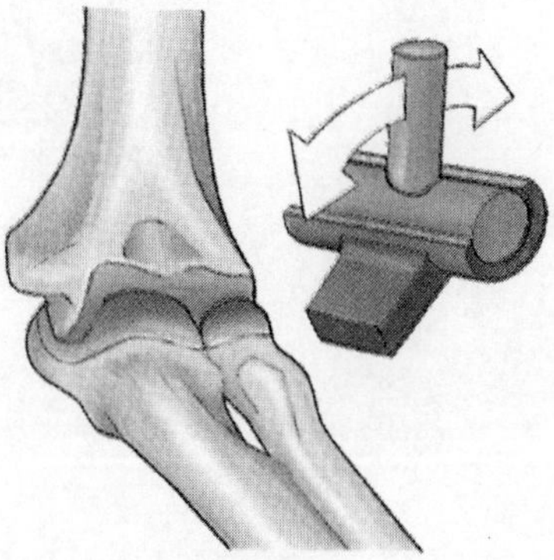

(b) 경첩관절/접번관절 Hinge joint

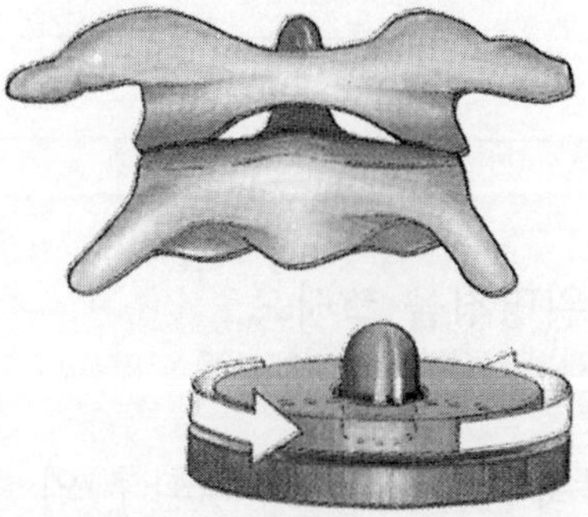

(c) 중쇠관절/차축관절 Pivot joint

(d) 타원관절/과상관절
Condyloid joint

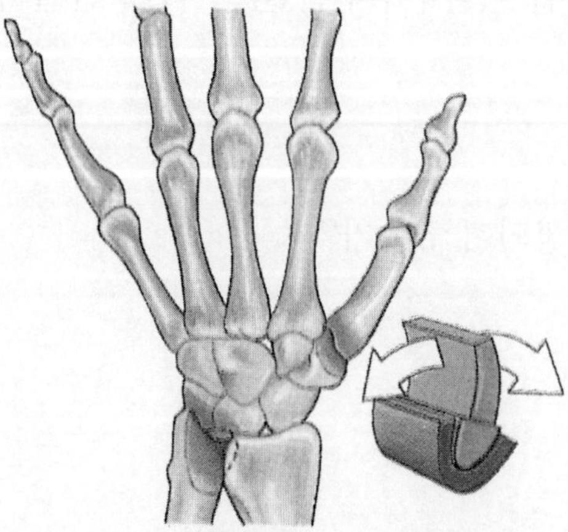

(e) 안상관절 Saddle joint

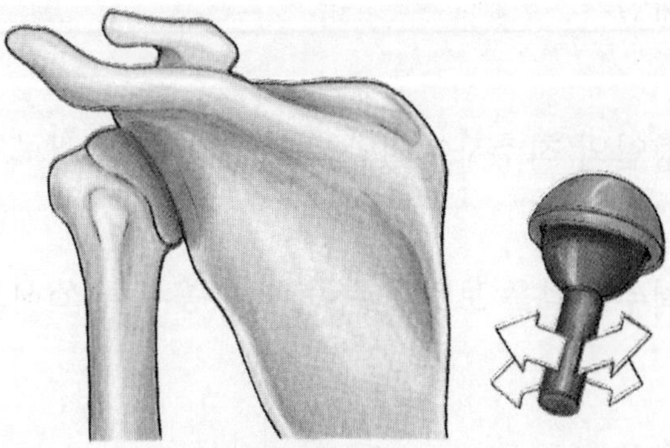

(f) 절구관절/구상관절
Ball-and-socket joint

그림 3 - 4 • 윤활관절의 종류

1-2

두개척추관절

Q&A 다음 질문에 답하시오.

1 고리뒤통수관절(환추후두관절)을 이루는 뼈와 부위명칭을 쓰시오.

2 중쇠관절(차축관절)의 대표적인 고리중쇠관절(환축관절)은 고리뼈(환추)의 앞척추뼈 고리(전궁)와 중쇠뼈(축추)의 어느 곳과 관절하는가?

3 관절하는 면이 타원형을 이루는 고리뒤통수관절(환추후두관절)은 어느 관절의 형태인가?

4 성인의 척추사이원반(추간원판)은 몇개로 구성되어 있는가?

5 척추관절을 보강하는 인대의 종류를 쓰시오.

Q&A

1 고리뼈(환추)의 위관절돌기(상관절돌기), 뒤통수뼈(후두골)의 관절융기(후두과) **2** 치아돌기(치돌기) **3** 관절융기관절(과상관절) **4** 23개 **5** 앞세로인대(전종인대), 뒤세로인대(후종인대), 가시위인대(극상인대), 가시사이인대(극간인대), 척추뼈활사이인대(추궁간인대), 가로돌기사이인대(횡돌간인대), 목덜미인대(항인대)

1–3

가슴우리(흉곽)의 관절

Q&A 다음 질문에 답하시오.

1 갈비등뼈관절(늑추관절)을 이루는 뼈는 어떤 뼈들끼리 관절을 이루는가?

2 등갈비뼈관절(흉늑관절)을 구성하는 뼈를 쓰시오.

3 갈비뼈(늑골)의 갈비뼈결절(늑골결절)과 등뼈(흉골)의 가로돌기(횡돌기)의 관절은 어떤 관절인가?

Q&A

1 갈비뼈(늑골)와 등뼈(흉추) **2** 복장뼈(흉골)와 갈비뼈(늑골) **3** 갈비뼈가로돌기관절(늑횡돌관절)

1-4

팔(상지)의 관절

Q&A 다음 질문에 답하시오.

1 어깨관절(견관절)을 구성하는 뼈대(골격)와 부위명칭을 쓰시오.

2 어깨관절(견관절)을 형성하는 주요 인대명의 종류를 쓰시오.

3 어깨관절(견관절)을 형성하는 연골의 이름은?

4 인체에서 운동범위가 넓은 관절은?

Q&A

1 어깨뼈(견갑골)의 관절오목(관절와), 위팔뼈(상완골)의 위팔뼈머리(상완골두) **2** 부리봉우리인대(오훼견봉인대), 부리위팔인대(오훼상완인대), 위 · 중 · 아래관절위팔인대(상 · 중 · 하관절상완인대) **3** 관절테두리(관절순) **4** 어깨관절(견관절), 엉덩관절(고관절)

1–5

팔꿈치관절(주관절)

Q&A 다음 질문에 답하시오.

1 팔꿈치관절(주관절)을 형성하는 골격을 쓰시오.

2 위팔노관절(완요관절)을 형성하는 뼈는?

3 위팔뼈(상완골)와 자뼈(척골) 간에 이루어지는 관절은?

4 팔꿈치관절(주관절)을 형성하는 주요 인대는?

Q&A

1 위팔뼈(상완골), 자뼈(척골), 노뼈(요골) **2** 위팔뼈(상완골), 노뼈(요골) **3** 위팔자뼈관절(완척관절) **4** 노뼈머리띠인대(윤상인대), 안쪽곁인대(내측측부인대), 가쪽곁인대(외측측부인대)

1-6 손목과 손목 간의 관절

Q&A 다음 질문에 답하시오.

1 손에서 평면관절에 해당하는 것은?

2 손목관절을 구성하는 뼈대(골격)의 종류를 쓰시오.

3 발가락뼈사이관절(지절간관절)은 어느 관절형태에 속하는가?

Q&A

1 손목뼈사이관절(수근간관절) **2** 노뼈(요골), 손배뼈(주상골), 반달뼈(월상골), 세모뼈(삼각골) **3** 접번(경첩)관절

1-7

다리(하지)의 관절

Q&A 다음 질문에 답하시오.

1 엉치볼기관절(천장관절)을 형성하는 뼈대(골격)를 쓰시오.

2 엉치볼기관절(천장관절)의 앞면(전면)을 보강하는 인대명은?

3 엉치볼기관절(천장관절)을 형성하는 뼈부위의 명칭은?

Q&A

1 엉치뼈(천골), 엉덩뼈(장골)　**2** 앞엉치엉덩인대(전천장인대)　**3** 귓바퀴면(이상면)

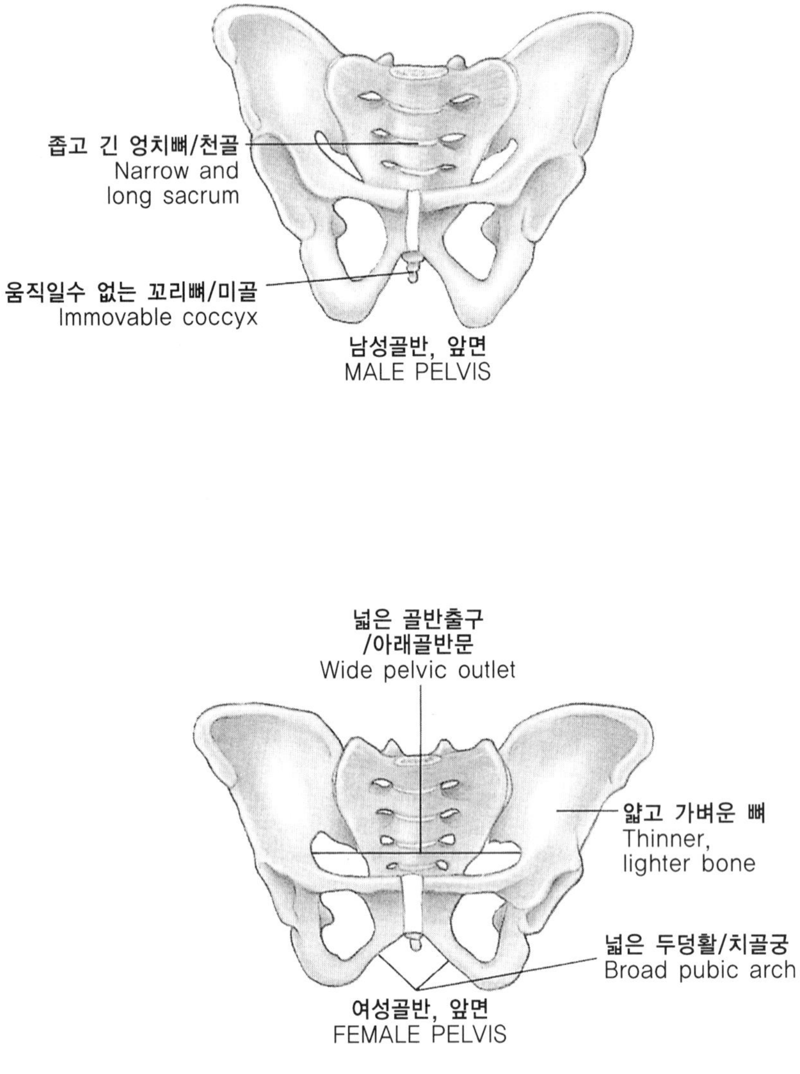

그림 3－5• 남성과 여성골반

1-8

엉덩관절(고관절)

Q&A 다음 질문에 답하시오.

1 엉덩관절(고관절)을 형성하는 뼈대(골격)의 이름을 쓰시오.

2 엉덩관절(고관절)에 보강되어 있는 연골 이름은?

3 엉덩관절(고관절)에서 볼기뼈(장골)와 넙다리뼈(대퇴)를 잇는 인대는?

4 엉덩관절(고관절)은 어떤 관절형태에 속하는가?

5 넙다리뼈머리(대퇴골두)에 부착하는 인대명은?

Q&A

1 볼기뼈(관골)의 볼기뼈절구(관골구), 넙다리뼈(대퇴골)의 넙다리뼈머리(대퇴골두) **2** 절구테두리(관절순) **3** 엉덩넙다리인대(장골대퇴인대) **4** 절구관절(구상관절) **5** 넙적다리뼈머리인대(대퇴골두인대)

1-9

무릎관절(슬관절)

Q&A 다음 질문에 답하시오.

1 무릎관절(슬관절)을 구성하는 뼈대(골격)는?

2 무릎관절(슬관절)을 구성하는 연골의 이름은?

3 무릎관절(슬관절)의 안쪽 · 가쪽(내 · 외측) 탈구를 방지하는 인대는?

4 무릎관절(슬관절)의 정강뼈(경골)쪽에 부착하고 있는 인대는?

5 무릎관절(슬관절)을 싸고 있는 인대명은?

Q&A

1 넙다리뼈(대퇴골), 정강뼈(경골), 무릎뼈(슬개골) **2** 안쪽 · 가쪽반달(내 · 외측반월) **3** 앞 · 뒤십자인대(전 · 후십자인대) **4** 안쪽곁인대(내측측부인대) **5** 무릎인대(슬개인대)

1-10

발목관절(거퇴관절)

Q&A 다음 질문에 답하시오.

1 발목관절(거퇴관절)을 형성하는 뼈대(골격)의 종류를 쓰시오.

2 관절 안쪽에서 정강뼈(경골)에서 발꿈치뼈(종골), 목말뼈(거골), 발배뼈(주상골) 간을 연결하는 인대는?

3 인체에서 볼 수 있는 발바닥고리(족궁)는?

Q&A

1 정강뼈(경골), 종아리뼈(비골), 목말뼈(거골) **2** 세모인대(삼각인대) **3** 안쪽 · 가쪽세로발바닥활(내 · 외측종족궁), 가로발바닥활(횡족궁)

제 4 장

근육계통

1

인체의 근육

Q&A 다음 질문에 답하시오.

1 머리(두부)의 근육은 얼굴근육(안면근)과 어떤 근육으로 구성되어 있는가?

2 앞넓적다리근(전대퇴근)의 종류와 지배신경을 쓰시오.

3 종아리세갈래근(하퇴삼두근)의 종류를 쓰시오.

4 목빗근(흉쇄유돌근)의 닿는 곳(정지부)을 쓰시오.

Q&A

1 씹기근육(저작근) **2** 넙다리빗근(봉공근), 넙다리네갈래근(대퇴사두근)[넙다리곧은근(대퇴직근), 가쪽넓은근(외측광근), 안쪽넓은근(내측광근), 중간넓은근(중간광근)] : 넙다리신경(대퇴신경) **3** 장딴지근(비복근), 가자미근(넙치근) **4** 관자뼈(측두골)의 꼭지돌기(유양돌기)

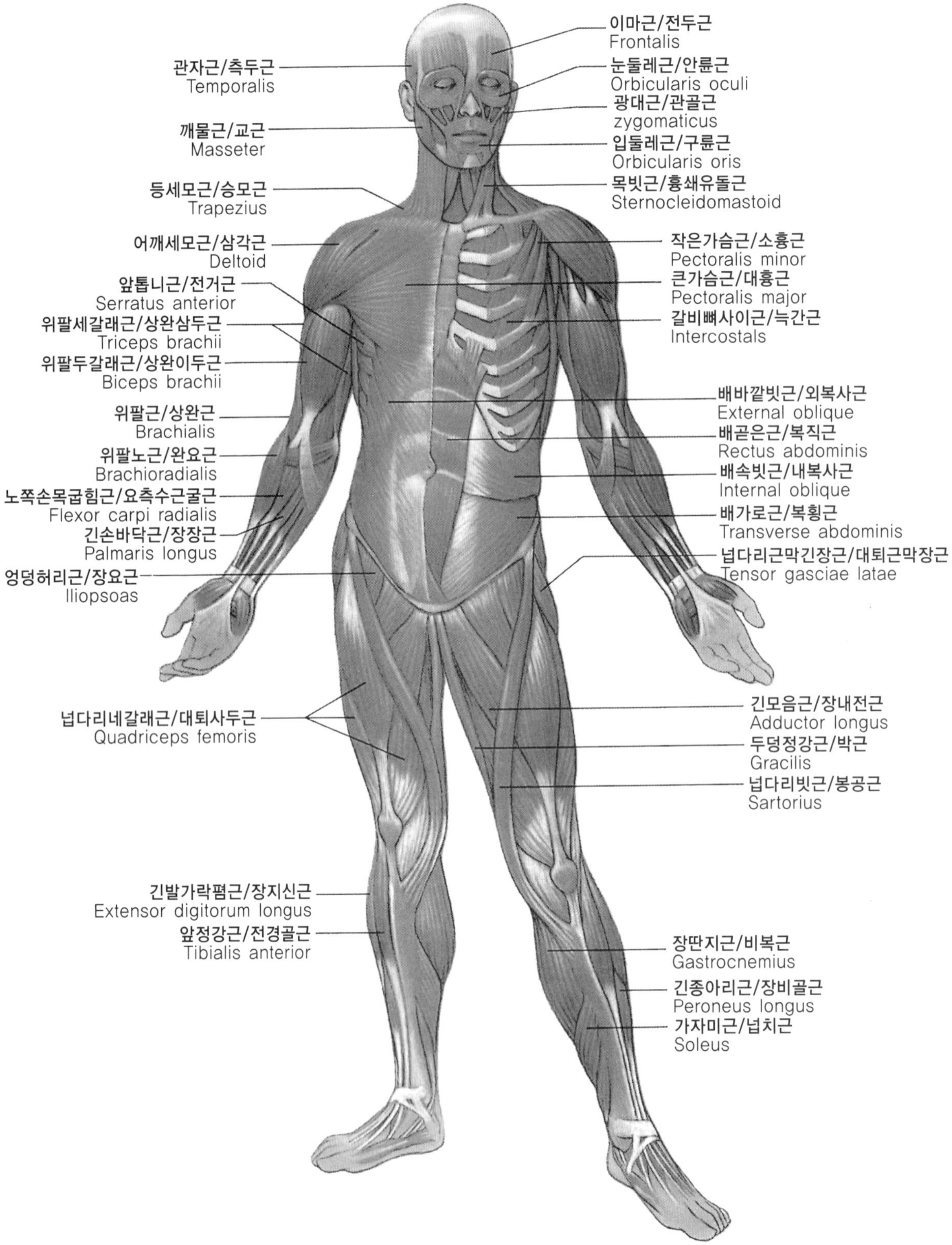

그림 4 - 1 · 인체의 주요 근육, 앞면

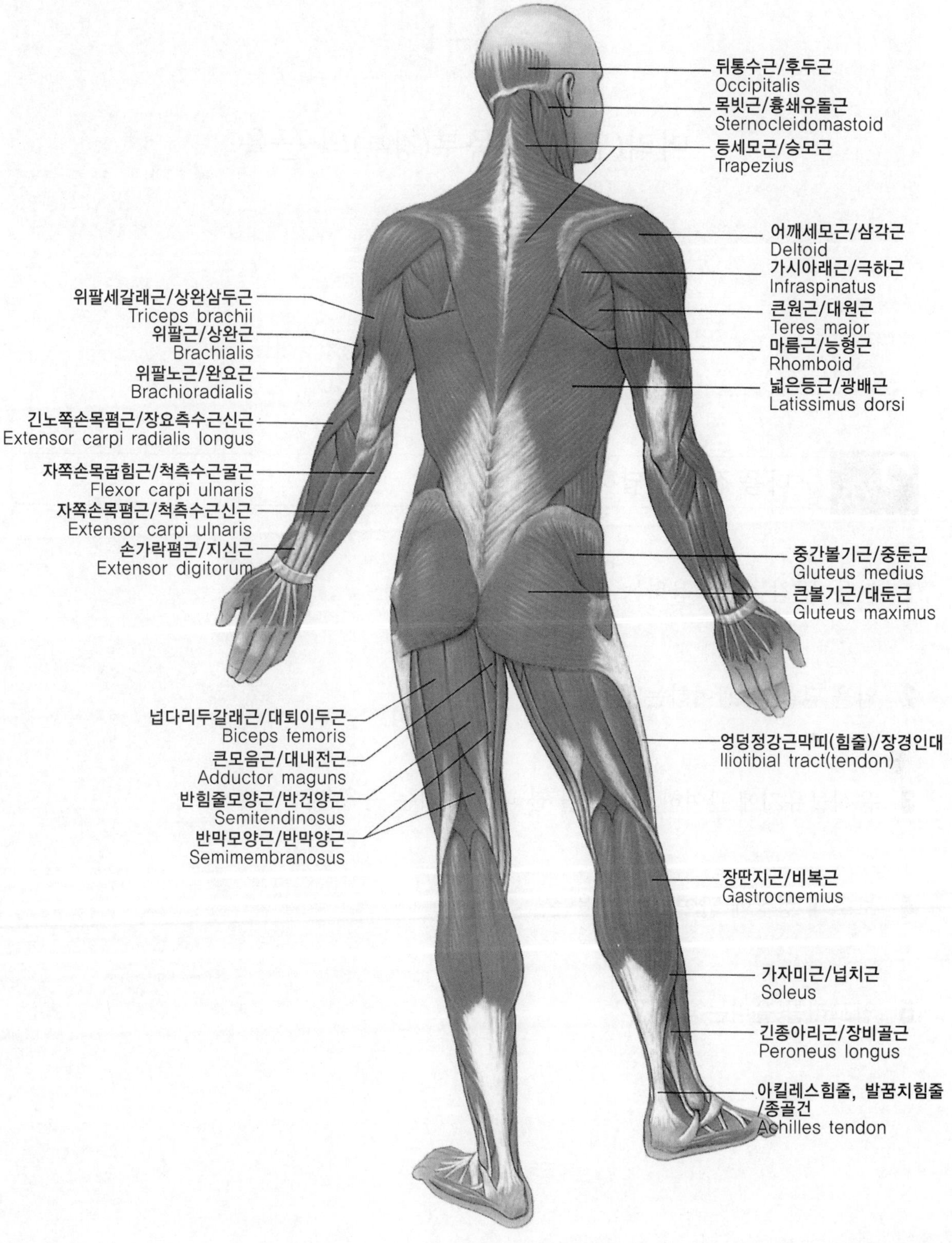

그림 4-2• 인체의 주요 근육, 뒷면

1-1

머리(두부)와 목부(경부)의 근육

Q&A 다음 질문에 답하시오.

1 눈을 꼭 감는데 작용하는 근육은?

2 입을 닫을 때 관여하는 근육은?

3 음식물유지에 관여하고 악기를 불 때 관여하는 근육은?

4 보조개 형성에 관여하는 근육은?

5 입꼬리를 올리는 근육은?

Q&A

1 눈둘레근(안륜근) **2** 입둘레근(구륜근) **3** 볼근(협근) **4** 입꼬리당김근(소근) **5** 입꼬리올림근(구각거근)

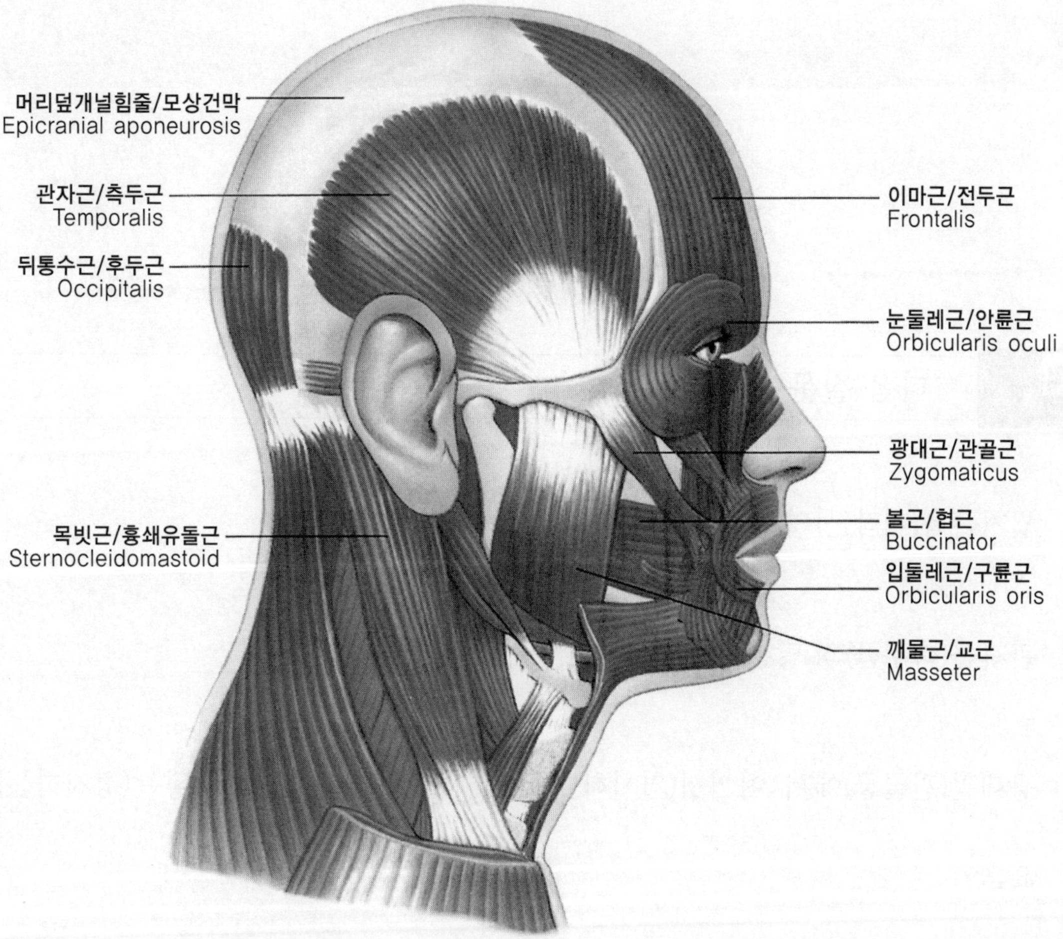

그림 4－3 • 목부위의 근, 가쪽면

1-2

씹기근육(저작근)

Q&A 다음 질문에 답하시오.

1 씹기근육(저작근)의 종류와 지배신경을 쓰시오.

2 관자근(측두근)의 닿는 곳(정지부)은?

3 광대활(관골궁)에서 이어서(기시하여) 아래턱뼈가지(하악지)에 닿는(정지하는) 근육은?

4 안쪽날개근(내측익돌근)의 이는 곳(기시부)은?

Q&A

1 관자근(측두근), 깨물근(교근), 안쪽날개근(내측익돌근), 가쪽날개근(외측익돌근) : 아래턱뼈신경(하악신경) **2** 아래턱뼈(하악골)의 근육돌기(근돌기) **3** 깨물근(교근) **4** 나비뼈(접형골)의 날개돌기 안쪽판(익상돌기 내측판)

1-3

목부(경부)의 근육

Q&A 다음 질문에 답하시오.

1 목뿔뼈(설골)의 상부에서 입안(구강)의 바닥을 형성하며 음식물의 삼킴작용(연하작용)에 관여하는 근육은?

2 넓은목근(광경근)의 지배신경은?

3 앞목삼각(전경삼각)과 뒤목삼각(후경삼각)을 구분짓는 근육은?

4 목뿔위근육으로 힘살(근복)이 두 개인 근육 이름은?

Q&A

1 목뿔뼈위근육(설골상근) **2** 얼굴신경(안면신경) **3** 목빗근(흉쇄유돌근) **4** 두힘살근(악이복근)

1-4

가슴부(흉부)의 근육

Q&A 다음 질문에 답하시오.

1 가슴부(흉부)의 깊은근(심근), 즉 호흡근의 종류는?

2 가슴부(흉부)의 깊은근(심근) 중 흡기근은?

3 가로막(횡격막)의 수축시 어떤 호흡이 일어나는가?

Q&A

1 갈비사이근(늑간근)[바깥갈비사이근(외늑간근), 속갈비사이근(내늑간근), 맨속갈비사이근(최내늑간근), 가슴가로근(흉횡근), 갈비아래근(늑하근), 갈비올림근(늑골거근), 위뒤갈비올림근(상후거근), 아래뒤갈비올림근(하후거근), 가로막(횡격막) **2** 바깥갈비사이근(외늑간근), 갈비올림근(늑골거근), 위뒤갈비올림근(상후거근) **3** 흡기

1-5

복부의 근육

Q&A 다음 질문에 답하시오.

1 앞복근(전복근)의 종류를 쓰시오.

2 아랫배(하복부)와 넓다리(대퇴) 경계를 이루는 구조물은?

3 칼돌기(검상돌기)에서 궁둥뼈결합(치골결합)까지 일직선으로 뻗어 있는 하얀띠는?

Q&A

1 배곧은근(복직근), 배세모근(추체근) **2** 샅고랑인대(서혜인대) **3** 백색선(백선)

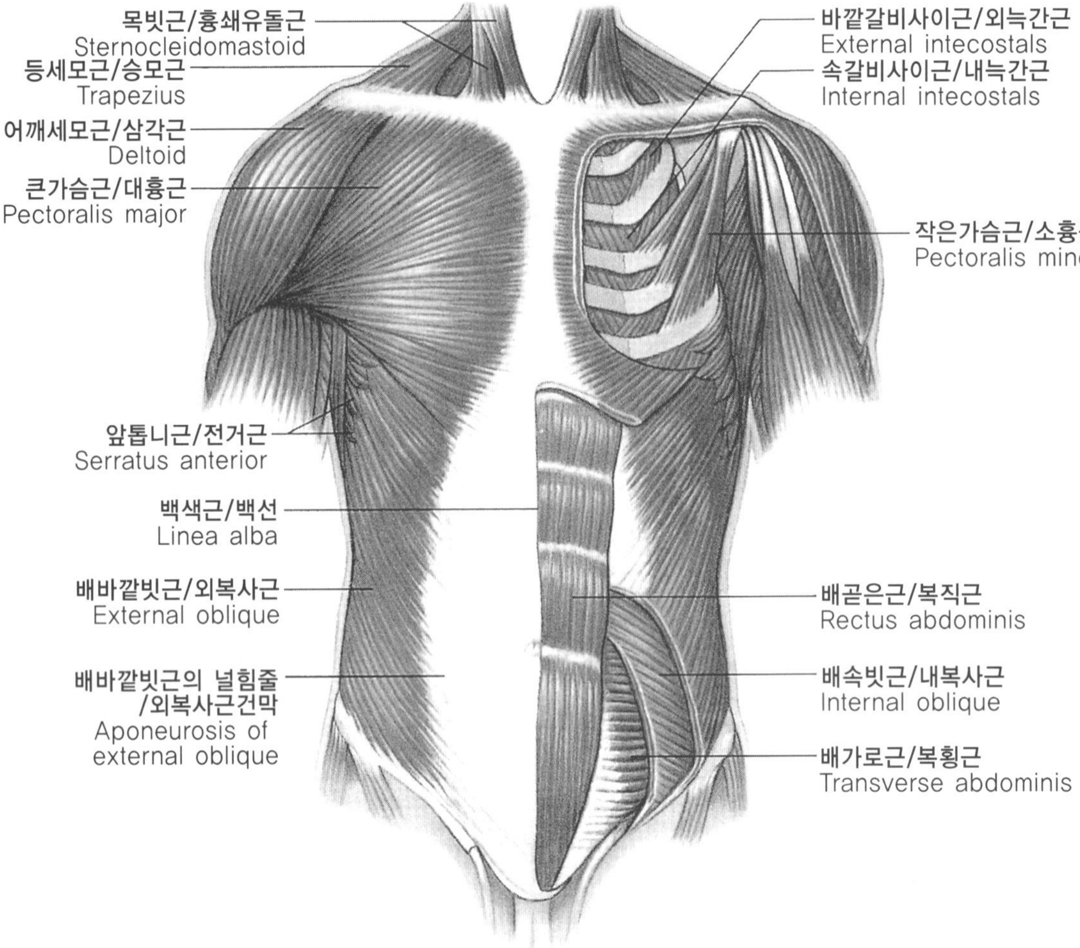

그림 4 - 4◦ 몸통의 근육, 앞면

1-6

팔(상지)의 근육

Q&A 다음 질문에 답하시오.

1 어깨세모근(삼각근)의 닿는 곳(정지부)은?

2 젖가슴(유방)을 형성하는 근육은?

3 등세모근(승모근)의 아래에 위치하며 어깨뼈등신경(견갑배신경)의 지배를 받는 마름모 형태의 근육은?

4 바깥뒤통수융기(외후두융기), 위목덜미선(상항선)에 이어서(기시하여) 빗장뼈가쪽(쇄골외측) 1/3, 어깨뼈가시(견갑극), 봉우리(견봉)에 닿는(정지하는) 근육은?

5 목뒤와 옆에 있는 근육으로 더부신경(부신경)과 목신경(경신경)의 이중신경지배를 받는 근육은?

Q&A

1 위팔뼈(상완골)의 세모근거친면(삼각근조면) **2** 큰가슴근(대흉근) **3** 큰 · 작은마름근(대 · 소능형근) **4** 등세모근(승모근) **5** 등세모근(승모근), 목빗근(흉쇄유돌근)

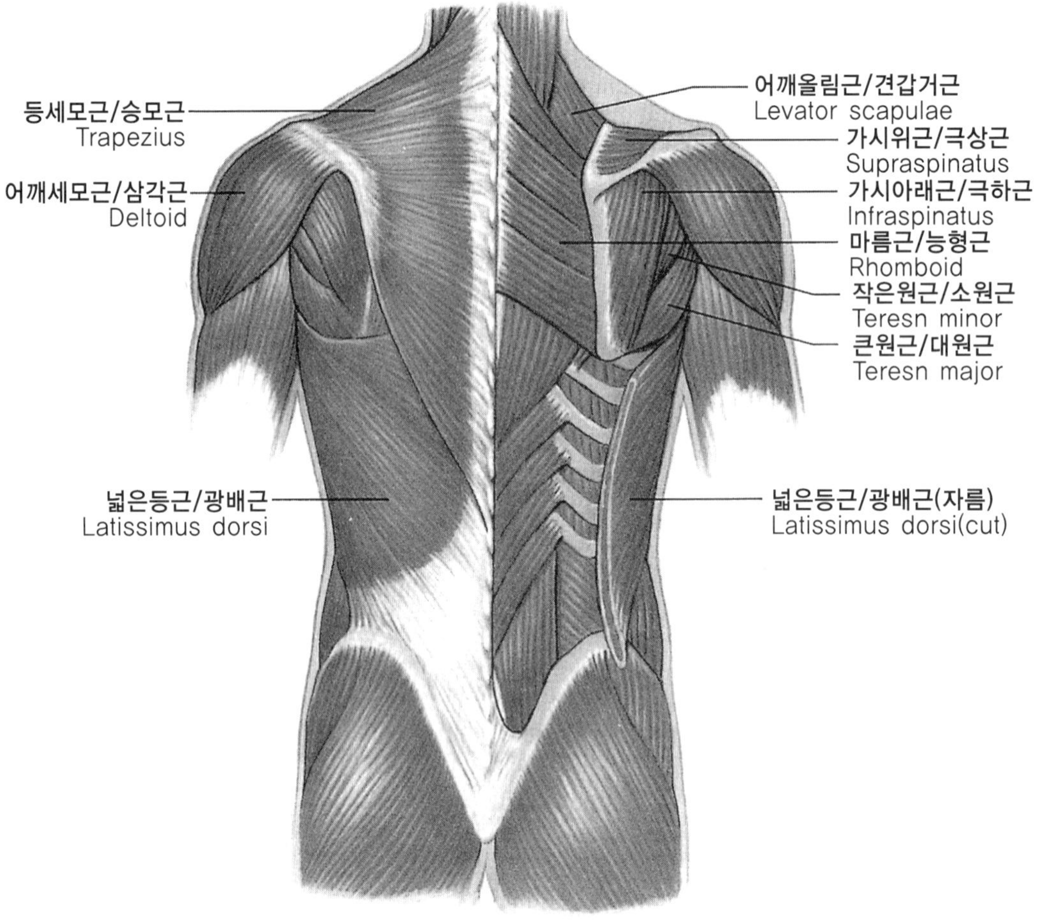

그림 4－5 • 몸통의 근육, 뒷면

1-7

위팔(상완)의 근육

Q&A 다음 질문에 답하시오.

1 위팔(상완)의 굽힘근(굴근) 종류를 쓰시오.

2 위팔두갈래근(상완이두근), 위팔근(상완근)과 반대로 작용하는 대항근(길항근)은?

3 팔(상지)에서 근육주사를 놓는 부위 근육은?

Q&A

1 위팔두갈래근(상완이두근), 위팔근(상완근), 부리위팔근(오훼완근) **2** 위팔세갈래근(상완삼두근), 팔꿈치근(주근) **3** 어깨세모근(삼각근)

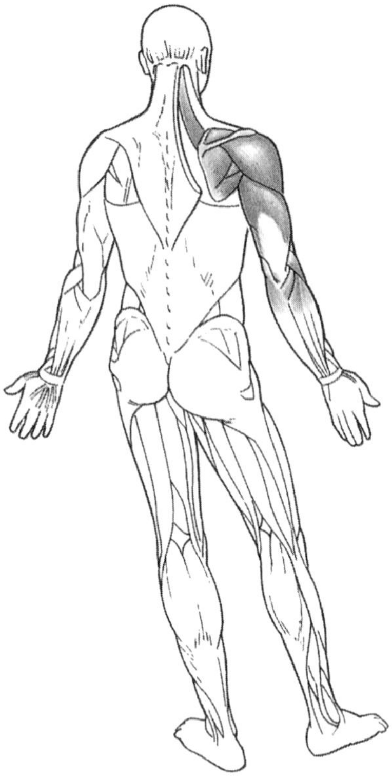

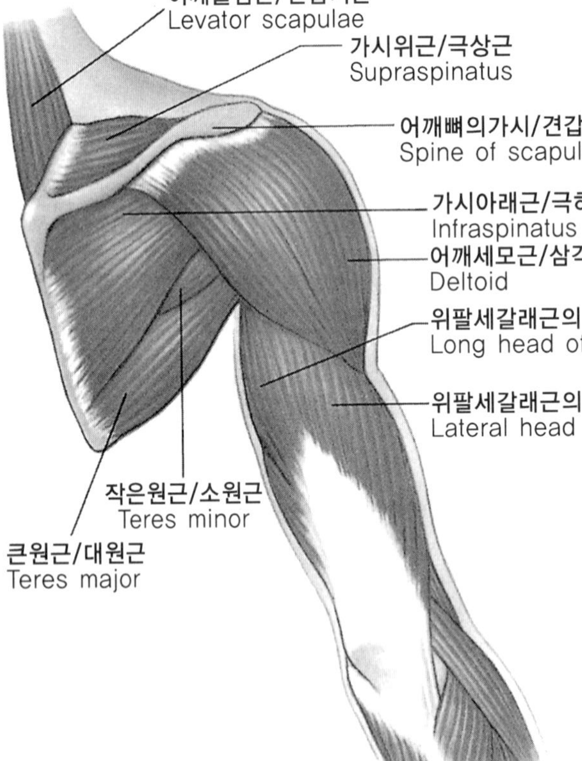

그림 4-6 • 오른쪽 어깨와 팔의 근육, 뒷면

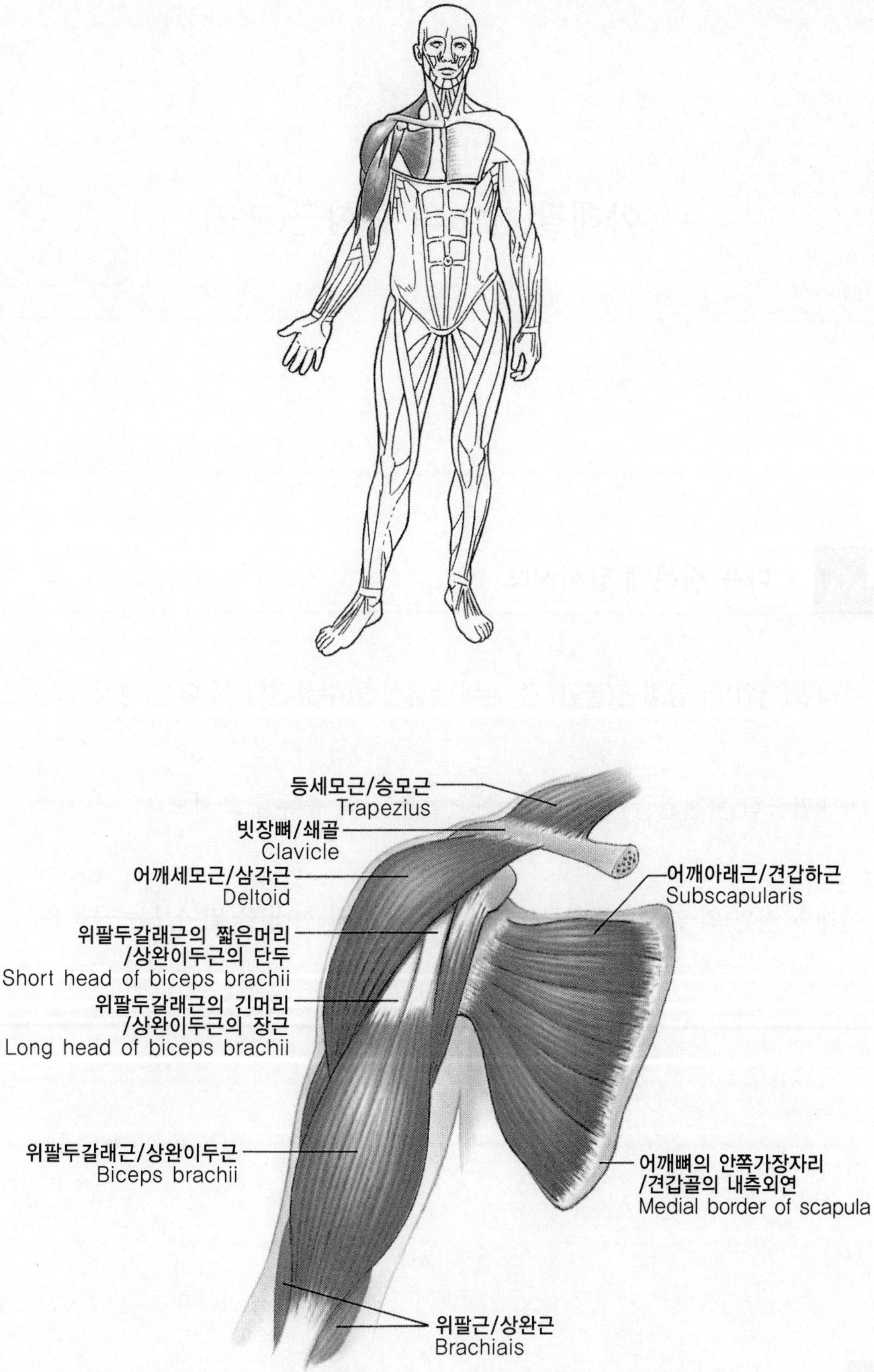

그림 4 - 7 • 오른쪽 어깨와 팔의 근육, 앞면

1-8

아래팔(전완)의 굽힘근(굴근)

Q&A 다음 질문에 답하시오.

1 아래팔(전완)의 굽힘근(굴근) 중 손바닥널힘줄(수장건막)에 닿는(정지하는) 근육은?

2 아래팔굽힘근(전완굴근) 중 깊은층근(심층근)의 종류를 쓰시오.

3 아래팔(전완)의 얕은층굽힘근(천층굴근) 중 엎침(회내)을 맡아보는 근육은?

Q&A

1 긴손바닥근(장장근) **2** 깊은손가락굽힘근(심지굴근), 긴엄지굽힘근(장무지굴근), 네모엎침근(방형회내근) **3** 원엎침근(원회내근)

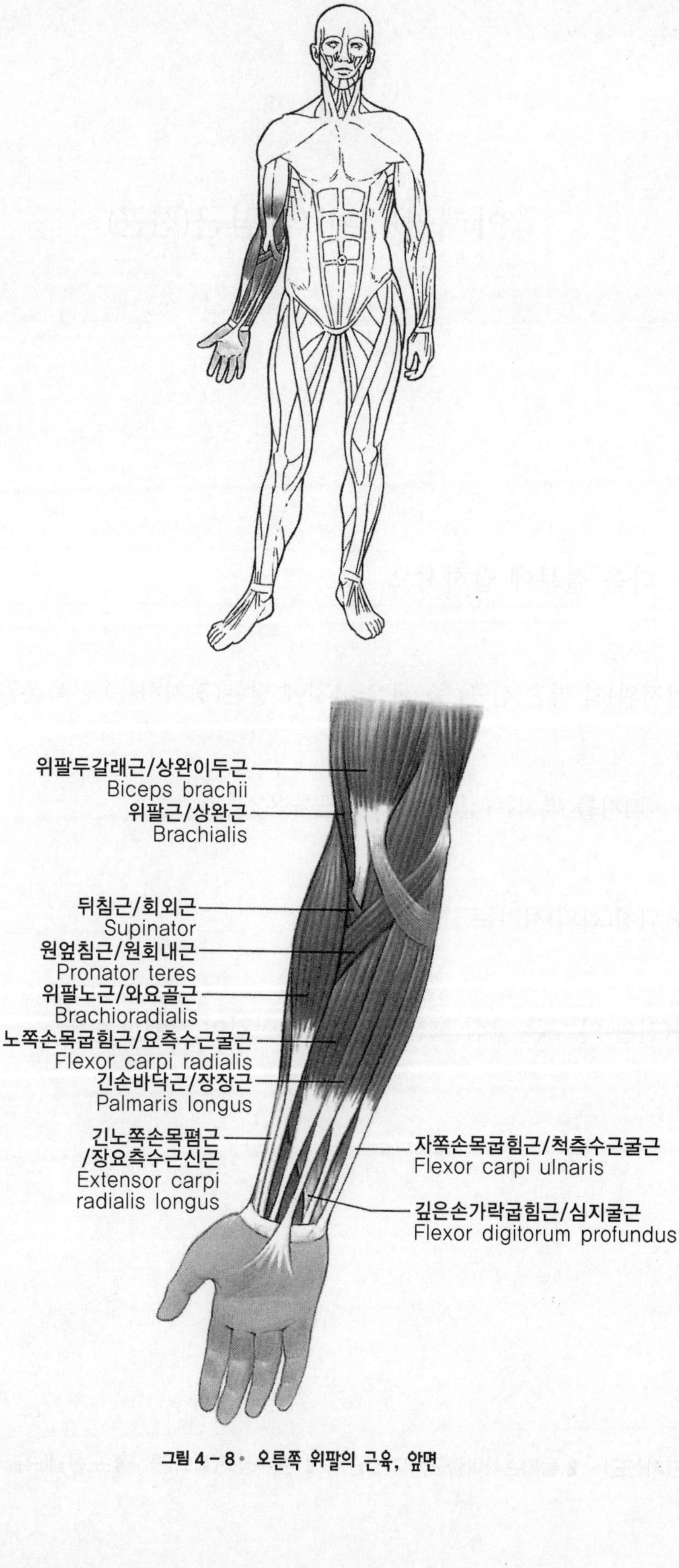

그림 4 – 8• 오른쪽 위팔의 근육, 앞면

1-9 아래팔(전완)의 폄근(신근)

Q&A 다음 질문에 답하시오.

1 아래팔(전완)의 폄근(신근) 중 제 2~4지에 닿는(정지하는) 근육은?

2 손가락 제2지를 펼치는(신전시키는) 근육은?

3 손목을 뒤침(회외)시키는 근육은?

4 아래팔(전완)의 모든 굽힘근(신근)은 어느 신경이 지배하는가?

Q&A

1 손가락폄근(지신근) **2** 둘째손가락폄근(시지신근) **3** 손뒤침근(회외근) **4** 노신경(요골신경)

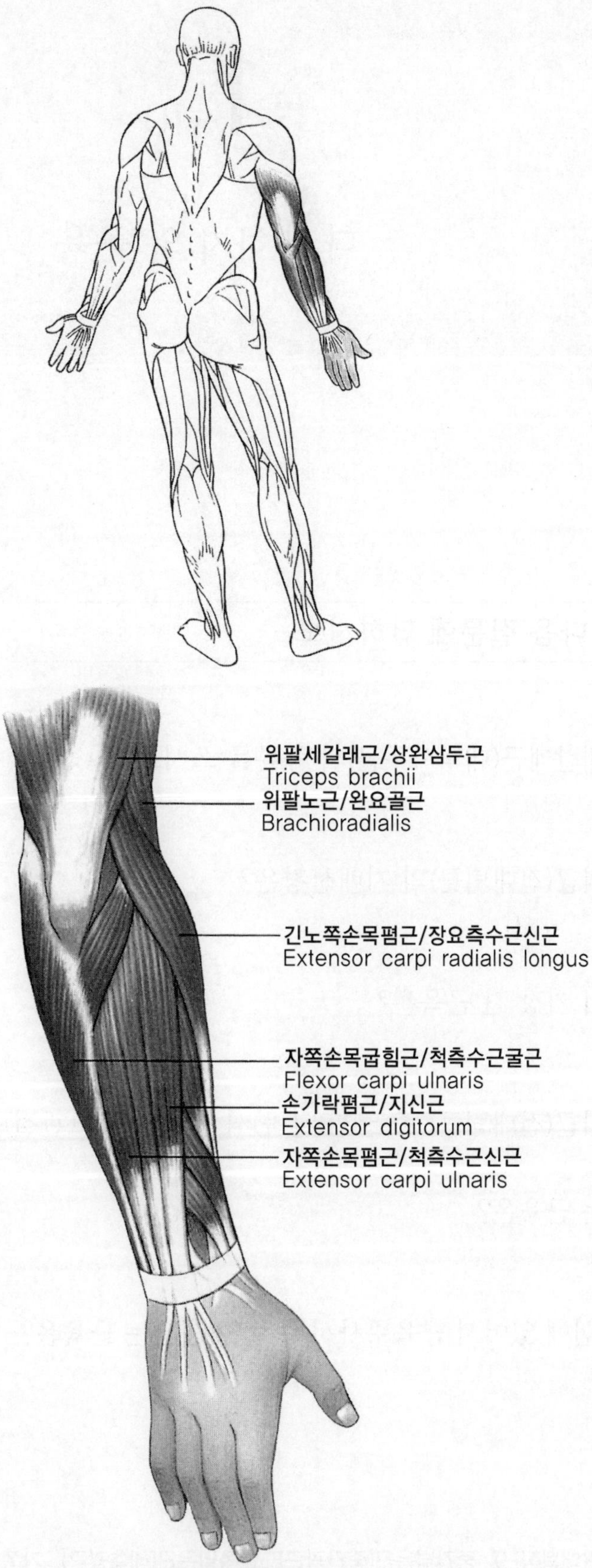

그림 4 – 9 • 오른쪽 위팔의 근육, 뒷면

1-10

다리(하지)의 근육

Q&A 다음 질문에 답하시오.

1 넙다리네갈래근(대퇴사두근)의 종류를 쓰시오.

2 앞넙다리근(전대퇴근)의 지배신경은?

3 인체에서 가장 긴 근육은?

4 앞넙다리근(전대퇴근) 중 굽힘(굴곡)시 엉덩관절(고관절), 무릎관절(슬관절) 모두에 작용하는 근육은?

5 인체 전신에 있어서 근육주사시 주로 이용되는 근육은?

Q&A

1 넙다리곧은근(대퇴직근), 중간넓은근(중간광근), 안쪽넓은근(내측광근), 가쪽넓은근(외측광근) **2** 넙다리신경(대퇴신경) **3** 넙다리빗근(봉공근) **4** 넙다리빗근(봉공근) **5** 큰볼기근(대둔근)

Q&A 다음 질문에 답하시오.

6 뒤넙다리근(후대퇴근)을 지배하는 신경은?

7 뒤넙다리근(후대퇴근)의 종류명을 쓰시오.

8 넙다리굽힘(대퇴굴곡)에 관여하는 근육은?

9 앞종아리근(전하퇴근)의 종류를 쓰시오.

10 가쪽종아리근(외측하퇴근)의 종류를 쓰시오.

11 뒤종아리근(후하퇴근)의 얕은층근(천층근)의 종류를 쓰시오.

12 뒤종아리근(후하퇴근)을 지배하는 신경은?

13 종아리세갈래근(하퇴삼두근)의 종류를 쓰시오.

14 아킬레스건을 형성하는 근육명은?

15 벌레모양인 손과 발에 공통인 근육명은?

Q&A

6 궁둥신경(좌골신경) **7** 넙다리두갈래근(대퇴이두근), 반힘줄모양근(반건양근), 반막모양근(반막양근) **8** 넙다리두갈래근(대퇴이두근), 반힘줄모양근(반건양근), 반막모양근(반막양근), 큰볼기근(대둔근) **9** 앞정강근(전경골근), 긴발가락폄근(장지신근), 긴엄지폄근(장무지신근), 제3종아리근(제3비골근) **10** 긴종아리근(장비골근), 짧은종아리근(단비골근) **11** 장딴지근(비복근), 가자미근(넙치근), 발바닥근(족저근) **12** 정강신경(경골신경) **13** 장딴지근(비복근), 가자미근 **14** 장딴지근(비복근), 가자미근 **15** 벌레모양근(충양근)

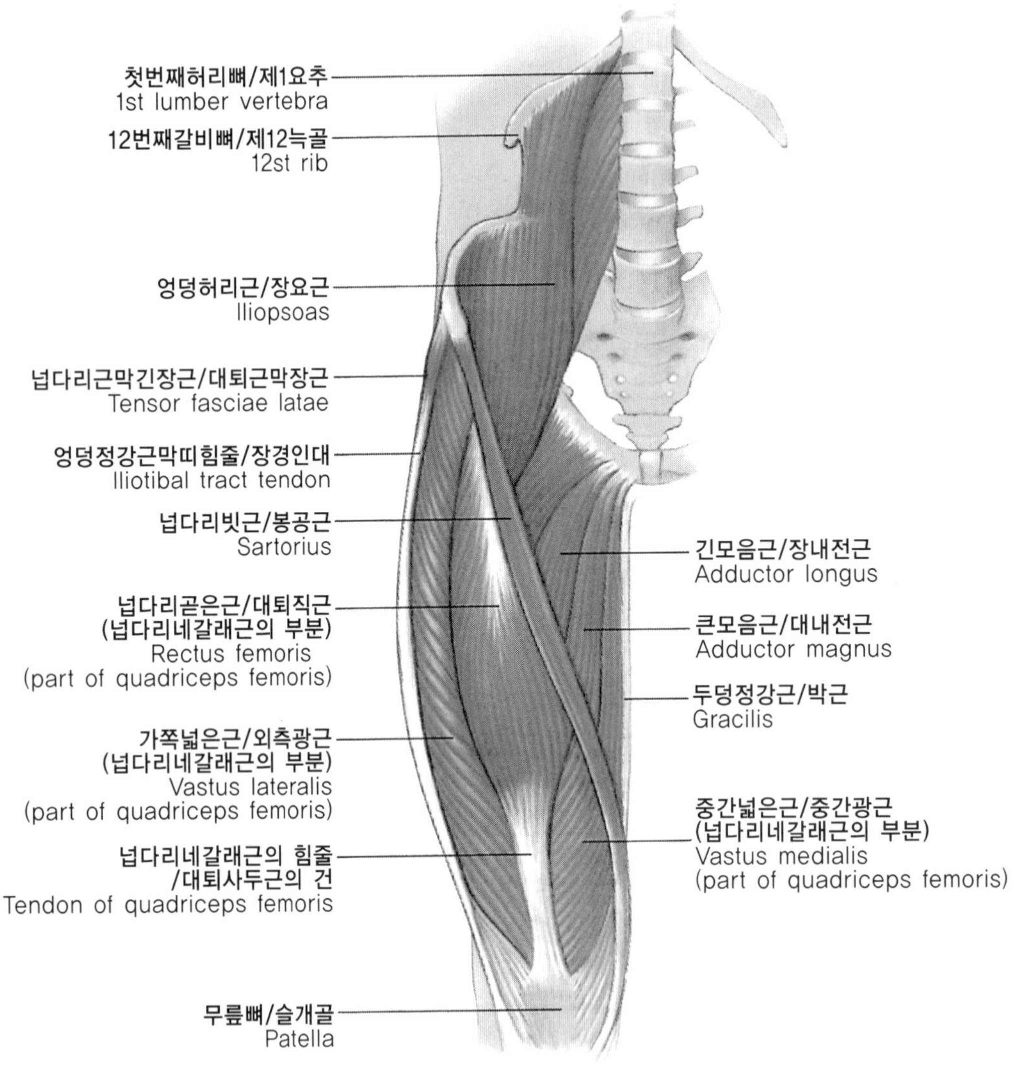

그림 4 – 10 • 오른쪽 넓적다리와 골반의 근육, 앞면

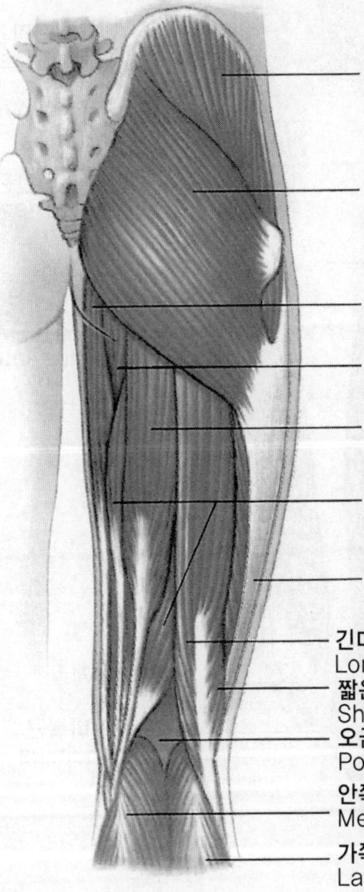

그림 4 - 11 • 오른쪽 넓적다리와 골반의 근육, 뒷면

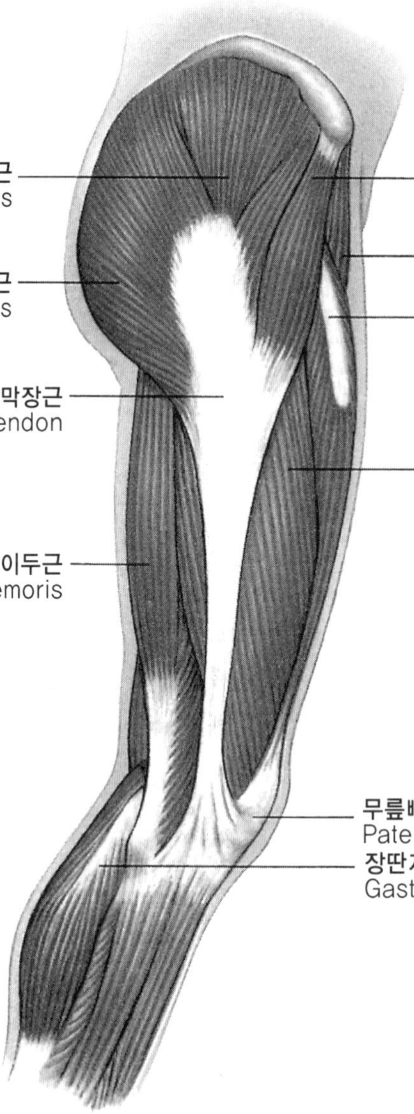

그림 4 - 12 • 오른쪽 넓적다리와 골반의 근육, 가쪽면

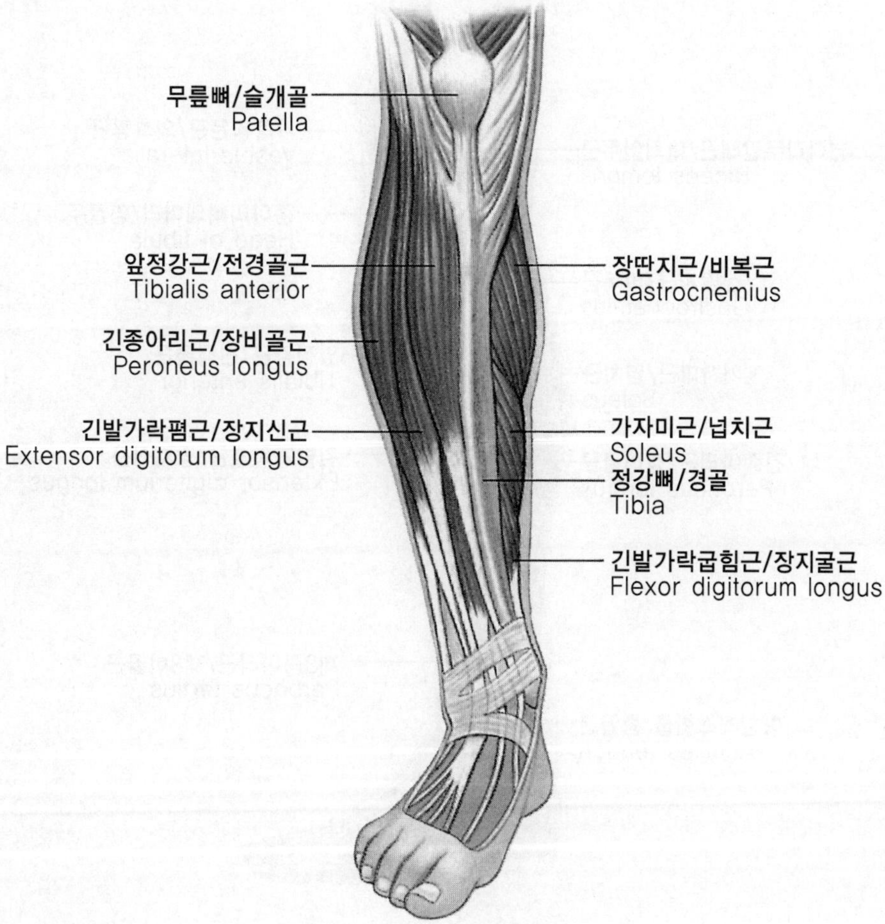

그림 4 – 13 • 오른쪽 종아리의 근육, 앞면

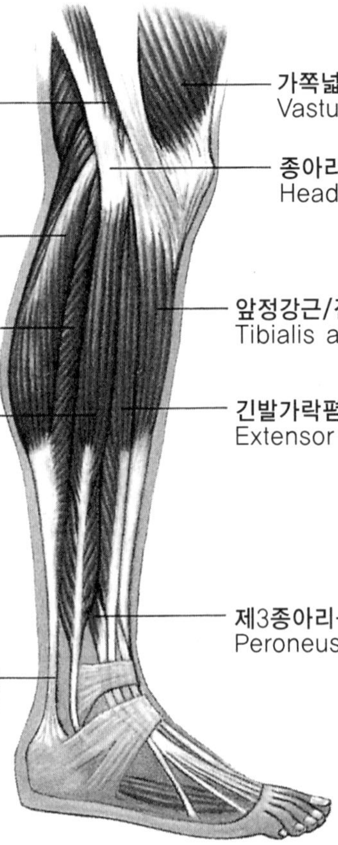

그림 4 – 14 • 오른쪽 종아리의 근육, 가쪽면

제 5 장

순환기계통

1

온몸순환(대순환)과 허파순환(소순환)

Q&A 다음 질문에 답하시오.

1 혈액이 왼심실(좌심실)에서 출발하여 오른심방(우심방)까지의 순환을 어떤 순환이라 하는가?

2 허파순환(소순환)은 오른심실(우심실)에서 어디까지를 말하는가?

3 허파순환(소순환)을 일명 무슨 순환이라고도 하는가?

4 오른심실(우심실)에 있는 혈액을 허파(폐)까지 운반하는 혈관을 무슨 혈관이라 하는가?

5 허파(폐)에서 가스교환을 다 마친 혈액은 심장의 어느 곳으로 유입되는가?

Q&A

1 온몸순환(대순환, 체순환) **2** 왼심방(좌심방) **3** 허파순환(폐순환) **4** 허파동맥(폐동맥) **5** 왼심방(좌심방)

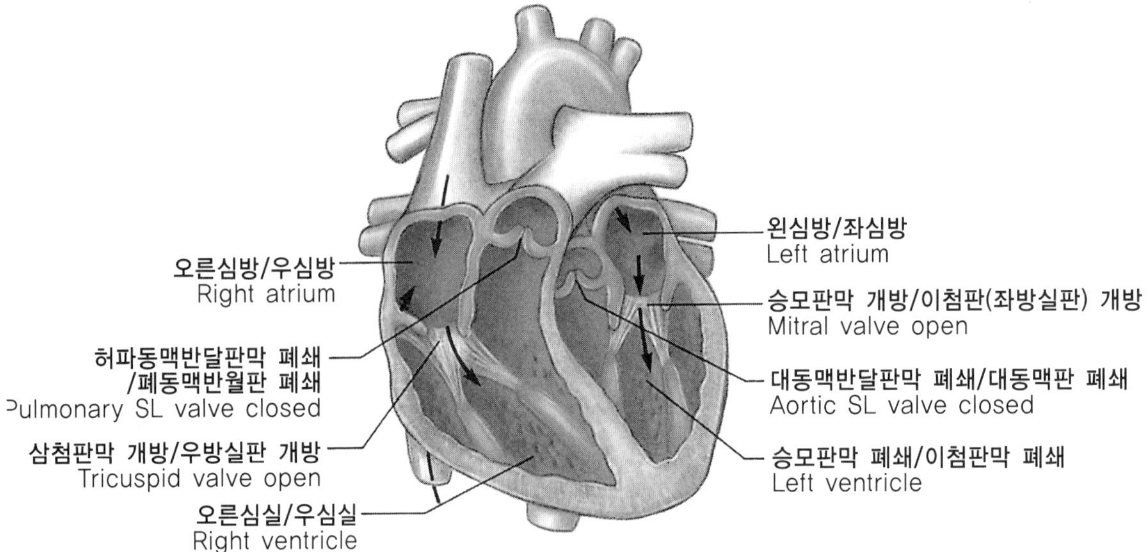

(a) **심실이완기** Ventricular diastole

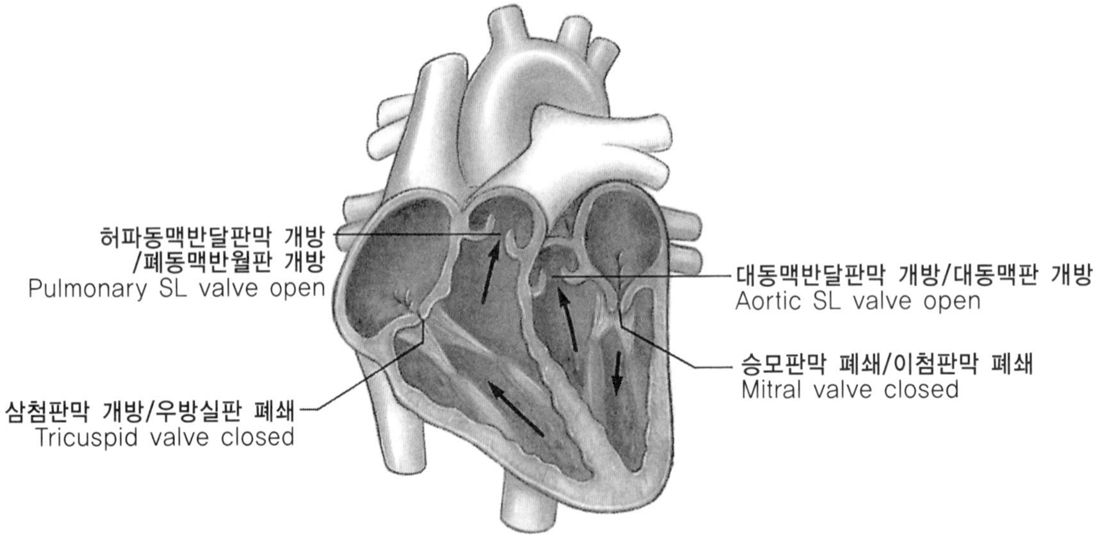

(b) **심실수축기** Ventricular systole

그림 5-1 • 심장주기

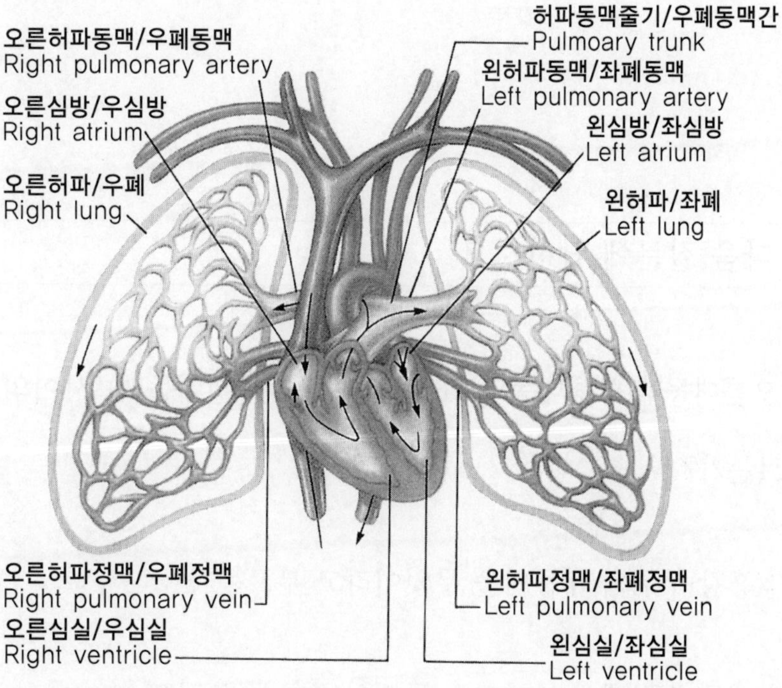
허파동맥줄기/우폐동맥간
Pulmoary trunk
오른허파동맥/우폐동맥
Right pulmonary artery
왼허파동맥/좌폐동맥
Left pulmonary artery
오른심방/우심방
Right atrium
왼심방/좌심방
Left atrium
오른허파/우폐
Right lung
왼허파/좌폐
Left lung
오른허파정맥/우폐정맥
Right pulmonary vein
왼허파정맥/좌폐정맥
Left pulmonary vein
오른심실/우심실
Right ventricle
왼심실/좌심실
Left ventricle

그림 5 – 2 • 허파순환

1-1

온몸순환(대순환)의 동맥

Q&A 다음 질문에 답하시오.

1 인체의 오름대동맥(상행대동맥)과 내림대동맥(하행대동맥) 사이의 동맥을 무엇이라고 부르는가?

2 가슴공간(흉강)부위의 대동맥을 무엇이라고 부르는가?

3 대동맥활(대동맥궁)에서 분지되는 동맥의 종류를 쓰시오.

4 전신을 순환하고 되돌아온 혈액(정맥혈)은 심장의 어느 곳으로 유입되는가?

5 넙다리동맥(대퇴동맥)과 정강동맥(경골동맥) 사이의 동맥은?

6 심장의 어느 곳의 혈액이 대동맥으로 나간 후 전신에 분포하는가?

Q&A

1 대동맥활(대동맥궁) **2** 가슴대동맥(흉대동맥) **3** 오른팔머리동맥(우완두동맥), 왼온목동맥(좌총경동맥), 왼빗장밑동맥(좌쇄골하동맥) **4** 오른심방(우심방) **5** 오금동맥(슬와동맥) **6** 왼심실(좌심실)

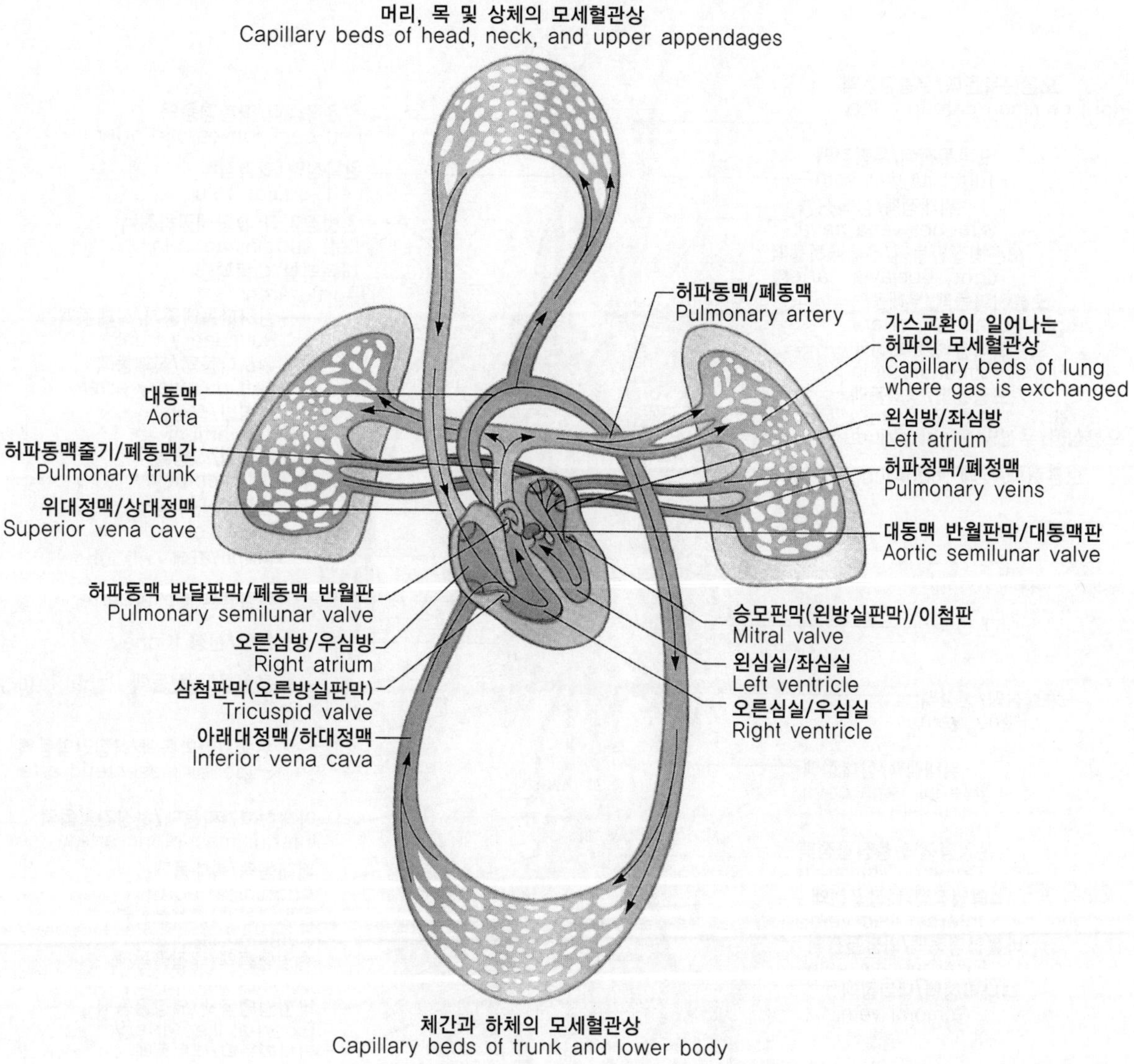

그림 5-3 • 심장을 통한 혈류

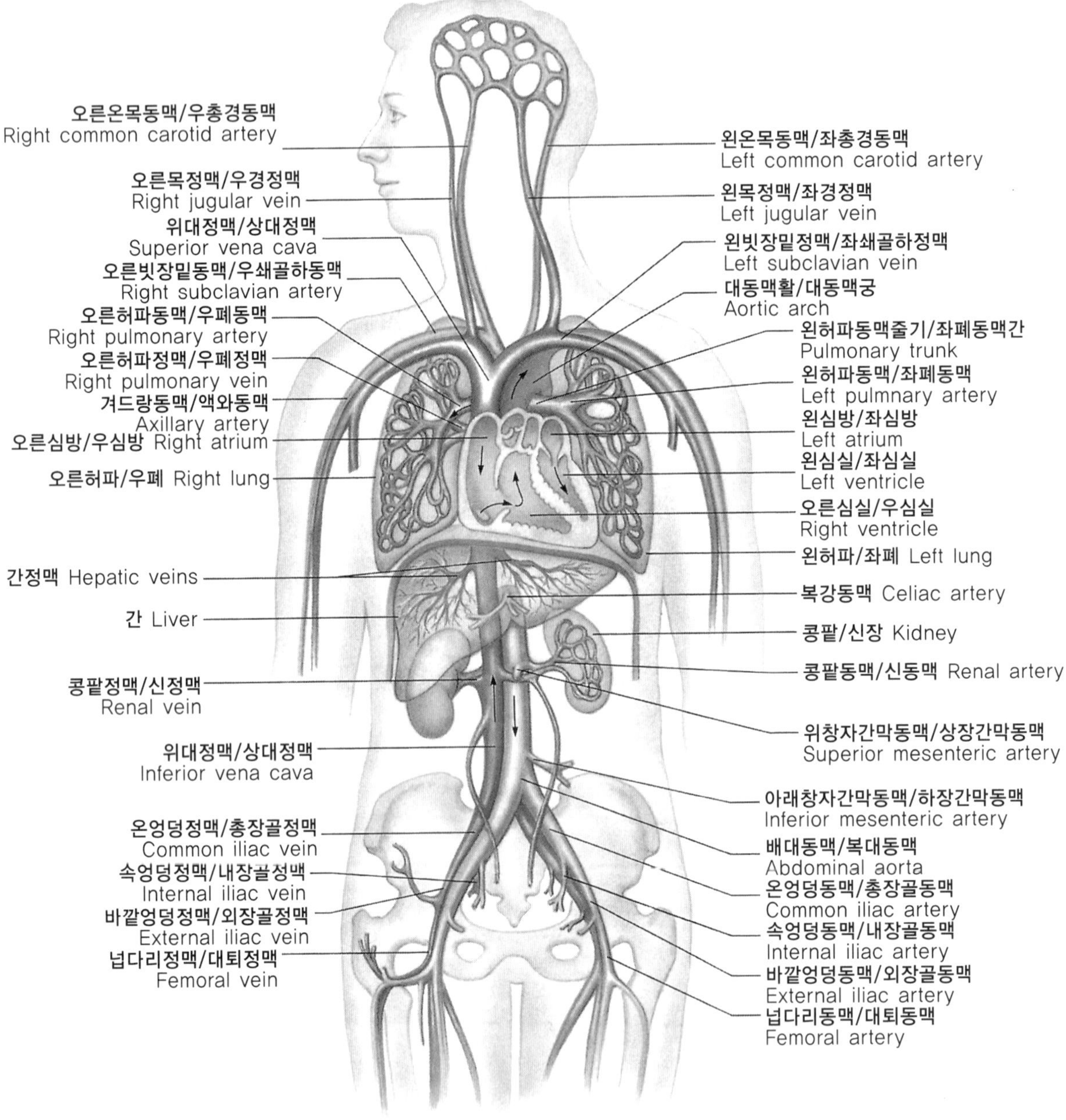

그림 5 – 4 • 인체의 혈액순환망

1-2

심혈관의 구조

Q&A 다음 질문에 답하시오.

1 심장의 오른심방귀(우심이)가 덮고 있는 곳을 무엇이라고 하는가?

2 머리(두부)나 가슴부(흉부) 팔(상지)을 순환하고 되돌아 오는 혈액이 오른심방(우심방)으로 들어오기 직전의 혈관 이름은?

3 몸통(체간), 다리(하지), 복부를 순환하고 되돌아온 혈액이 오른심방(우심방)으로 들어오기 직전의 혈관 이름은?

4 심장에 영양공급, 산소공급을 해주는 혈관은?

5 오른심실(우심실)에 있는 혈액은 어느 혈관을 타고 허파(폐)로 가는가?

Q&A

1 오른심방(우심방) **2** 위대정맥(상대정맥) **3** 아래대정맥(하대정맥) **4** 심장동맥(관상동맥) **5** 허파동맥(폐동맥)

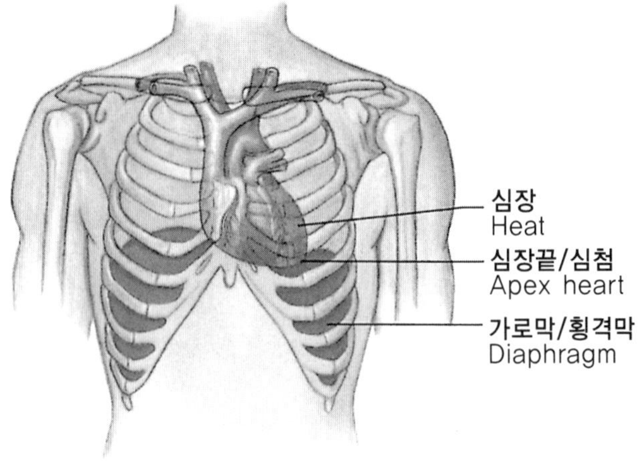

(a)

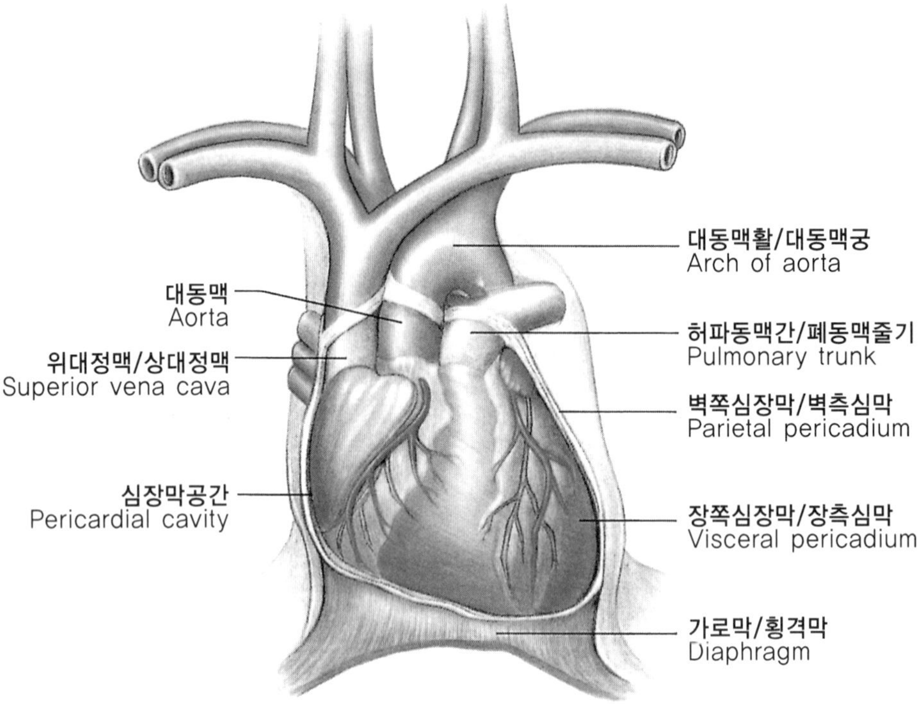

(b)

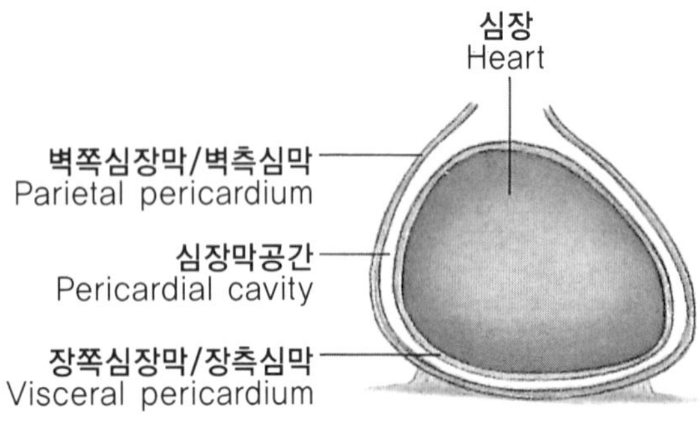

(c)

그림 5－5 • 심장의 위치

1-3

심장의 내부구조

Q&A 다음 질문에 답하시오.

1 심장을 구성하는 조직학적 층의 이름을 안쪽에서부터 순서대로 쓰시오.

2 심장의 구조에서 가장 두꺼운 벽을 이루는 곳은?

3 심장과 허파(폐) 사이에 있는 혈관으로 CO_2의 분압이 높은 혈액의 혈관은?

4 위대정맥(상대정맥), 아래대정맥(하대정맥)의 개구부는 어느 곳인가?

Q&A

1 심장속막(심내막)–심장근육층(심근)–심장바깥막(심외막) **2** 왼심실(좌심실) **3** 허파동맥(폐동맥) **4** 오른심방(우심방)

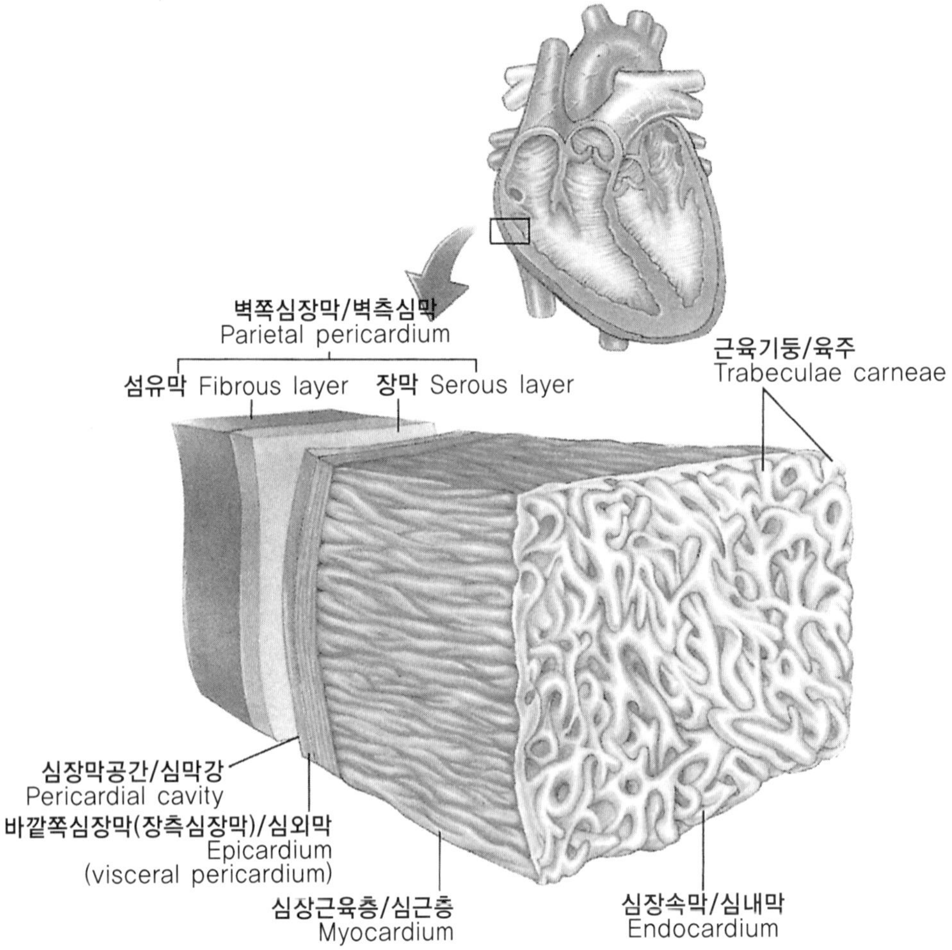
벽쪽심장막/벽측심막
Parietal pericardium
섬유막 Fibrous layer
장막 Serous layer
근육기둥/육주
Trabeculae carneae
심장막공간/심막강
Pericardial cavity
바깥쪽심장막(장측심장막)/심외막
Epicardium
(visceral pericardium)
심상근육층/심근층
Myocardium
심장속막/심내막
Endocardium

그림 5 - 6 • 심장벽의 구조

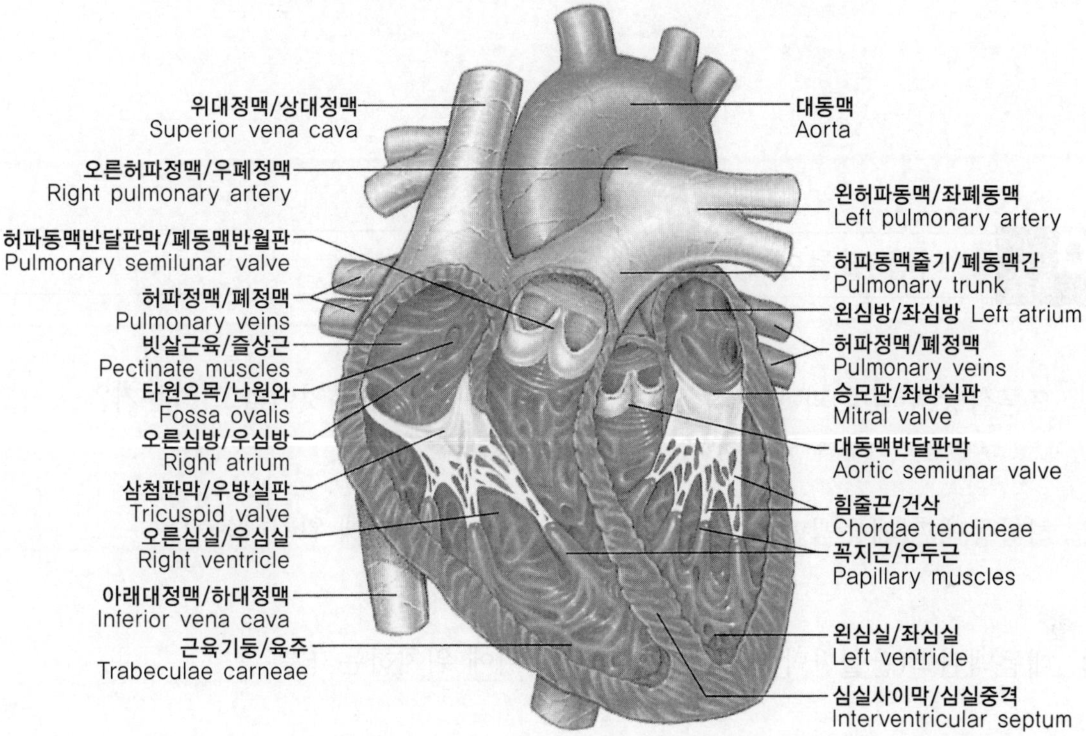

그림 5－7• 심장의 내부구조, 전면도

1-4

심장의 판막

Q&A 다음 질문에 답하시오.

1 오른심방(우심방)과 오른심실(우심실) 사이의 판막을 무엇이라고 하는가?

2 허파동맥판[폐동맥판(반월판막)]은 어느 구조물 사이에 위치하는가?

3 대동맥판막(반월판막)은 어느 구조물 사이에 위치하는가?

Q&A

1 삼첨판막(삼첨판) **2** 오른심실(우심실)과 허파동맥(폐동맥) 사이 **3** 왼심실(좌심실)과 대동맥 사이

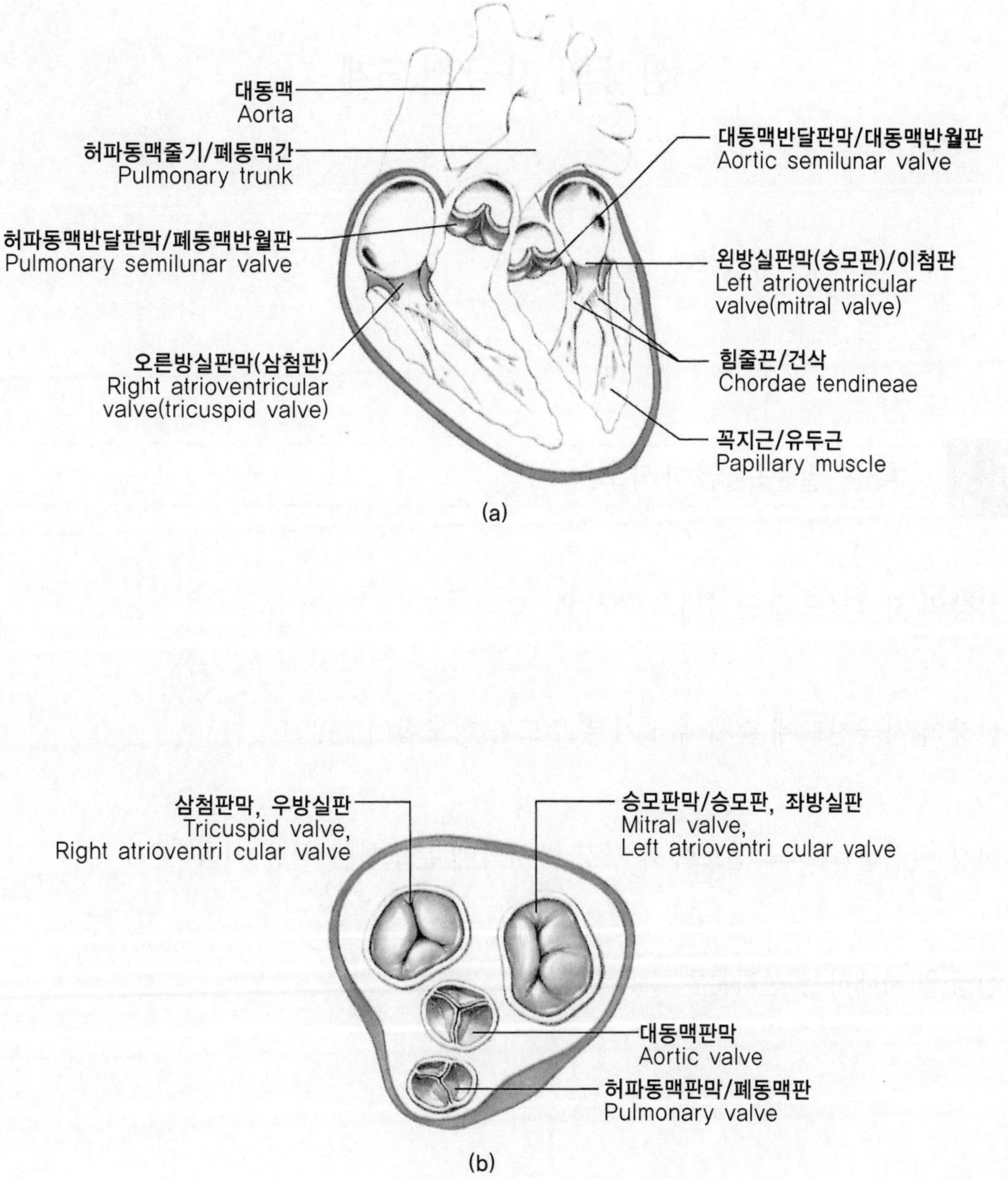

그림 5 – 8 • 심장판막의 위치

1-5

심장의 자극전도계

Q&A 다음 질문에 답하시오.

1 심장의 자극전도를 순서대로 쓰시오.

2 심장의 자극전도계 순서에서 기본 주도자(향도잡이)는?

3 심장근(심근)의 자극전도에서 가장 마지막에 분포하는 섬유 이름은?

4 심장을 지배하는 신경은?

Q&A

1 굴심방결절(동방결절)–방실결절–방실다발(방실속)–퍼킨제섬유(프르키니예섬유) **2** 굴심방결절(동방결절) **3** 퍼킨제섬유(프르키니예섬유) **4** 자율신경

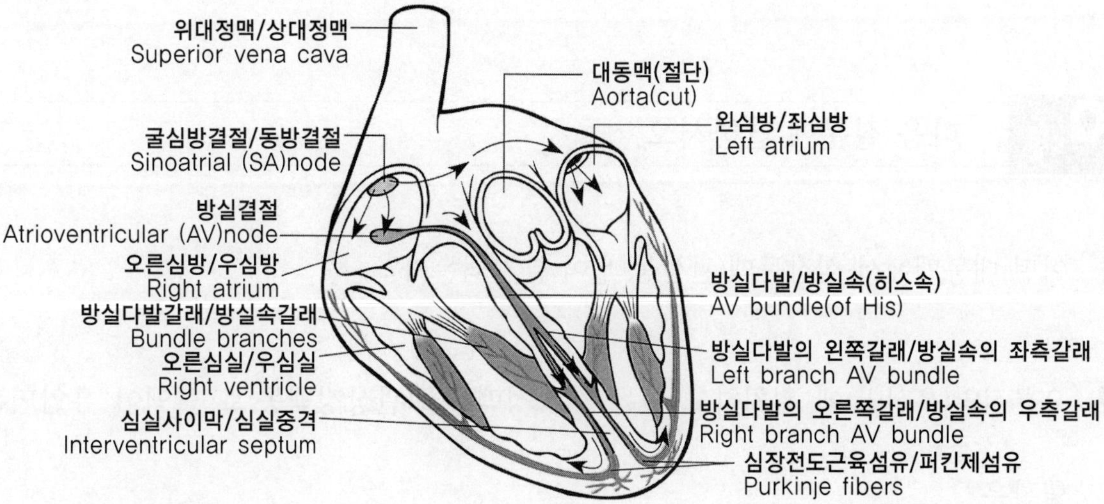
위대정맥/상대정맥
Superior vena cava
대동맥(절단)
Aorta(cut)
굴심방결절/동방결절
Sinoatrial (SA)node
왼심방/좌심방
Left atrium
방실결절
Atrioventricular (AV)node
오른심방/우심방
Right atrium
방실다발/방실속(히스속)
AV bundle(of His)
방실다발갈래/방실속갈래
Bundle branches
오른심실/우심실
Right ventricle
방실다발의 왼쪽갈래/방실속의 좌측갈래
Left branch AV bundle
방실다발의 오른쪽갈래/방실속의 우측갈래
Right branch AV bundle
심실사이막/심실중격
Interventricular septum
심장전도근육섬유/퍼킨제섬유
Purkinje fibers

그림 5-9 • 심장전도계

1-6

심장의 심장(관상)순환

Q&A 다음 질문에 답하시오.

1 어떤 대동맥에서 심장동맥(관상동맥)이 분지되는가?

2 오른심방(우심방)에 위치하고 있는 심장정맥동굴(관상정맥동)로 혈액이 유입되는 혈관은?

3 막히게 되면 혈류공급내 조직이 괴사하게 되는 심장의 측부순환에 없는 동맥을 무엇이라 하는가?

Q&A

1 오름대동맥(상행대동맥) **2** 오른심장정맥(우관상정맥) **3** 끝동맥(종동맥)

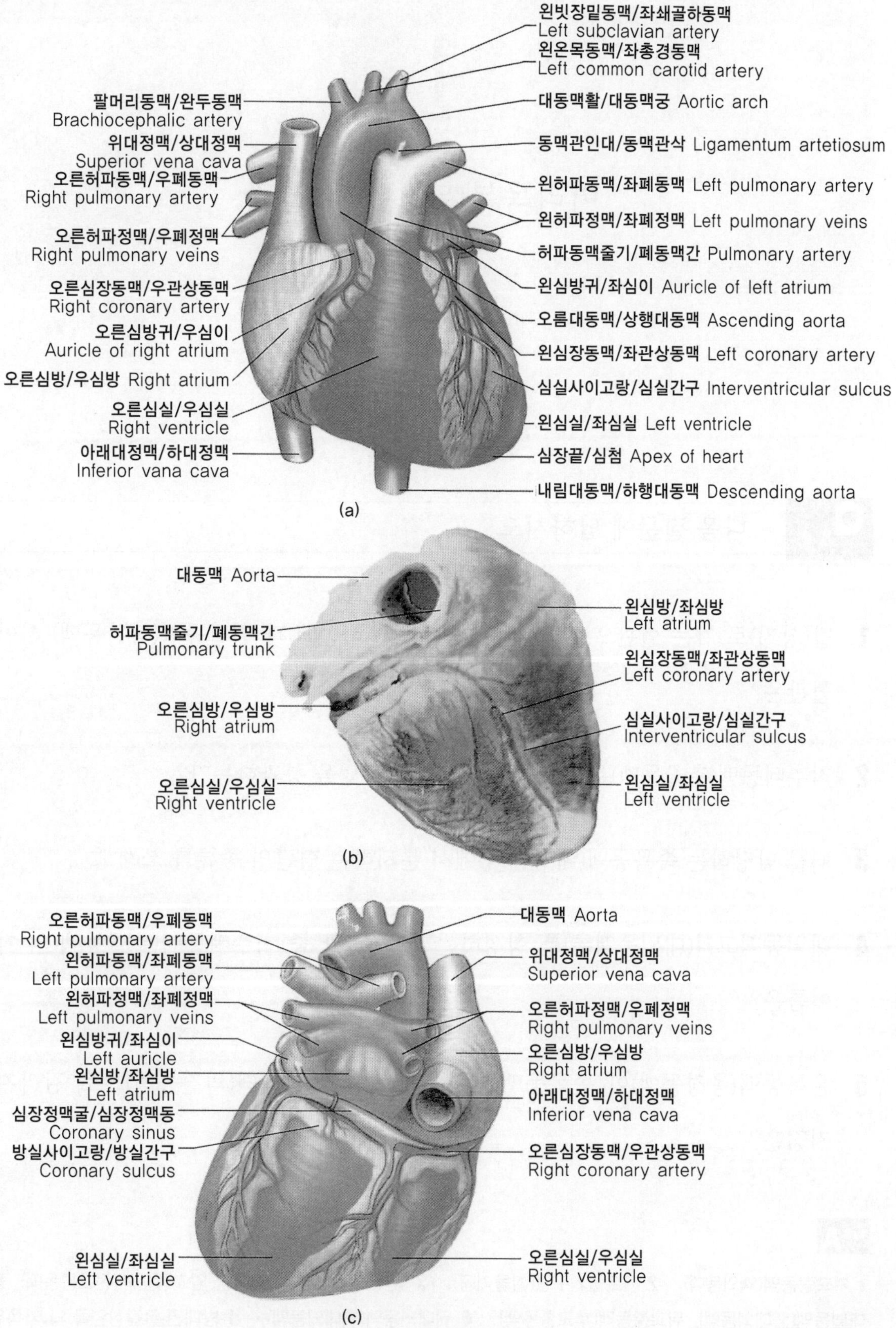

그림 5 – 10 • 심장의 외부구조

1-7

머리목부(두경부)의 혈관

Q&A 다음 질문에 답하시오.

1 팔(상지)로 가는 혈관으로 빗장뼈밑동맥(쇄골하동맥)과 위팔동맥(상완동맥) 사이의 혈관은?

2 척추뼈동맥(추골동맥)은 목뼈(경추)의 어느 구멍을 통과하는가?

3 뇌를 담당하는 속목동맥(내경동맥)에서 분지하는 혈관의 종류를 쓰시오.

4 대뇌동맥고리(대뇌동맥륜)를 형성하는 최종 혈관 중 척추뼈동맥(추골동맥)의 가지 이름은?

5 온목동맥(총경동맥)이 속목동맥(내경동맥)과 바깥목동맥(외경동맥)으로 갈라지는 지점은?

Q&A

1 겨드랑동맥(액와동맥) **2** 가로돌기구멍(횡돌기공) **3** 앞대뇌동맥(전대뇌동맥), 앞교통동맥(전교통동맥), 중간대뇌동맥(중대뇌동맥), 뒤교통동맥(후교통동맥) **4** 뒤대뇌동맥(후대뇌동맥) **5** 방패연골(갑상연골)의 가쪽위가장자리(외측상연)

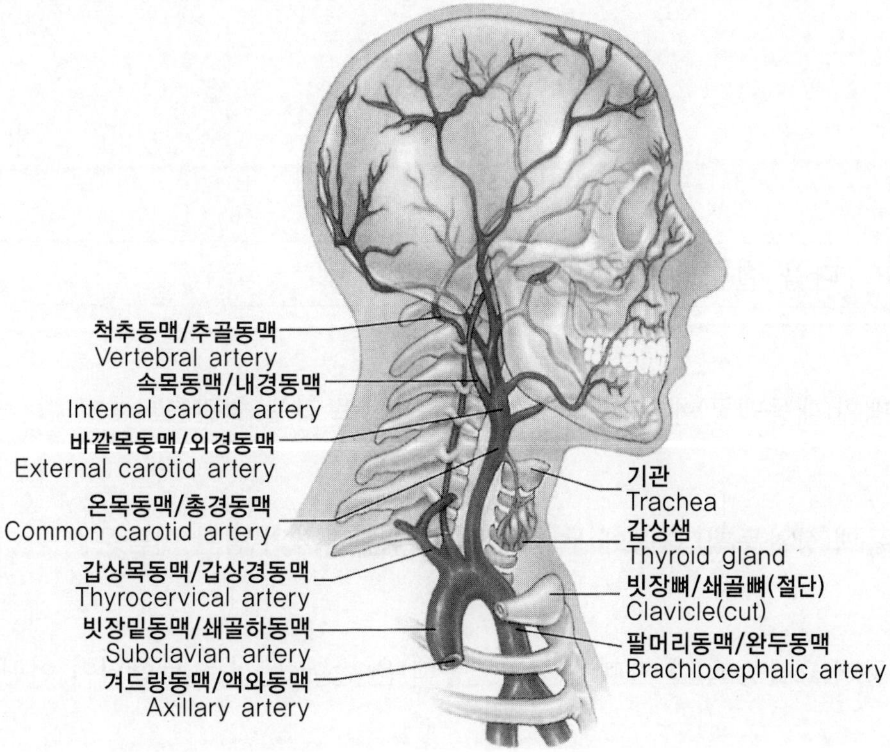

그림 5 – 11 • 머리와 목의 동맥

1-8

팔(상지)의 동맥

Q&A 다음 질문에 답하시오.

1 대동맥활(대동맥궁)에서 분지한 혈관 중 상지로 가는 혈관은?

2 위팔동맥(상완동맥) 다음에 두 개로 나눠지는 각각의 혈관 이름은?

3 노뼈동맥(요골동맥)과 자뼈동맥(척골동맥)은 손에서 서로 문합되어 어떤 동맥활(동맥궁)을 형성하는가?

4 대동맥활(대동맥궁)에서 분지하는 혈관 중 오른쪽 팔머리쪽으로 가는 혈관은?

5 혈압을 측정하는 동맥은?

Q&A

1 빗장밑동맥(쇄골하동맥) **2** 노동맥(요골동맥), 자동맥(척골동맥) **3** 얕은손바닥동맥활(천장동맥궁), 깊은손바닥동맥활(심장동맥궁) **4** 팔머리동맥(완두동맥) **5** 위팔동맥(상완동맥)

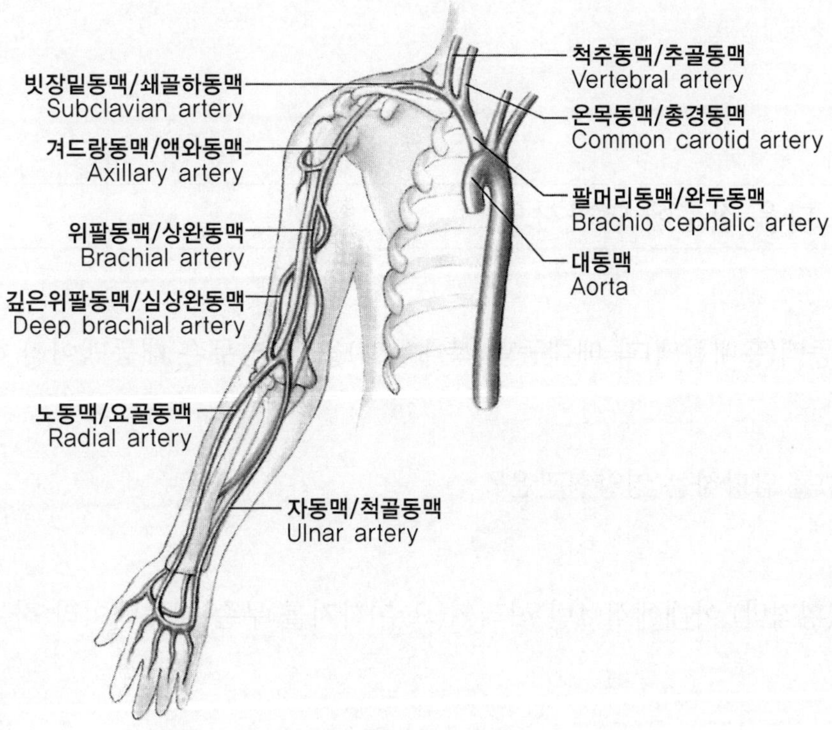

그림 5－12 • 어깨와 위팔의 동맥

1-9

가슴부(흉부)와 복부의 동맥

Q&A 다음 질문에 답하시오.

1 가슴대동맥(흉대동맥)과 배대동맥(복대동맥)을 일명 무슨 대동맥이라 하는가?

2 허파(폐)를 담당하는 영양혈관은?

3 가로막(횡격막) 아래에서 4번 허리뼈(요추)까지를 무슨 대동맥이라 하는가?

4 온간동맥(총간동맥), 지라동맥(비동맥), 왼위동맥(좌위동맥)의 가지를 내는 혈관은?

5 복강동맥의 가지 중 간과 담낭에 혈액공급을 하는 동맥은?

6 고환동맥, 난소동맥의 가지를 내는 동맥은?

Q&A

1 내림대동맥(하행대동맥) **2** 기관지동맥 **3** 배대동맥(복대동맥) **4** 복강동맥 **5** 온간동맥(총간동맥) **6** 배대동맥(복대동맥)

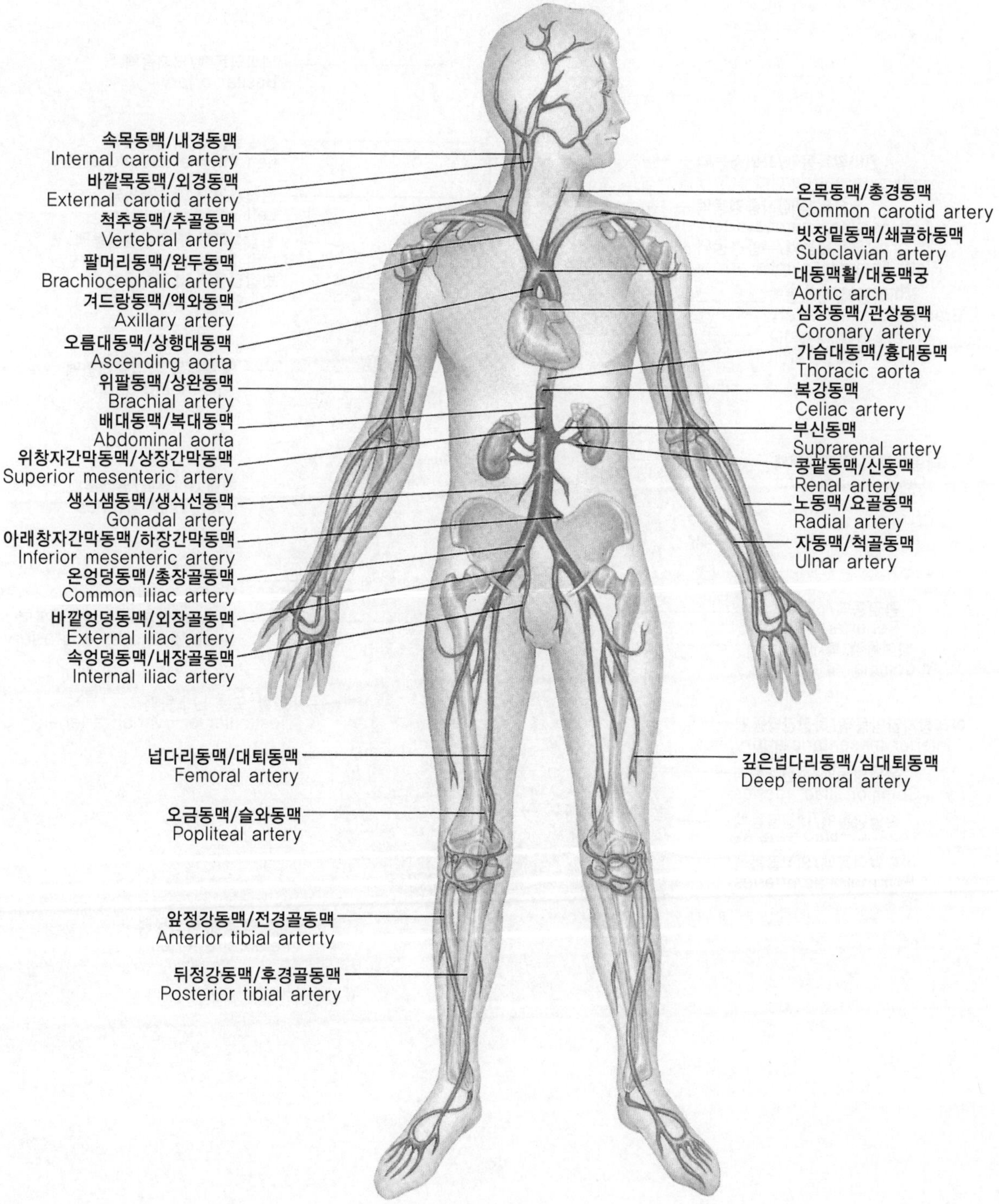

그림 5 – 13 • 전신순환 동맥

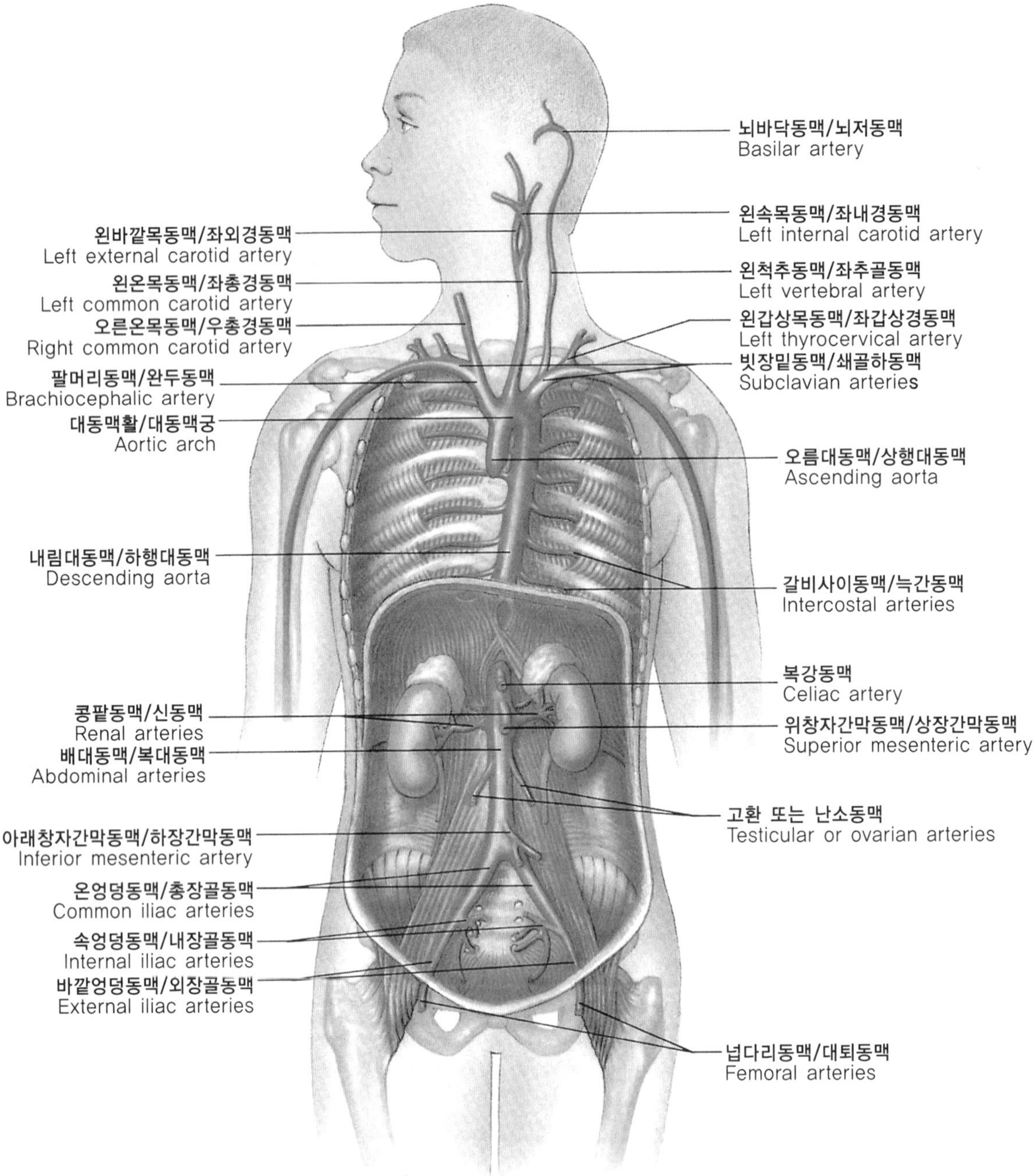

그림 5 – 14 • 대동맥과 주요분지

1-10

골반과 엉덩부(둔부)의 동맥

Q&A 다음 질문에 답하시오.

1 왼 · 오른온엉덩동맥(좌 · 우총장골동맥)을 이루는 뼈대(골격)의 위치는?

2 골반안(골반강) 내의 장기에 혈액공급을 하는 혈관은?

3 온엉덩동맥(총장골동맥)에서 분지하여 넙다리동맥(대퇴동맥)이 되기 전의 혈관은?

4 방광동맥은 어느 동맥에서 분지한 것인가?

5 난소동맥은 어느 혈관에서 분지한 것인가?

Q&A

1 4번허리뼈(요추) **2** 속엉덩동맥(내장골동맥) **3** 바깥엉덩동맥(외장골동맥) **4** 속엉덩동맥(내장골동맥) **5** 배대동맥(복대동맥)

1-11 다리(하지)의 동맥

Q&A 다음 질문에 답하시오.

1 온엉덩동맥(총장골동맥) 분지 중 어느 혈관이 샅고랑인대(서혜인대) 아래 넙다리동맥(대퇴동맥)으로 되는가?

2 넙다리동맥(대퇴동맥) 다음 혈관으로 무릎오목부(슬와부)에 해당하는 주요 혈관은?

Q&A

1 바깥엉덩동맥(외장골동맥) **2** 무릎동맥(슬와동맥)

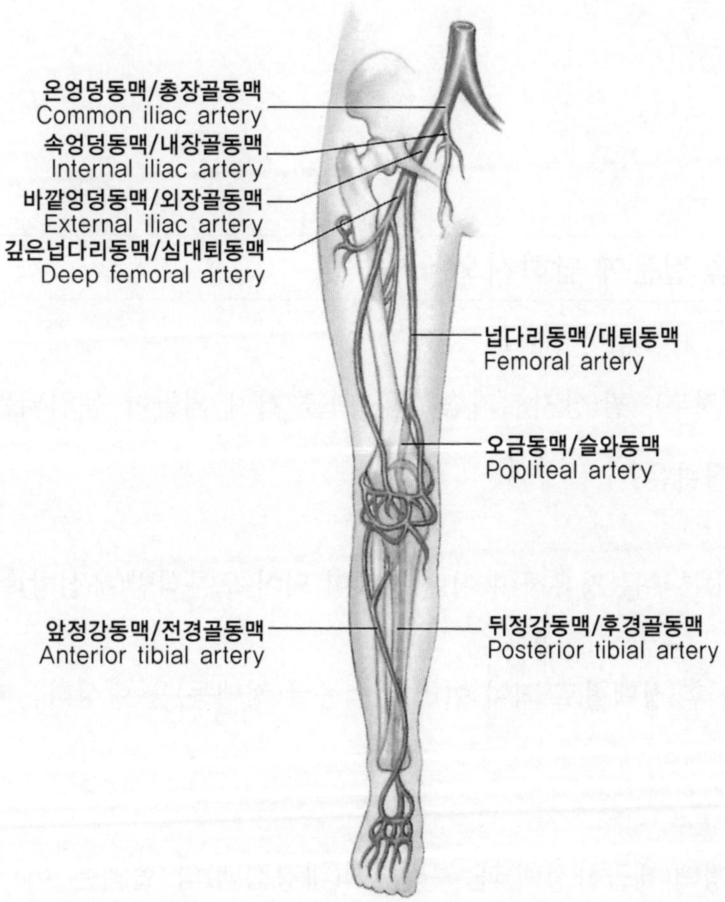

그림 5 – 15 • 골반과 다리의 동맥

1-12

대순환의 정맥

Q&A 다음 질문에 답하시오.

1 머리목부(두경부), 팔(상지), 가슴부(흉부)를 거쳐 되돌아 유입되는 오른심방(우심방) 직전의 혈관은?

2 다리(하지)와 복부를 경유하여 어떤 정맥이 되어 오른심방(우심방)에 유입되는가?

3 뇌를 순환한 후 정맥혈로 되어 여러 정맥동굴(정맥동)을 형성하는데 이것을 무엇이라 하는가?

4 빗장뼈아래정맥(쇄골하정맥)과 속목정맥(내경정맥)의 혈액은 어느 곳으로 유입되는가?

5 넙다리정맥(대퇴정맥)과 온엉덩정맥(총장골정맥) 사이의 정맥은?

Q&A

1 위대정맥(상대정맥) **2** 아래대정맥(하대정맥) **3** 경질막정맥동굴(경막정맥동) **4** 팔머리정맥(완두정맥) **5** 바깥엉덩정맥(외장골정맥)

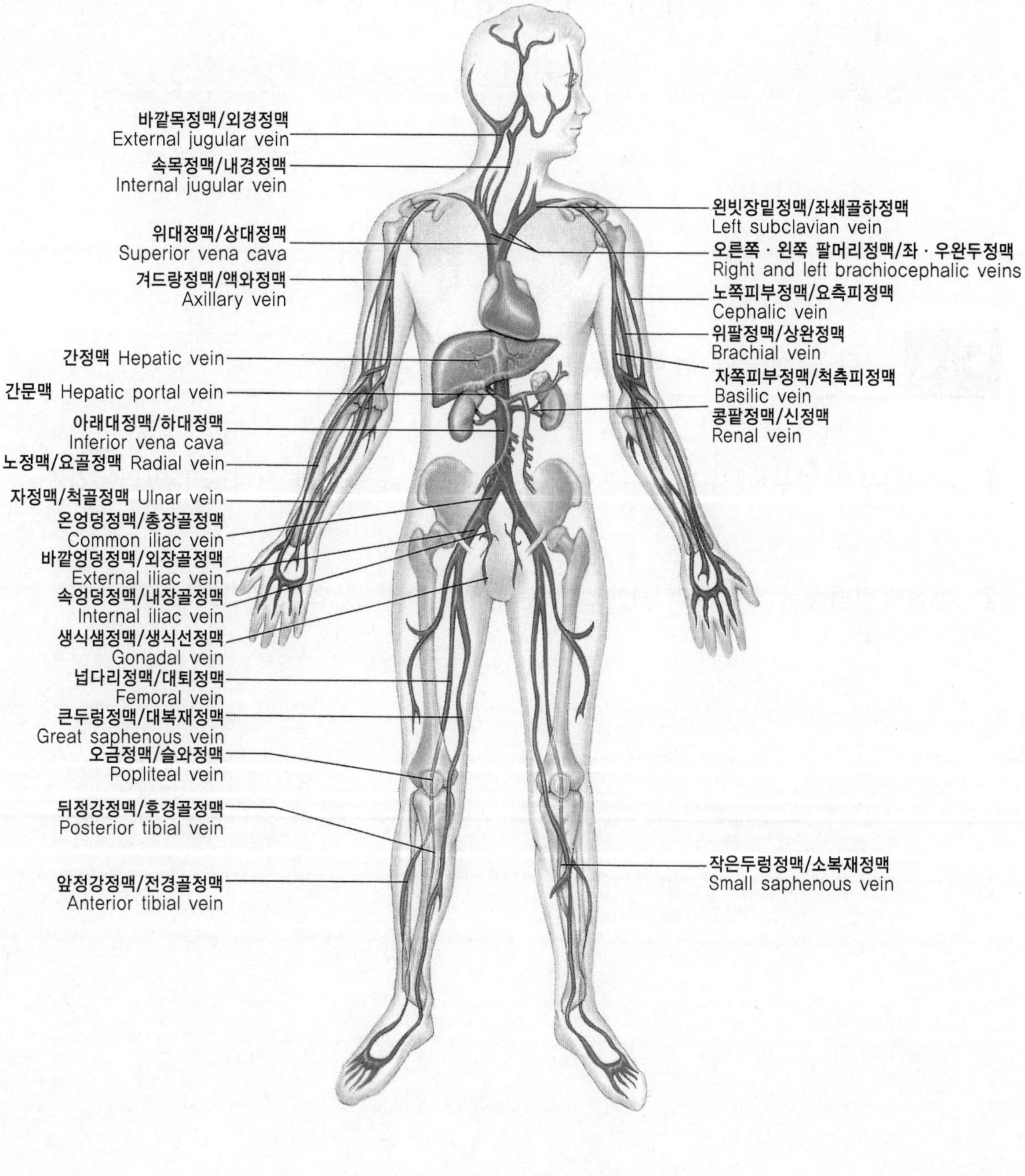

그림 5 – 16 • 전신순환을 하는 정맥

1-13

머리목부(두경부)의 정맥

Q&A 다음 질문에 답하시오.

1 머리목부(두경부)에서 뇌척수액이 지주막과립으로 들어가 어디로 유입되는가?

2 경질막정맥동굴(경막정맥동)에 흐르는 혈액은 어느 곳으로 유입되는가?

Q&A

1 위세로정맥동굴(상시상정맥동) **2** 속목정맥(내경정맥)

1-14

가슴복부(흉복부)의 정맥

Q&A 다음 질문에 답하시오.

1 가슴안(흉강)에 측부순환의 일종으로 형성된 정맥은?

2 기관지정맥, 식도정맥의 혈액은 어느 혈관으로 유입되는가?

3 허파(폐)를 순환하고 되돌아 오는 혈관은?

4 다리(하지)와 골반안(골반강), 복부의 정맥혈은 무슨 대정맥이 되어 오른심방(우심방)으로 유입되는가?

5 위, 창자(장), 이자(췌장), 지라(비장), 쓸개(담낭)의 정맥혈이 간으로 가는 주요 혈관 이름은?

6 문맥정맥(문정맥)으로 유입되는 주요 혈관의 종류는?

7 문맥정맥(문정맥)은 간의 동모양혈관(동양혈관)을 거쳐 어느 정맥을 통해 간정맥이 되어 아래대정맥(하대정맥)으로 유입되는가?

Q&A

1 홀정맥(기정맥) **2** 홀정맥(기정맥) **3** 허파정맥(폐정맥) **4** 아래대정맥(하대정맥) **5** 간문맥(문정맥) **6** 지라정맥(비정맥), 위창자간막정맥(상장간막정맥), 아래창자간막정맥(하장간막정맥) **7** 중심정맥

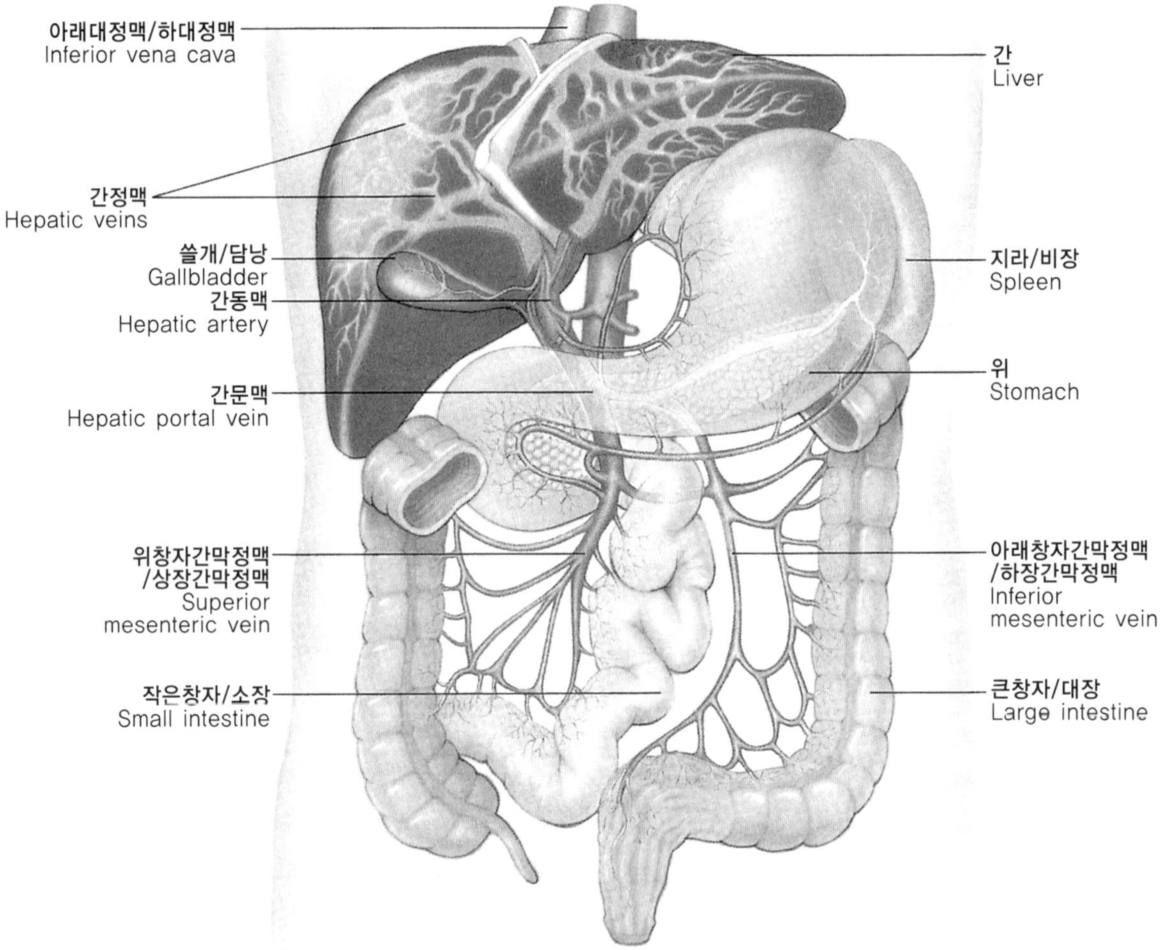

그림 5－17 • 간문맥순환계

1-15

팔(상지)의 정맥

Q&A 다음 질문에 답하시오.

1 겨드랑정맥(액와정맥)과 노뼈 · 자뼈정맥(요골 · 척골정맥) 사이의 정맥은?

2 헌혈, 혈관주사시 이용되는 정맥을 무엇이라 하는가?

3 왼 · 오른빗장밑정맥(좌 · 우쇄골하정맥)은 어느 정맥으로 유입되는가?

4 팔(상지)의 피정맥의 종류를 쓰시오.

5 임상에서 주로 많이 이용되는 피정맥은?

Q&A

1 위팔정맥(상완정맥) **2** 피부정맥(피정맥) **3** 왼 · 오른팔머리정맥(좌 · 우완두정맥) **4** 노쪽피부정맥(요측피정맥), 자쪽피부정맥(척측피정맥), 아래팔중간정맥(전완정중피정맥), 팔오금중간정맥(주정중피정맥) **5** 팔오금중간정맥(주정중피정맥)

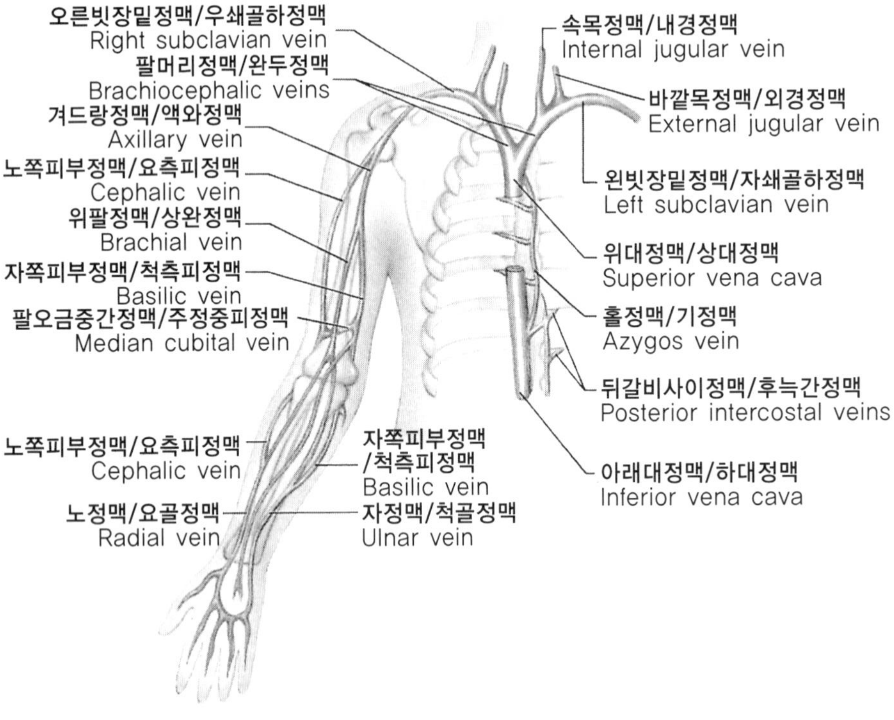

그림 5 – 18 • 체간벽, 어깨 및 위팔의 전신순환을 하는 정맥

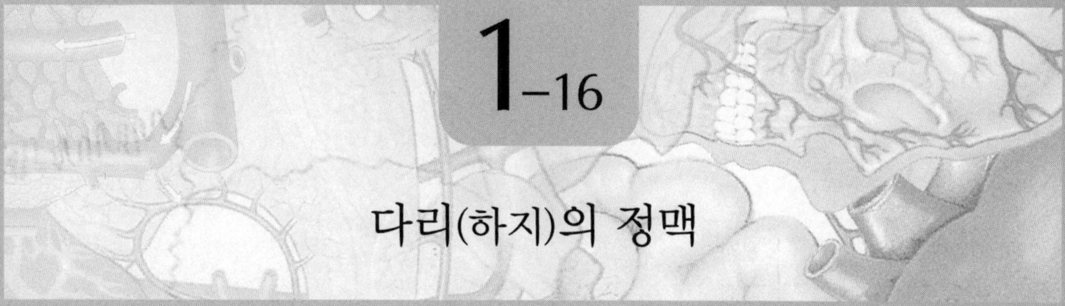

1–16 다리(하지)의 정맥

Q&A 다음 질문에 답하시오.

1 다리(하지)의 피정맥의 종류를 쓰시오.

2 무릎정맥(슬와정맥)과 바깥엉덩정맥(외장골정맥) 사이의 정맥은?

3 다리(하지)의 정맥에 역류이상이 생기어 나타나는 질환은 무엇인가?

Q&A

1 큰두렁정맥(대복재정맥), 작은두렁정맥(소복재정맥) **2** 넙다리정맥(대퇴정맥) **3** 정맥류

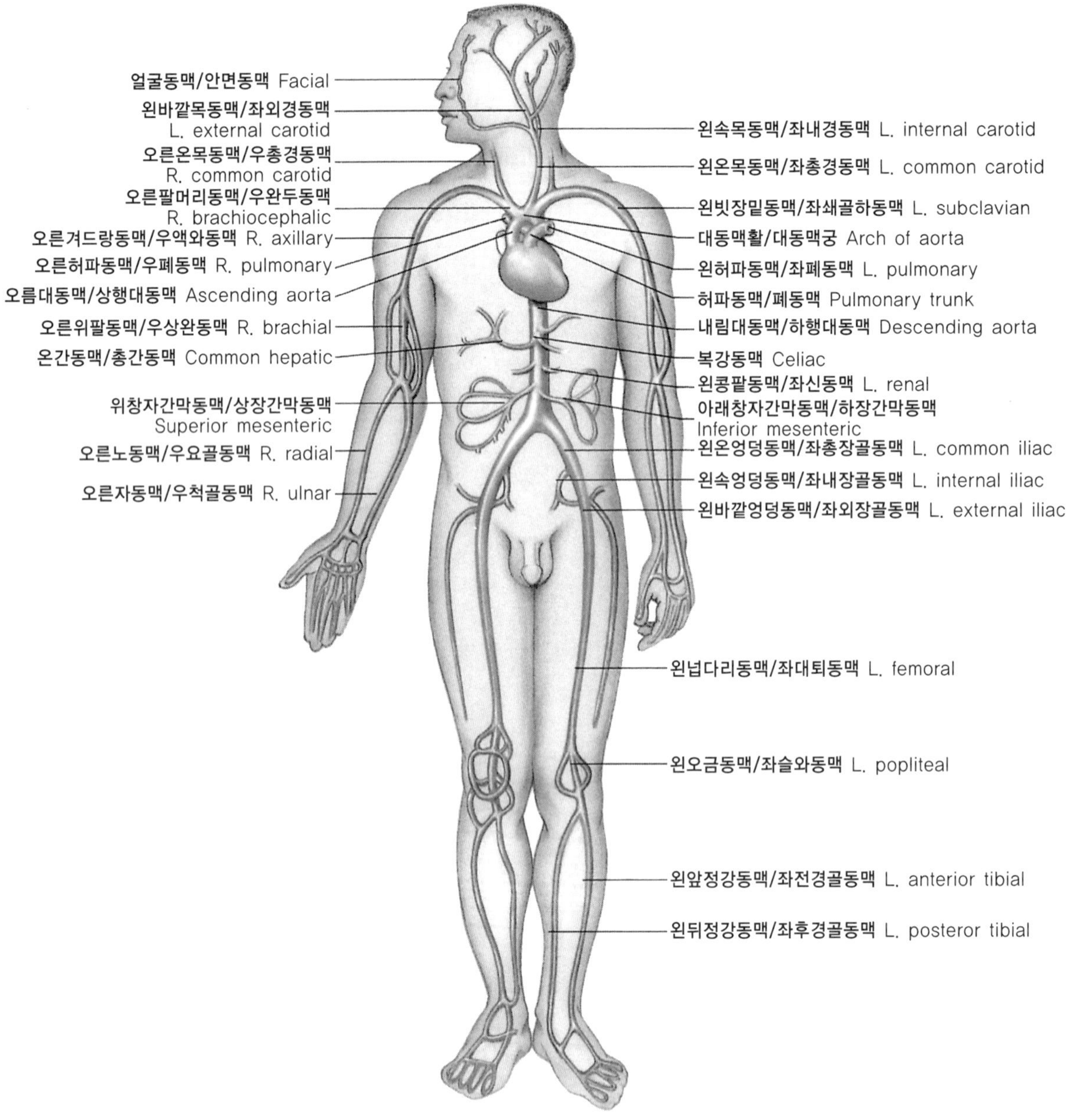
얼굴동맥/안면동맥 Facial
왼바깥목동맥/좌외경동맥
L. external carotid
오른온목동맥/우총경동맥
R. common carotid
오른팔머리동맥/우완두동맥
R. brachiocephalic
오른겨드랑동맥/우액와동맥 R. axillary
오른허파동맥/우폐동맥 R. pulmonary
오름대동맥/상행대동맥 Ascending aorta
오른위팔동맥/우상완동맥 R. brachial
온간동맥/총간동맥 Common hepatic
위창자간막동맥/상장간막동맥
Superior mesenteric
오른노동맥/우요골동맥 R. radial
오른자동맥/우척골동맥 R. ulnar
왼속목동맥/좌내경동맥 L. internal carotid
왼온목동맥/좌총경동맥 L. common carotid
왼빗장밑동맥/좌쇄골하동맥 L. subclavian
대동맥활/대동맥궁 Arch of aorta
왼허파동맥/좌폐동맥 L. pulmonary
허파동맥/폐동맥 Pulmonary trunk
내림대동맥/하행대동맥 Descending aorta
복강동맥 Celiac
왼콩팥동맥/좌신동맥 L. renal
아래창자간막동맥/하장간막동맥
Inferior mesenteric
왼온엉덩동맥/좌총장골동맥 L. common iliac
왼속엉덩동맥/좌내장골동맥 L. internal iliac
왼바깥엉덩동맥/좌외장골동맥 L. external iliac
왼넙다리동맥/좌대퇴동맥 L. femoral
왼오금동맥/좌슬와동맥 L. popliteal
왼앞정강동맥/좌전경골동맥 L. anterior tibial
왼뒤정강동맥/좌후경골동맥 L. posteror tibial

그림 5 – 19 • 심혈관계통

1-17

림프계통

Q&A 다음 질문에 답하시오.

1 림프절로 들어오는 여러 개의 관을 무엇이라고 하는가?

2 림프관은 역류방지를 위해 무엇을 가지고 있는가?

3 유미림프관(유미조)에서 시작하여 왼쪽가슴안(좌측흉강)을 경유하여 왼빗장뼈밑정맥(좌쇄골하정맥)과 왼속목정맥(좌내경정맥) 사이로 유입되는 림프관은?

4 림프액이 유백색을 띄며 2번 허리뼈(요추)부위에 팽대된 것을 무엇이라고 하는가?

Q&A

1 수입림프관 **2** 판막 **3** 가슴림프관(흉관) **4** 가슴림프관팽대(유미조)

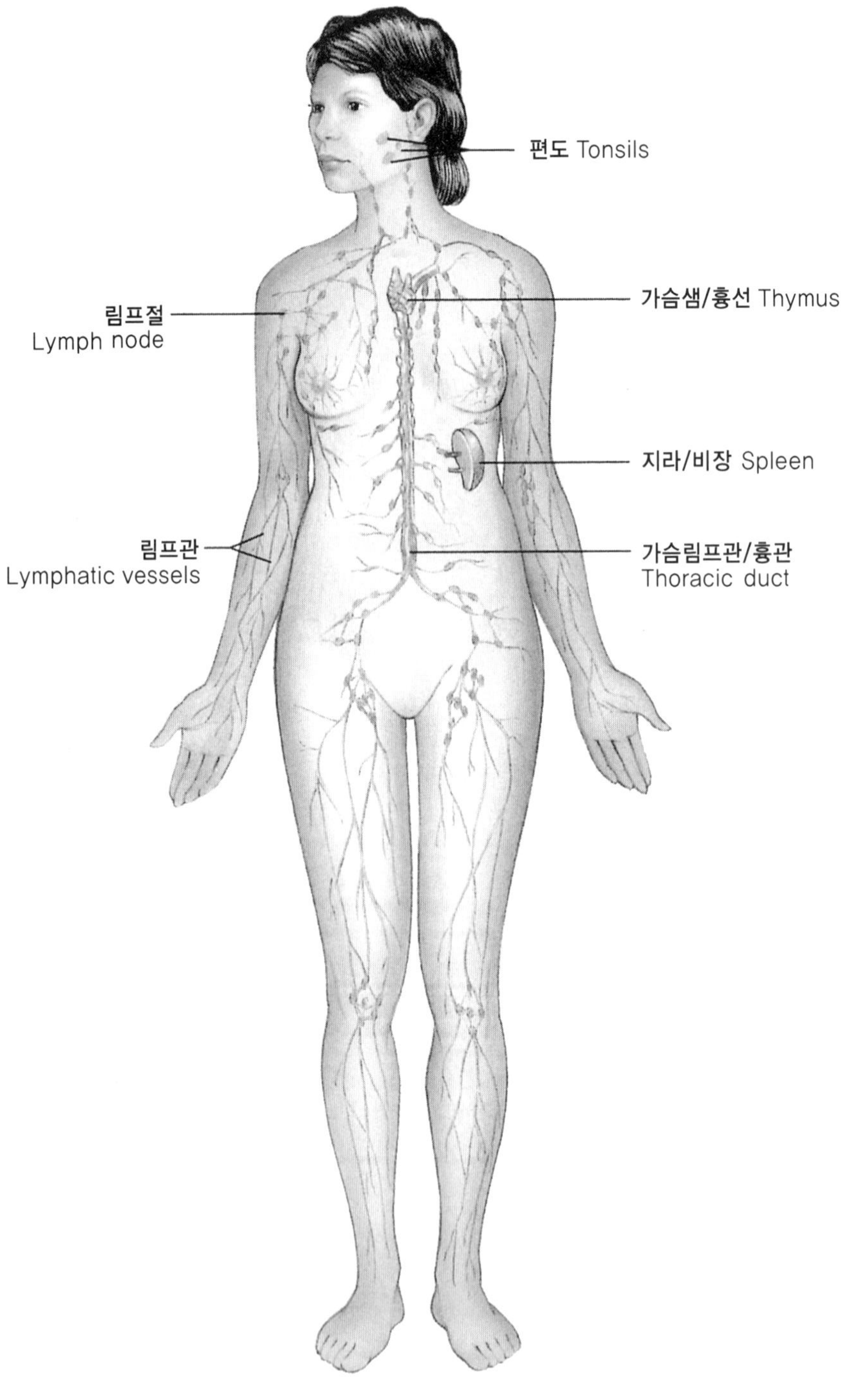
편도 Tonsils
림프절
Lymph node
가슴샘/흉선 Thymus
지라/비장 Spleen
림프관
Lymphatic vessels
가슴림프관/흉관
Thoracic duct

그림 5 – 20 • 림프계통

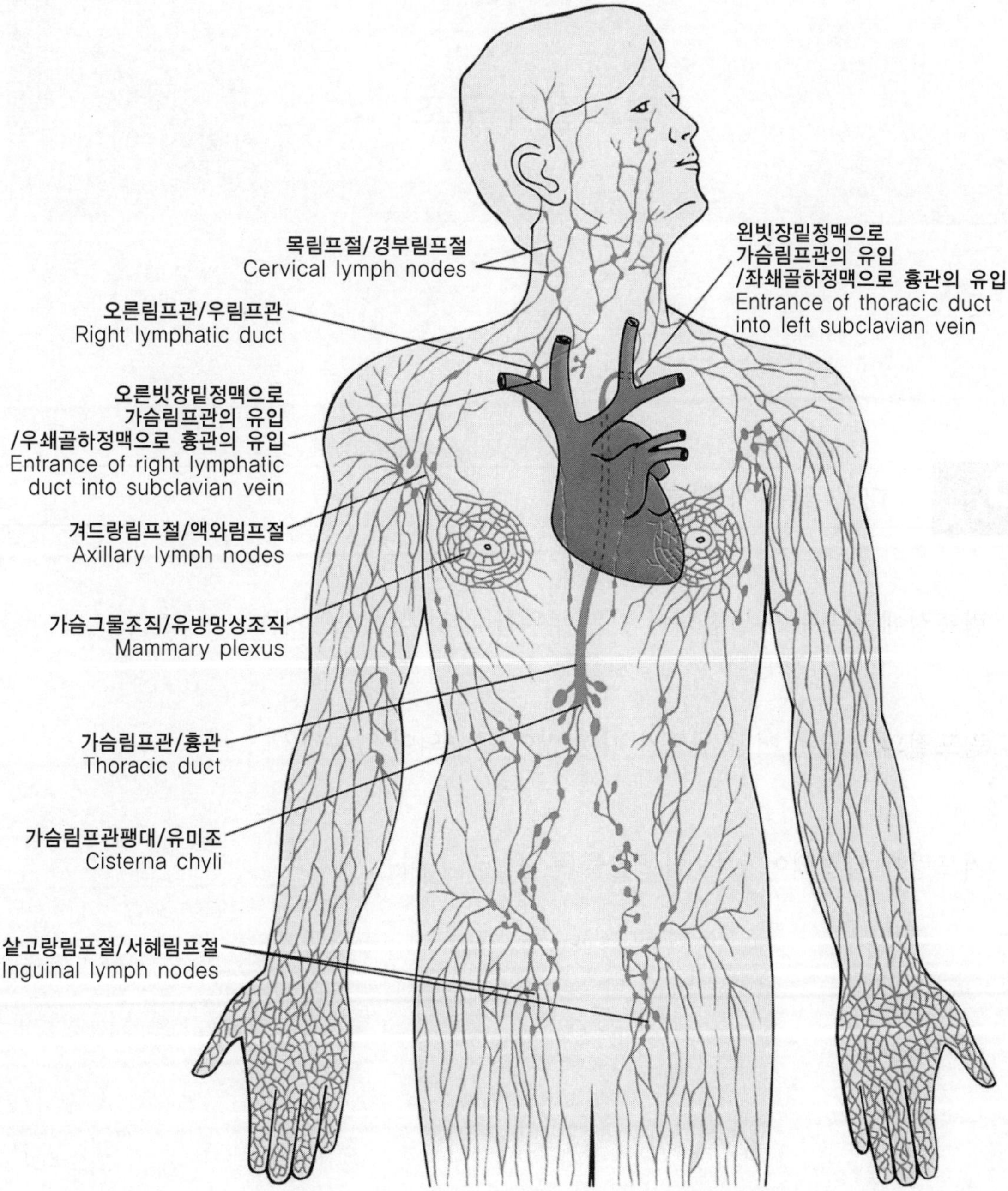
목림프절/경부림프절
Cervical lymph nodes
왼빗장밑정맥으로
가슴림프관의 유입
/좌쇄골하정맥으로 흉관의 유입
Entrance of thoracic duct
into left subclavian vein
오른림프관/우림프관
Right lymphatic duct
오른빗장밑정맥으로
가슴림프관의 유입
/우쇄골하정맥으로 흉관의 유입
Entrance of right lymphatic
duct into subclavian vein
겨드랑림프절/액와림프절
Axillary lymph nodes
가슴그물조직/유방망상조직
Mammary plexus
가슴림프관/흉관
Thoracic duct
가슴림프관팽대/유미조
Cisterna chyli
샅고랑림프절/서혜림프절
Inguinal lymph nodes

그림 5 – 21 • 림프의 분포

1-18

림프절의 구조

Q&A 다음 질문에 답하시오.

1 림프절에 림프구가 밀접되어 있는 부위를 무엇이라 하는가?

2 림프절의 조직은 어떤 세포가 가장 많이 구성되어 있는가?

3 겨드랑에 밀접되어 있는 림프절을 무엇이라고 하는가?

Q&A

1 림프소절 **2** 림프구 **3** 겨드랑림프절(액와림프절)

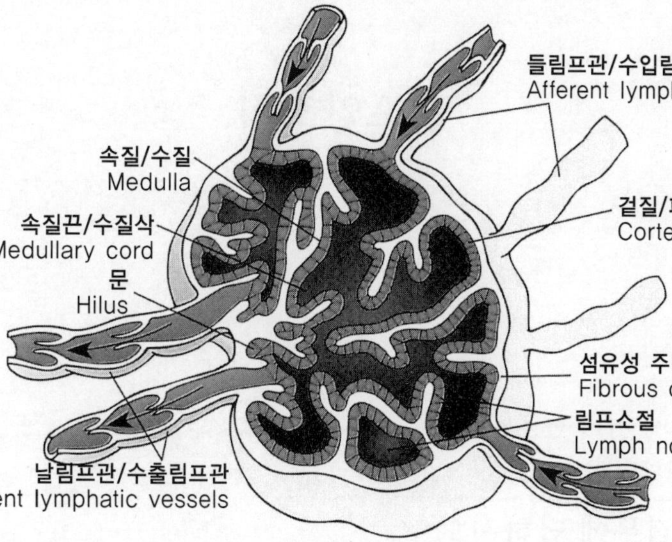

(a)

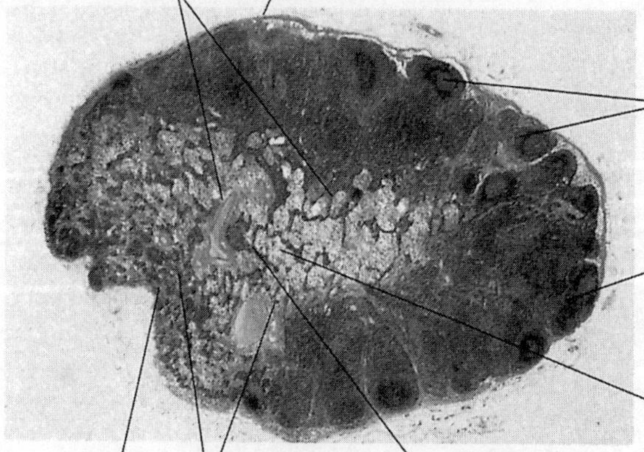

(b)

그림 5－22• 림프절의 구조

1-19

림프양조직

Q&A 다음 질문에 답하시오.

1 인체의 림프기관 종류를 쓰시오.

2 인체에서 가장 큰 림프기관은?

3 핫살소체를 가지고 있는 기관은?

4 편도의 종류를 쓰시오.

Q&A

1 오른림프관(우림프관), 가슴림프관(흉관) **2** 지라(비장) **3** 가슴샘(흉선) **4** 입천장편도(구개편도), 혀편도(설편도), 인두편도

제 6 장

비뇨기계통

1
비뇨기계통

Q&A 다음 질문에 답하시오.

1 비뇨기계통을 장기 순서대로 쓰시오.

2 콩팥(신장)의 위치는?

3 한 추체 낮게 위치하고 있는 콩팥(신장)은?

4 비뇨기에서 쌍을 이루는 장기는?

5 남성에서 요도는 어느 장기 내에서 사정관과 만나는가?

Q&A

1 콩팥(신장), 요관, 방광, 요도 **2** 제12등뼈(흉추)-제3허리뼈(요추) **3** 오른콩팥(우신) **4** 콩팥(신장), 요관
5 전립샘(전립선)

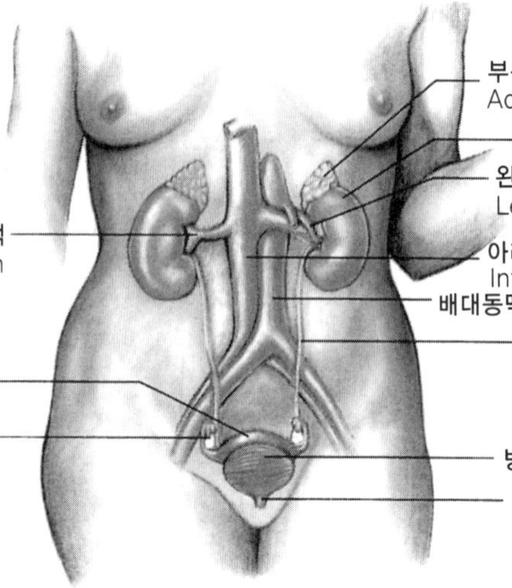

(a)

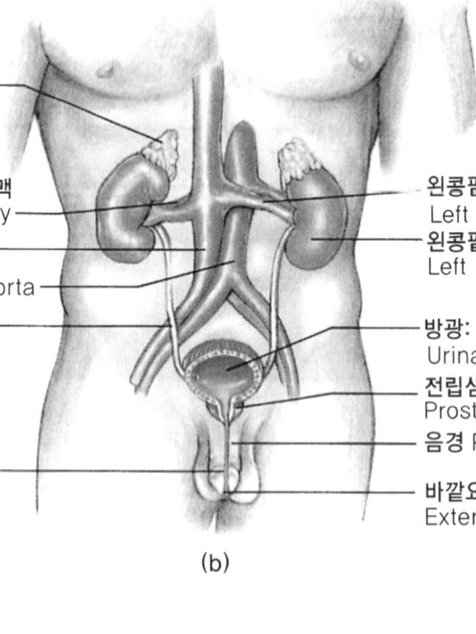

(b)

그림 6-1 • 비뇨기계통

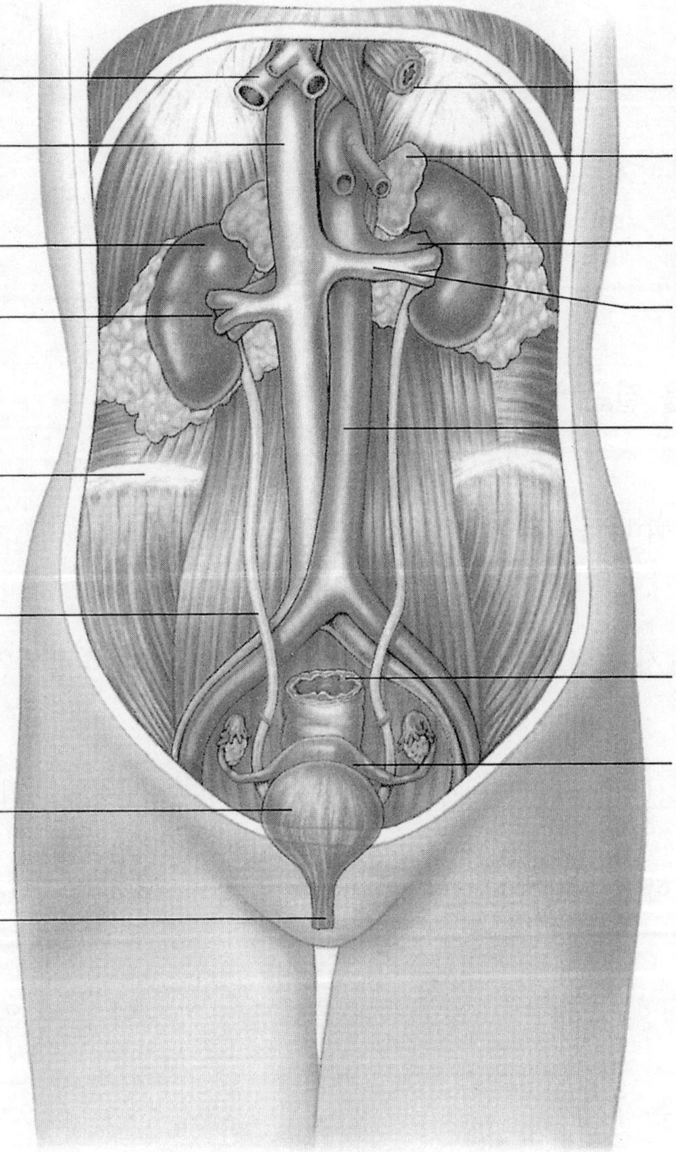

그림 6－2• 비뇨기계통을 이루는 기관

1-1 콩팥(신장)의 내부구조

Q&A 다음 질문에 답하시오.

1 강낭콩 모양이며 소변을 형성하는 장기는?

2 콩팥(신장)에서 신경과 혈관이 출입하는 곳을 무엇이라 하는가?

3 콩팥피라밋(신추체) 사이를 기둥 모양으로 겉질(피질층)을 격리시키고 있는데 이를 무엇이라고 하는가?

4 속질(수질)은 8~18개의 원추형 추체로 되어 있으며 이 끝은 유두모양인데 이를 무엇이라고 하는가?

Q&A

1 콩팥(신장) **2** 콩팥문(신문) **3** 콩팥기둥(신주) **4** 콩팥유두(신유두)

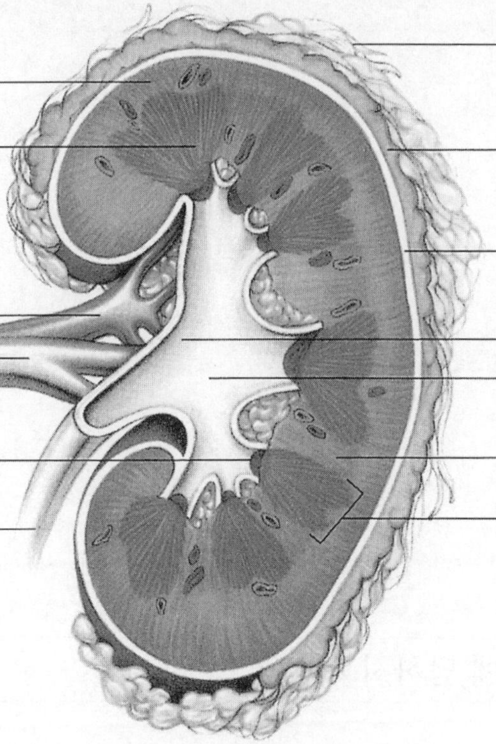

그림 6 - 3 • 콩팥의 구조

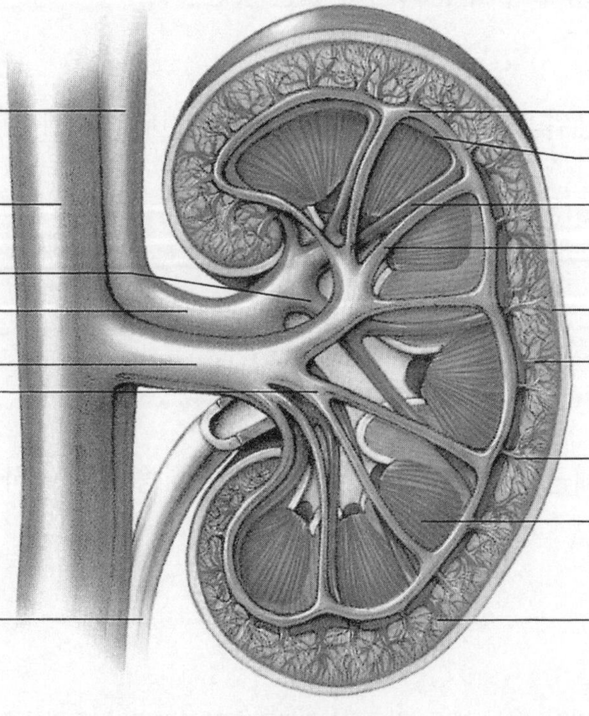

그림 6 - 4 • 콩팥의 혈액순환

1-2 콩팥(신장)의 미세구조

Q&A 다음 질문에 답하시오.

1 토리(사구체)와 토리주머니[사구체낭(보우만낭)]를 합쳐서 무엇이라고 하는가?

2 콩팥겉질(신장피질)에 많이 분포되어 있는 것은?

3 토리쪽곱슬세관(근위곡요세관)과 먼쪽곱슬세관(원위곡요세관)을 이어 주는 U자 모양의 세관을 무엇이라고 하는가?

4 요세관의 순서를 쓰시오.

5 토리곁장치(사구체근접장치)에서 분비되어 혈압상승에 관여하는 물질은?

Q&A

1 콩팥소체(신소체) **2** 콩팥소체(신소체) **3** 콩팥세관고리(헨레고리) **4** 토리쪽곱슬세관(근위곡요세관)–콩팥세관고리(헨레고리)–먼쪽곱슬세관(원위곡요세관)–집합관 **5** 레닌

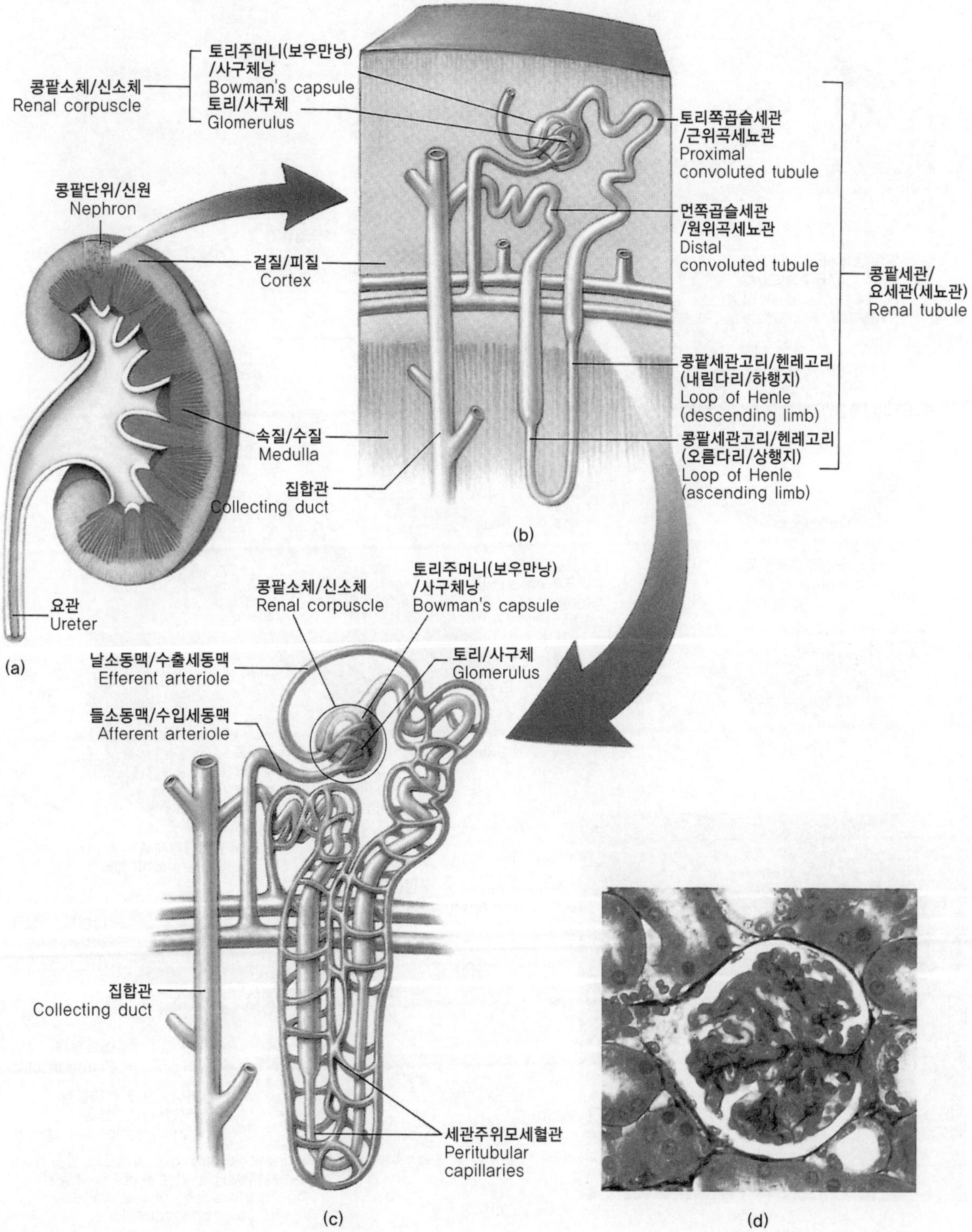

그림 6 - 5 • 콩팥단위의 구조

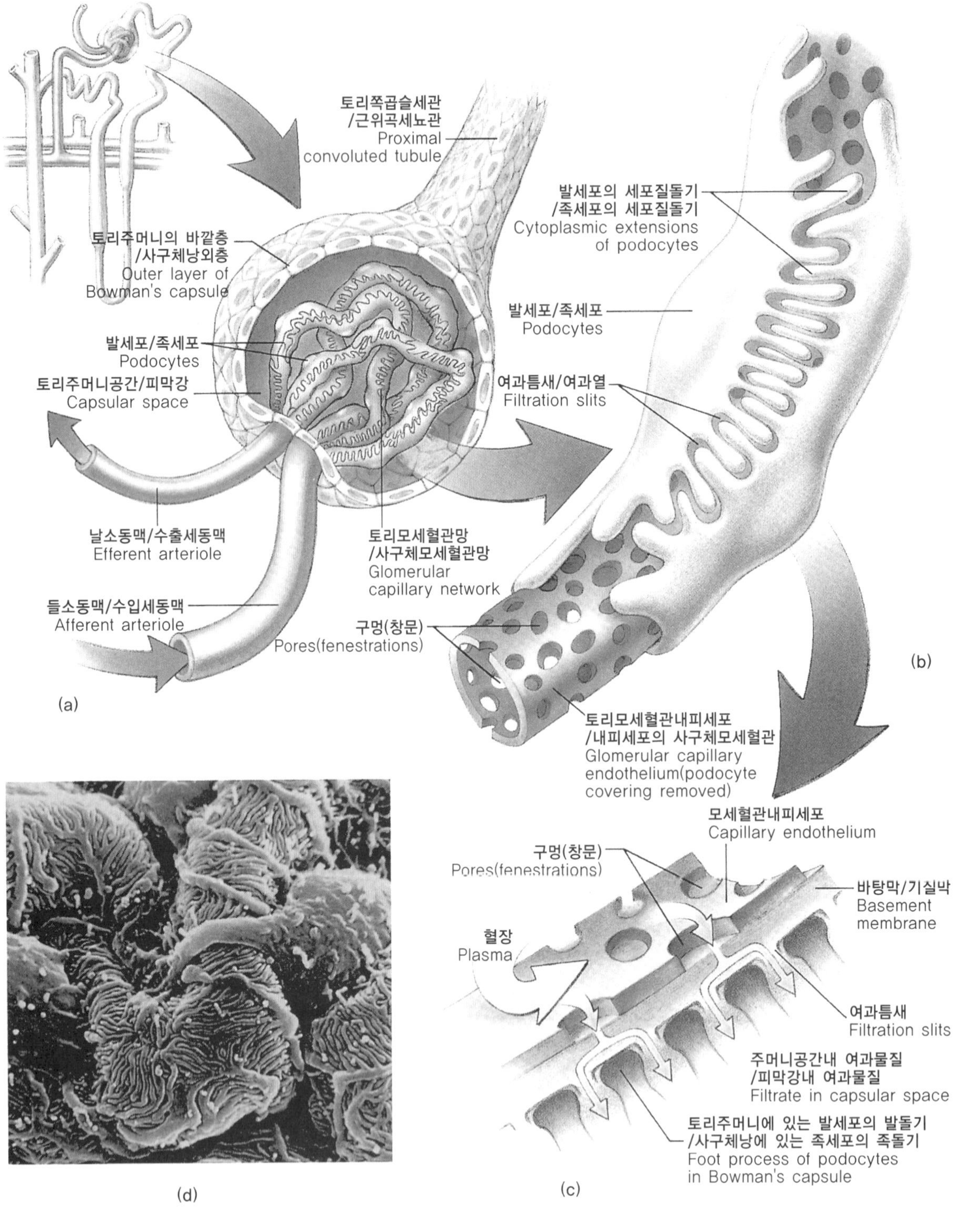
토리쪽곱슬세관
/근위곡세뇨관
Proximal
convoluted tubule
발세포의 세포질돌기
/족세포의 세포질돌기
Cytoplasmic extensions
of podocytes
토리주머니의 바깥층
/사구체낭외층
Outer layer of
Bowman's capsule
발세포/족세포
Podocytes
발세포/족세포
Podocytes
토리주머니공간/피막강
Capsular space
여과틈새/여과열
Filtration slits
날소동맥/수출세동맥
Efferent arteriole
토리모세혈관망
/사구체모세혈관망
Glomerular
capillary network
들소동맥/수입세동맥
Afferent arteriole
구멍(창문)
Pores(fenestrations)
(b)
(a)
토리모세혈관내피세포
/내피세포의 사구체모세혈관
Glomerular capillary
endothelium(podocyte
covering removed)
모세혈관내피세포
Capillary endothelium
구멍(창문)
Pores(fenestrations)
바탕막/기실박
Basement
membrane
혈장
Plasma
여과틈새
Filtration slits
주머니공간내 여과물질
/피막강내 여과물질
Filtrate in capsular space
토리주머니에 있는 발세포의 발돌기
/사구체낭에 있는 족세포의 족돌기
Foot process of podocytes
in Bowman's capsule
(d)
(c)

그림 6 – 6 • 신소체

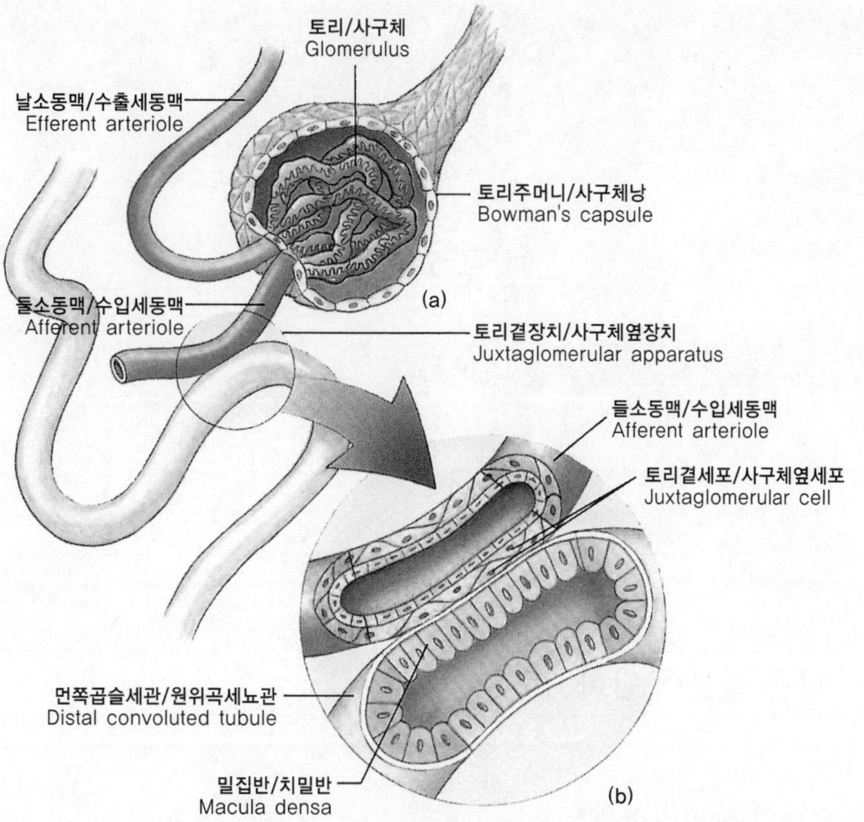

그림 6 - 7 • 토리곁장치/사구체곁장치

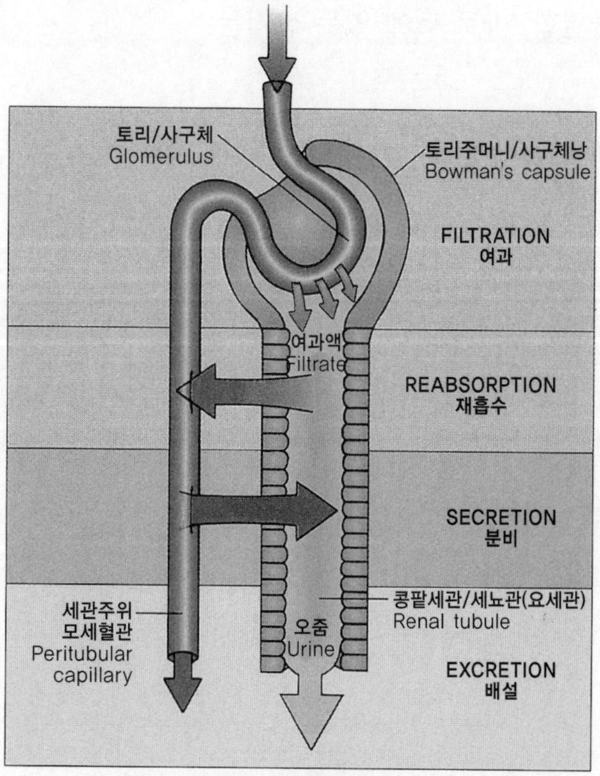

그림 6 - 8 • 요 형성에 관련된 과정

1-3

방광과 요도

Q&A 다음 질문에 답하시오.

1 방광과 요도의 상피조직은?

2 두덩결합(치골결합) 바로 뒤에 있는 장기는?

3 방광 아래쪽에 주름이 없고 삼각형을 이루고 있는데 이를 무엇이라 하는가?

4 남성요도와 여성요도의 길이를 쓰시오.

Q&A

1 이행상피 **2** 방광 **3** 방광삼각 **4** 남성요도(15 cm), 여성요도(3-4 cm)

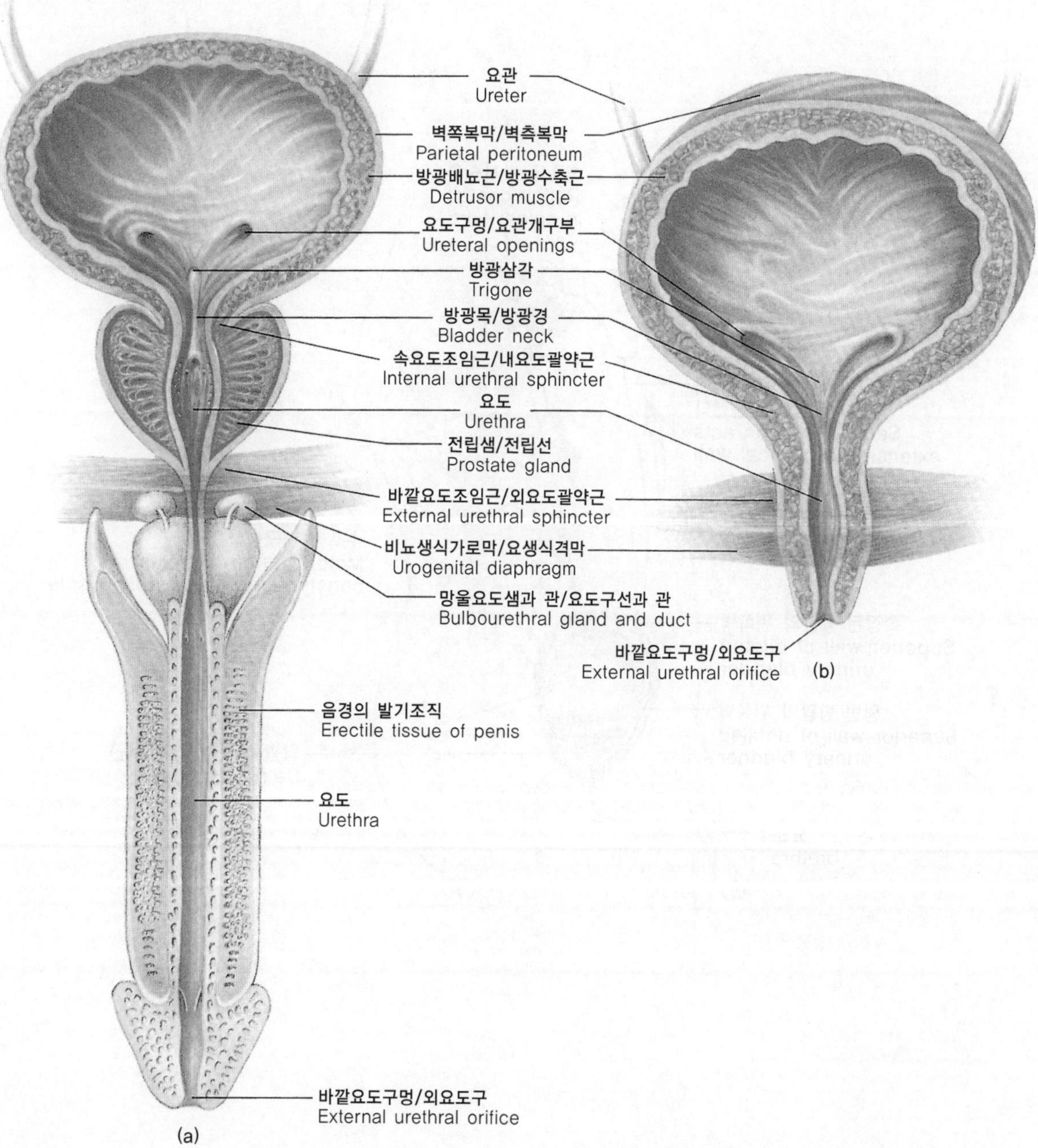

그림 6－9• 방광과 요도의 구조

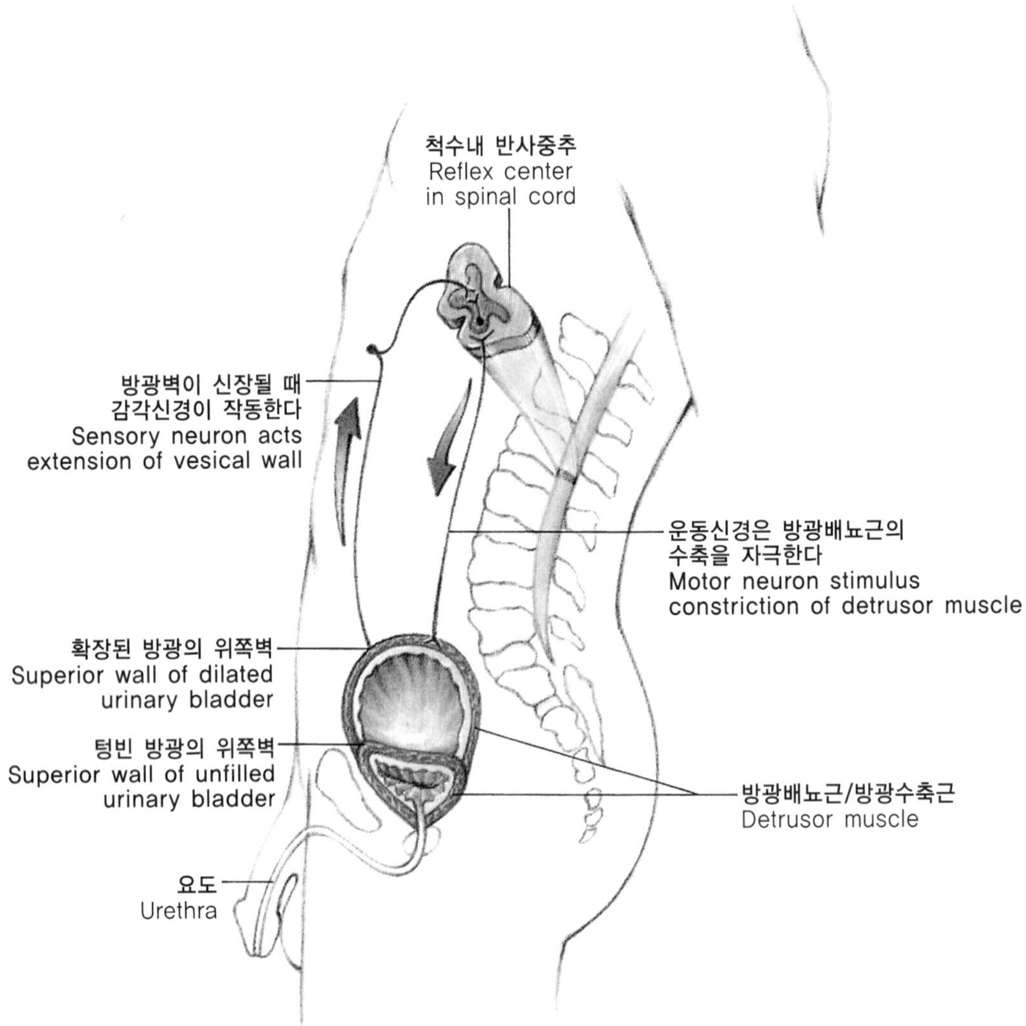
척수내 반사중추
Reflex center
in spinal cord
방광벽이 신장될 때
감각신경이 작동한다
Sensory neuron acts
extension of vesical wall
운동신경은 방광배뇨근의
수축을 자극한다
Motor neuron stimulus
constriction of detrusor muscle
확장된 방광의 위쪽벽
Superior wall of dilated
urinary bladder
텅빈 방광의 위쪽벽
Superior wall of unfilled
urinary bladder
방광배뇨근/방광수축근
Detrusor muscle
요도
Urethra

그림 6 - 10 • 배뇨

제 7 장

생식기계통

1

남성생식기

Q&A 다음 질문에 답하시오.

1 남성에서 정자를 만드는 곳은?

2 일명 섭호선이라고도 하며 정액의 특유냄새가 나는 물질을 분비하는 곳은?

3 정자형성의 이동경로를 쓰시오.

4 남성의 이차성징을 나타내는 테스토스테론을 분비하는 세포는?

5 사정관은 전립샘(전립선) 내에서 무엇과 합쳐지는가?

Q&A

1 고환(정소) **2** 전립샘(전립선) **3** 고환–부고환–정삭–정관–정낭–사정관–전립샘(전립선)–요도 **4** 사이질세포(간질세포) **5** 요도

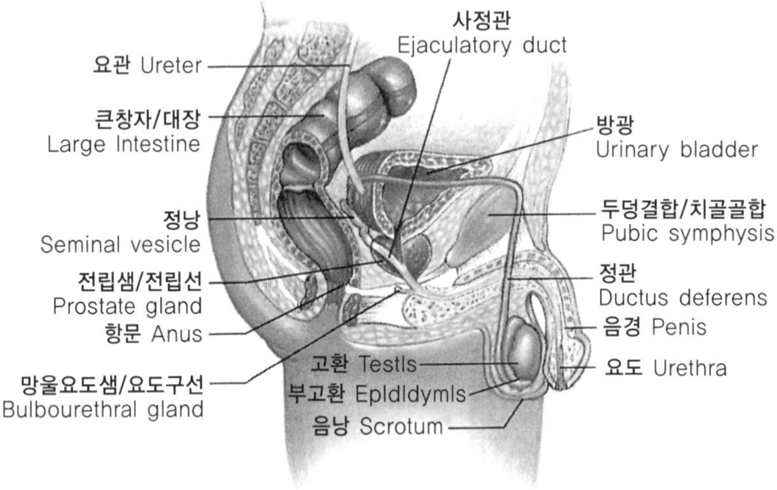

그림 7－1• 남성 생식기계통

1-1 고환의 구조

Q&A 다음 질문에 답하시오.

1 고환(정소)은 백막이 싸고 있는 실질장기로 정자형성에 관여하며 백막에 의해 작은 소엽으로 나뉘어져 있는데 소엽내 작은 수개의 가는 관의 이름은 무엇인가?

2 부고환 직전의 가는 관을 무엇이라고 하는가?

3 부고환이 이어지는 곳은 무엇인가?

4 정세관 사이에 있는 사이질세포[간질세포(Leydig 세포)]에서는 무엇을 분비하는가?

5 남성에서 요도가 위치하는 해면체는?

Q&A

1 정세관 **2** 곧은정세관(직정세관) **3** 정삭 **4** 테스토스테론 **5** 요도해면체

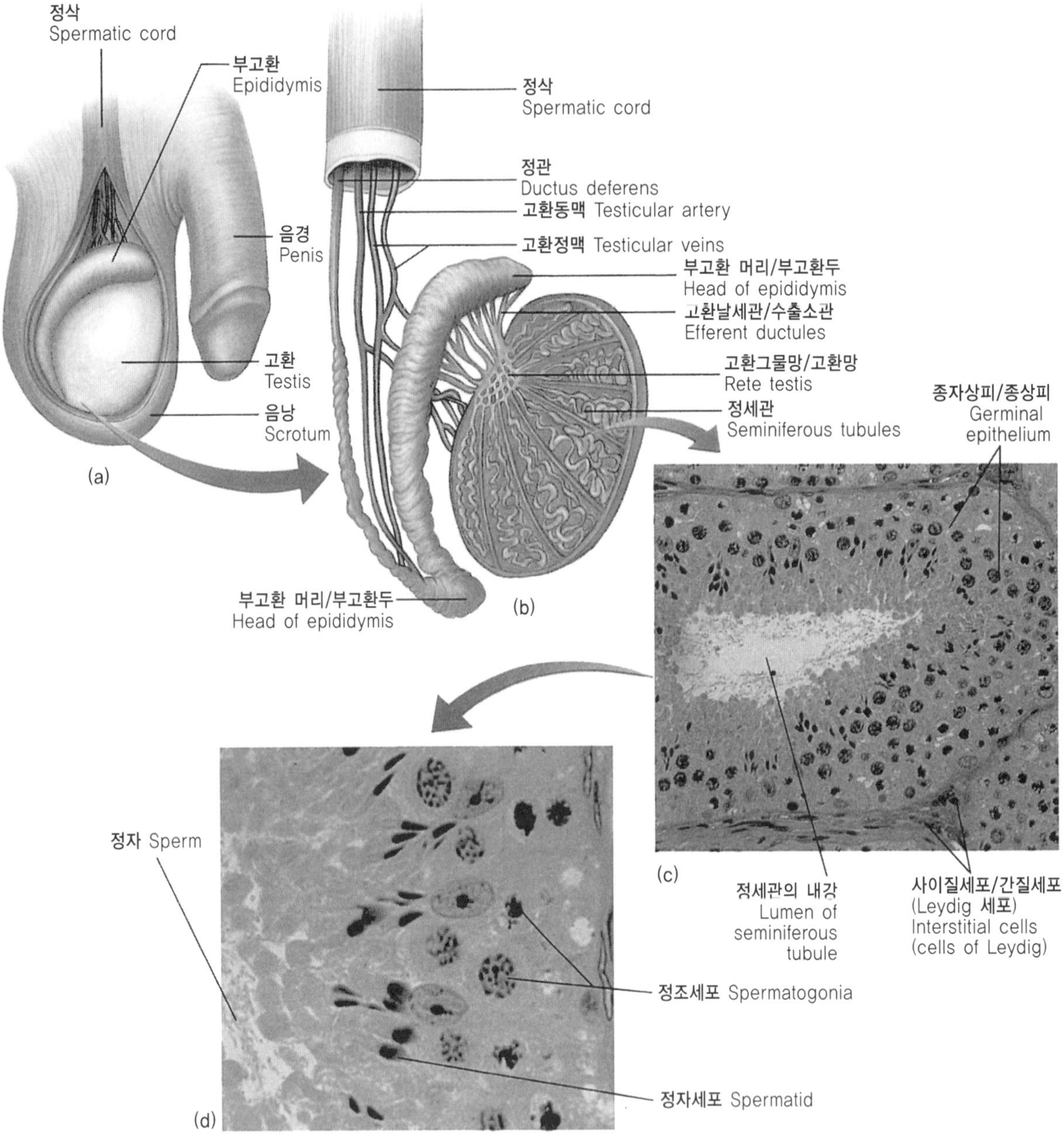
정삭
Spermatic cord
부고환
Epididymis
음경
Penis
고환
Testis
음낭
Scrotum
(a)
정삭
Spermatic cord
정관
Ductus deferens
고환동맥 Testicular artery
고환정맥 Testicular veins
부고환 머리/부고환두
Head of epididymis
고환날세관/수출소관
Efferent ductules
고환그물망/고환망
Rete testis
정세관
Seminiferous tubules
부고환 머리/부고환두
Head of epididymis
(b)
종자상피/종상피
Germinal
epithelium
(c)
정세관의 내강
Lumen of
seminiferous
tubule
사이질세포/간질세포
(Leydig 세포)
Interstitial cells
(cells of Leydig)
정자 Sperm
정조세포 Spermatogonia
정자세포 Spermatid
(d)

그림 7－2• 고환구조

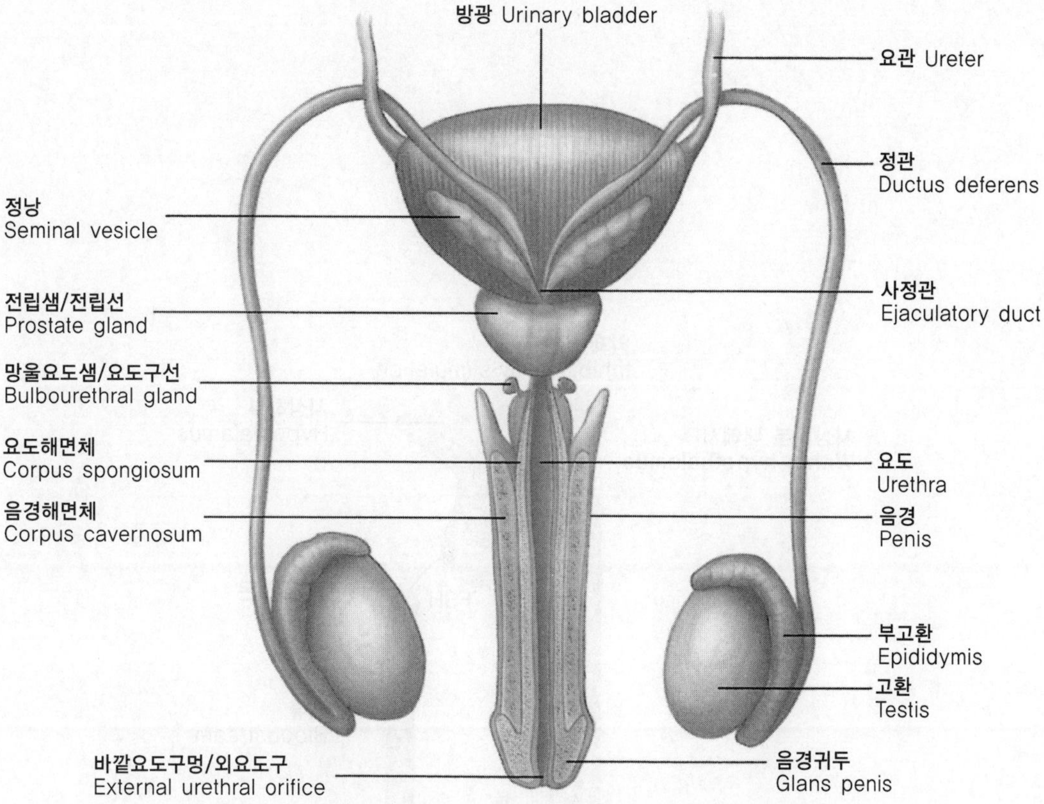

그림 7－3• 남성 생식기계통의 기관들

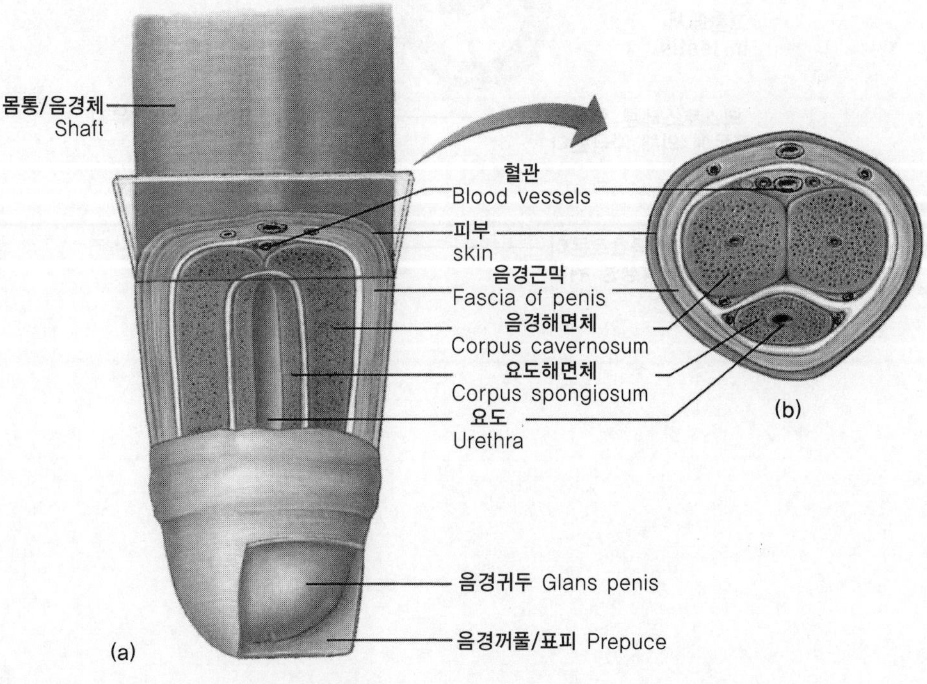

그림 7－4• 음경의 구조

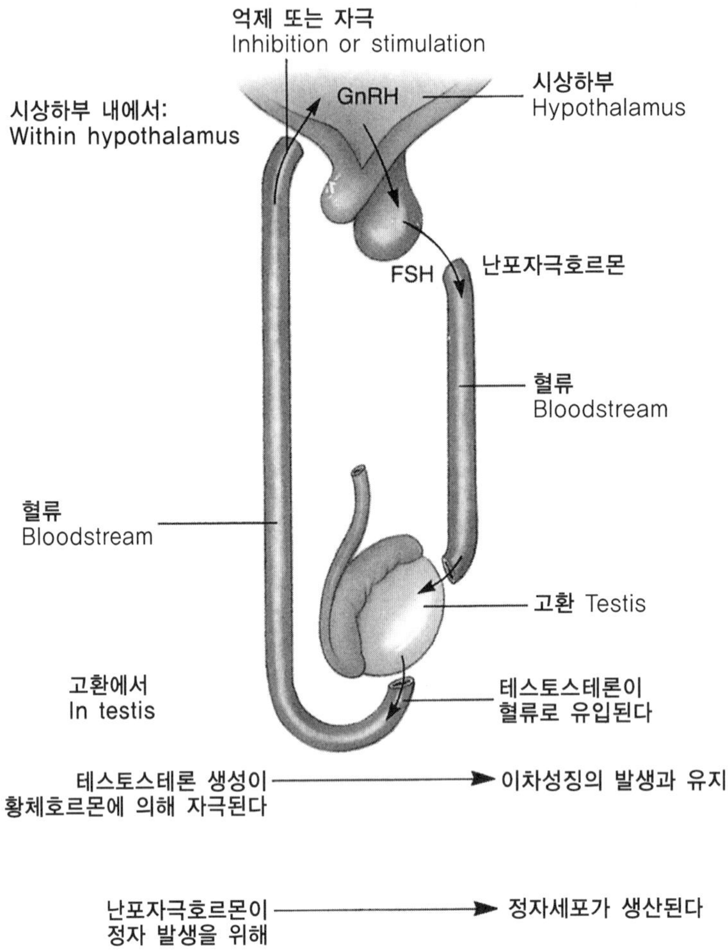

그림 7－5 • 남성 생식기에 대한 호르몬의 영향

1-2

여성생식기

Q&A 다음 질문에 답하시오.

1 남성의 고환과 상동기관은?

2 자궁속막(자궁내막)의 주기적 변화 중 속막(내막)이 탈락되는 시기를 무엇이라 부르는가?

3 난관에서 수정이 이루어지는 장소는 어디인가?

4 수정된 난자는 약 7일이 걸려 여성생식기의 어느 곳에 착상하는가?

5 난소에서 원시난포가 성숙되어 난자를 배출하는 시기를 무엇이라 하는가?

Q&A

1 난소 **2** 월경기 **3** 팽대부 **4** 자궁속막(자궁내막) **5** 배란기

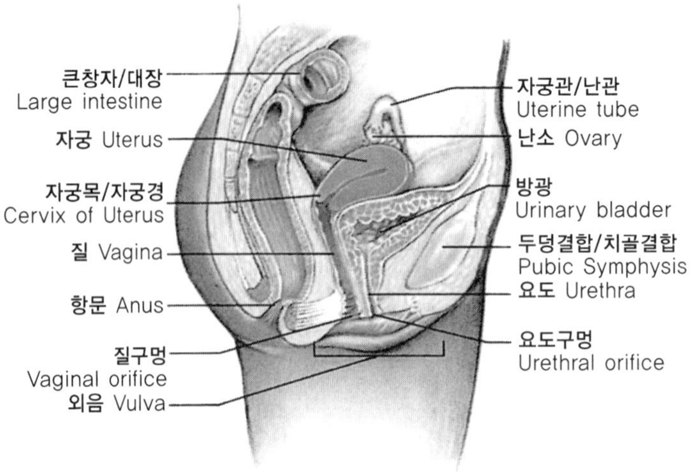

그림 7-6 • 여성 생식기계통

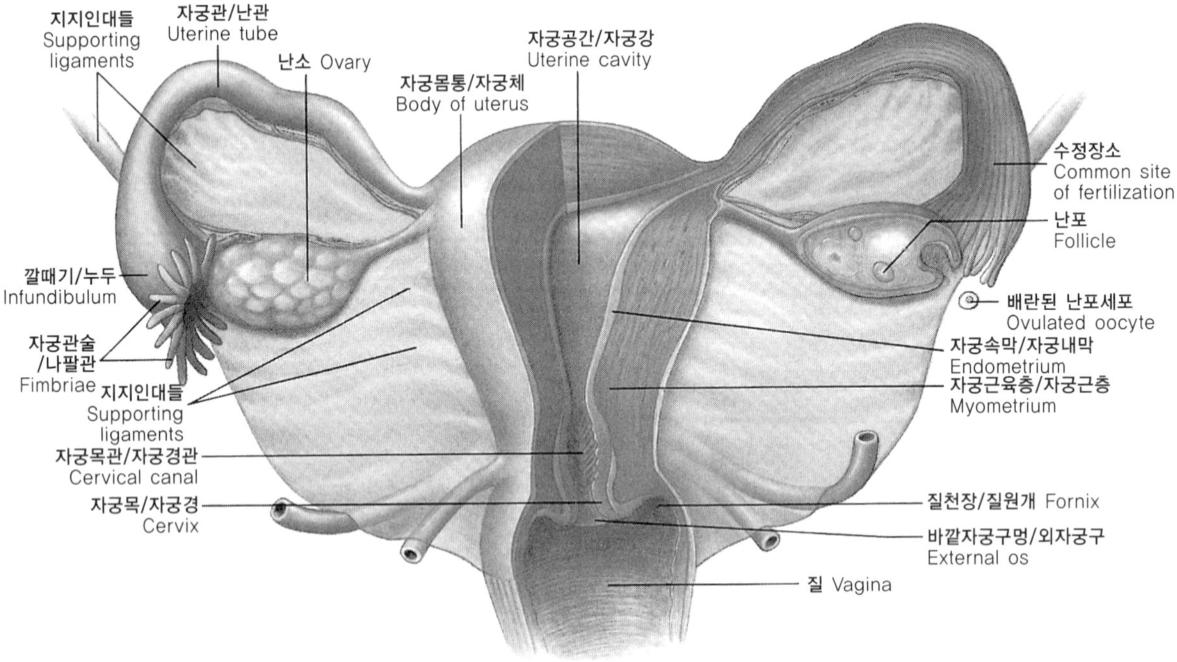

그림 7-7 • 여성 생식기관들, 앞에서 본 모습

1-3

젖샘(유선)의 구조

Q&A 다음 질문에 답하시오.

1 여성의 젖샘꽈리샘엽(유선포상선엽)은 평균 몇개 정도인가?

2 유즙분비촉진호르몬인 프로락틴은 어디에서 분비되는가?

3 젖꼭지(유두)주위의 윤상으로 된 부분을 무엇이라 하는가?

Q&A

1 15–20개 **2** 뇌하수체 앞엽(뇌하수체 전엽) **3** 젖꽃판(유륜)

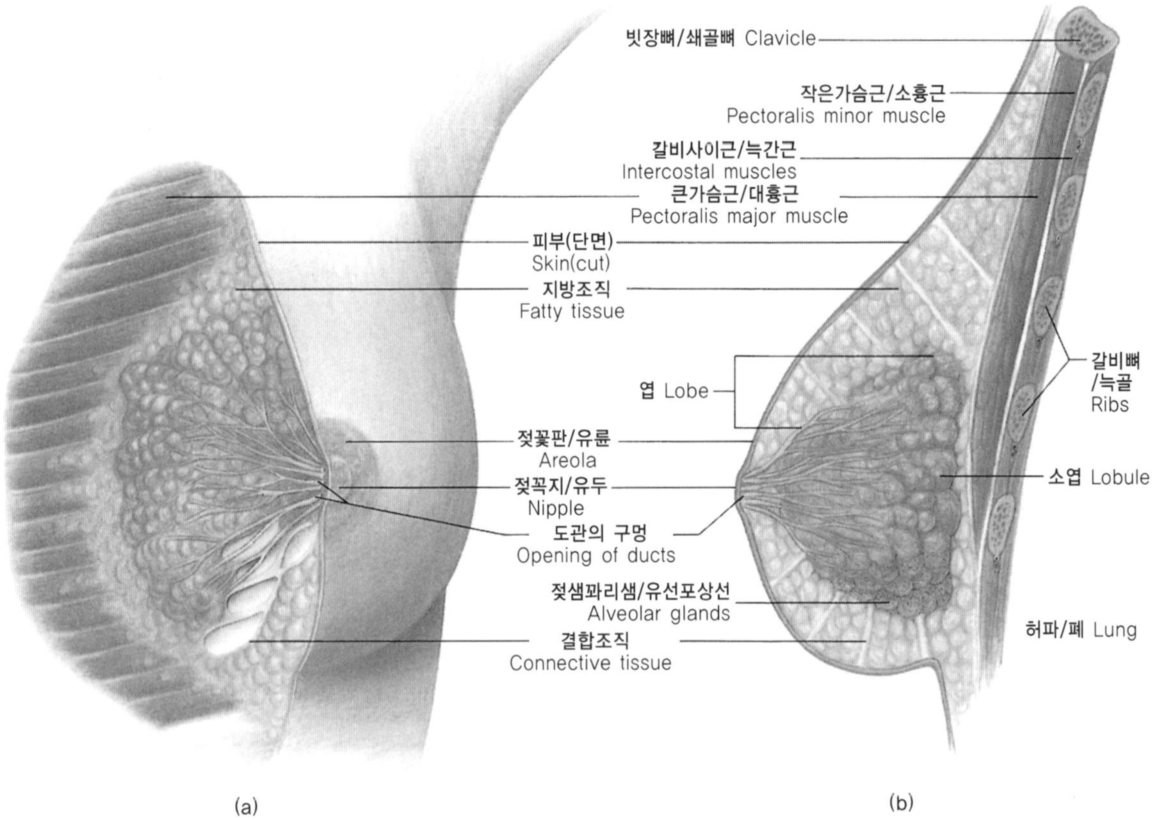
빗장뼈/쇄골뼈 Clavicle
작은가슴근/소흉근
Pectoralis minor muscle
갈비사이근/늑간근
Intercostal muscles
큰가슴근/대흉근
Pectoralis major muscle
피부(단면)
Skin(cut)
지방조직
Fatty tissue
엽 Lobe
갈비뼈
/늑골
Ribs
젖꽃판/유륜
Areola
젖꼭지/유두
Nipple
소엽 Lobule
도관의 구멍
Opening of ducts
젖샘꽈리샘/유선포상선
Alveolar glands
허파/폐 Lung
결합조직
Connective tissue
(a)
(b)

그림 7 - 8 • 젖샘의 구조

1-4

수정과 착상

Q&A 다음 질문에 답하시오.

1 수정된 난자는 자궁벽 중 어느 곳에 착상하여야 정상임신인가?

2 수정된 난자는 대략 얼마 후에 자궁속막(자궁내막)에 착상하는가?

3 수정후 착상시의 배자를 무엇이라 부르는가?

4 접합자는 분할을 계속하여 뽕나무 열매모양으로 되는데 이를 무엇이라 부르는가?

5 수정난이 자궁속막(자궁내벽)에 착상된 후 임신을 유지하게 만드는 호르몬은?

Q&A

1 자궁속막(자궁내막) **2** 일주일 **3** 주머니배(포배) **4** 상실배(오디배) **5** 황체형성호르몬, 황체호르몬

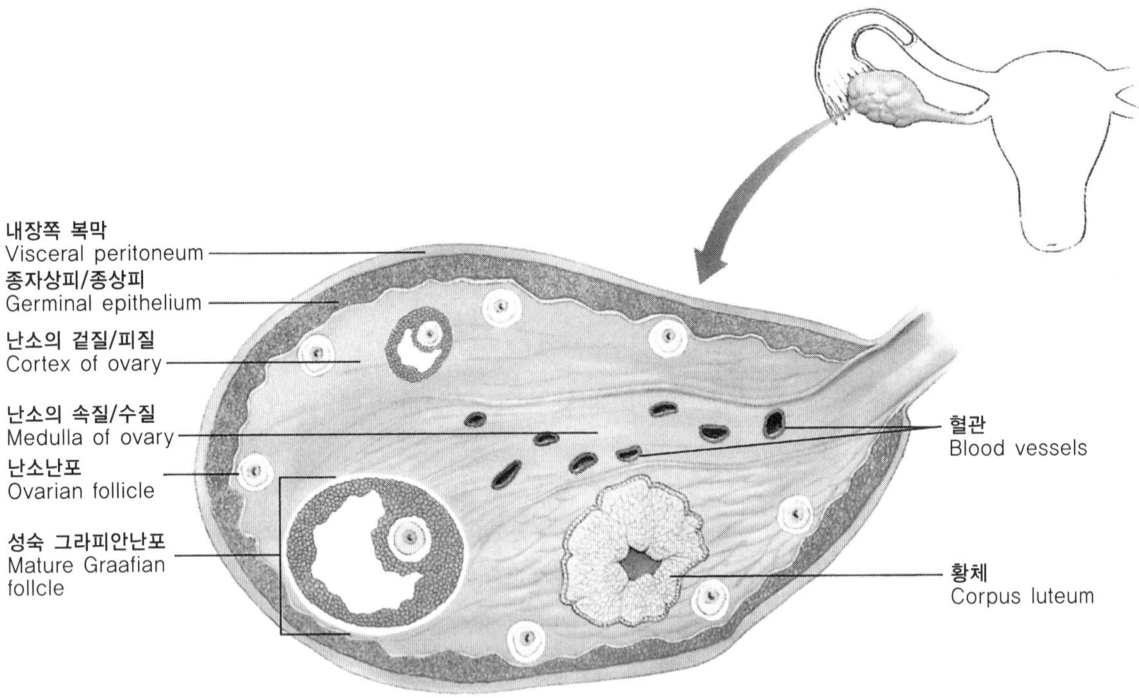
내장쪽 복막
Visceral peritoneum
종자상피/종상피
Germinal epithelium
난소의 겉질/피질
Cortex of ovary
난소의 속질/수질
Medulla of ovary
난소난포
Ovarian follicle
성숙 그라피안난포
Mature Graafian follcle
혈관
Blood vessels
황체
Corpus luteum

그림 7 - 9 • 난소의 구조

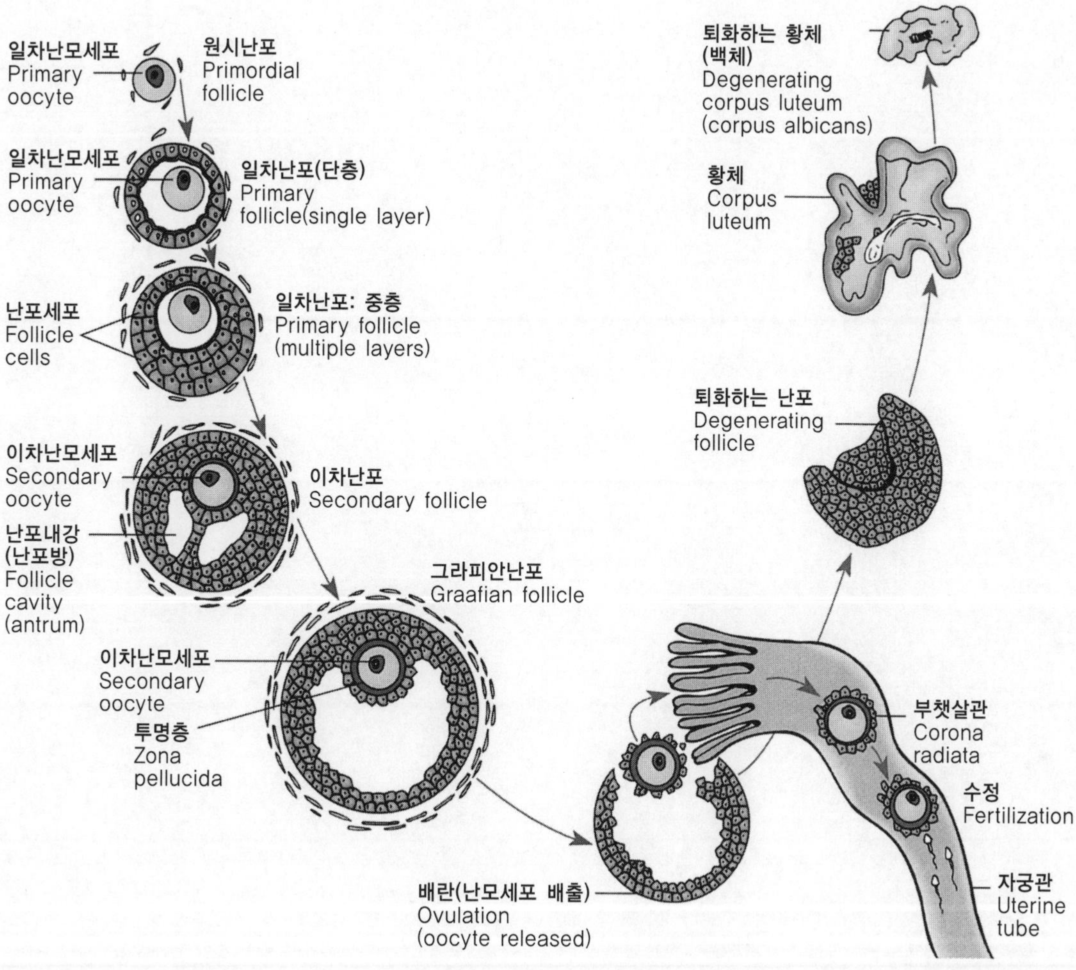

그림 7 - 10 • 난포발생 및 배란, 황체 발생

제 8 장

내분비계통

1

인체의 내분비샘(내분비선)

Q&A 다음 질문에 답하시오.

1 도관이 없는 분비샘(분비선)을 무엇이라고 하는가?

2 인체에서 내분비샘(내분비선)과 외분비샘(외분비선)을 겸한 장기는?

3 뇌의 시상하부와 연결되어 내분비기능을 가지고 있는 기관은?

4 사이뇌(간뇌)에서 멜라토닌을 분비하는 내분비샘(내분비선) 기관은?

Q&A

1 내분비샘(내분비선) **2** 이자(췌장) **3** 뇌하수체 **4** 솔방울샘(송과체)

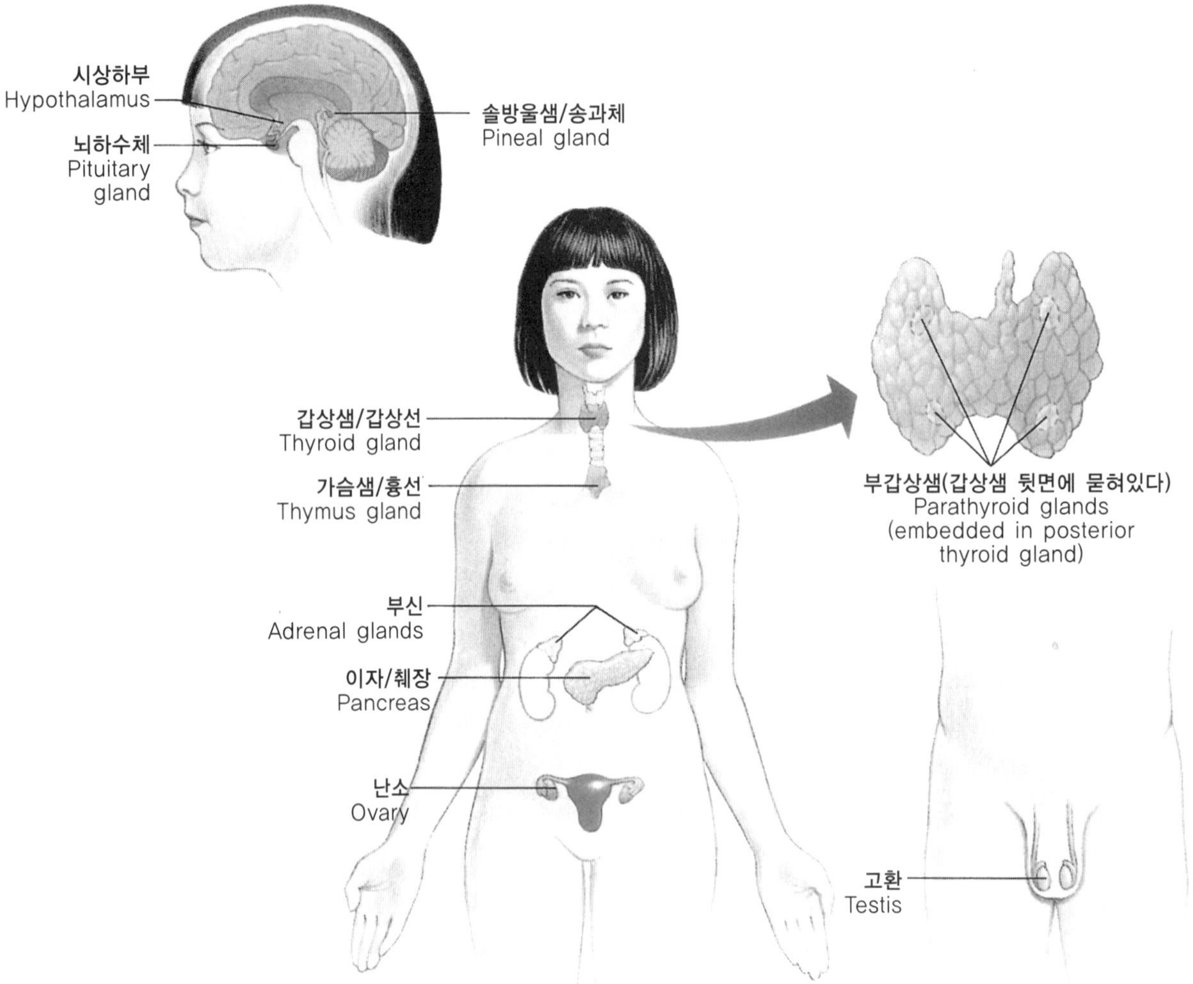
시상하부
Hypothalamus
뇌하수체
Pituitary gland
솔방울샘/송과체
Pineal gland
갑상샘/갑상선
Thyroid gland
가슴샘/흉선
Thymus gland
부갑상샘(갑상샘 뒷면에 묻혀있다)
Parathyroid glands (embedded in posterior thyroid gland)
부신
Adrenal glands
이자/췌장
Pancreas
난소
Ovary
고환
Testis

그림 8－1• 내분비계통

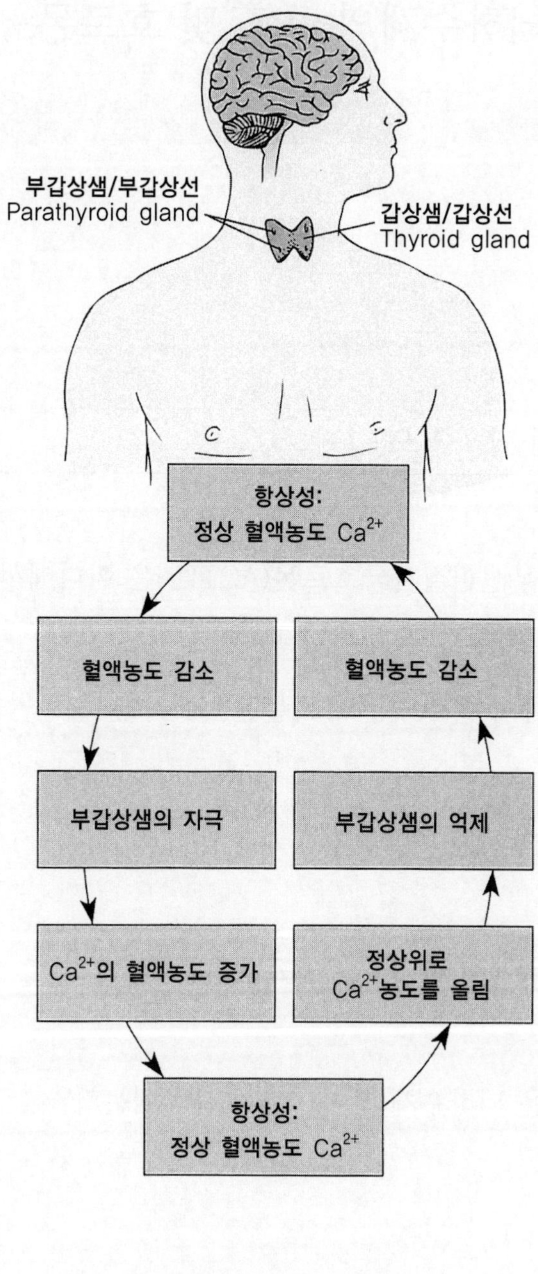
부갑상샘/부갑상선
Parathyroid gland
갑상샘/갑상선
Thyroid gland
항상성:
정상 혈액농도 Ca2+
혈액농도 감소
부갑상샘의 자극
Ca2+의 혈액농도 증가
항상성:
정상 혈액농도 Ca2+
정상위로
Ca2+농도를 올림
부갑상샘의 억제
혈액농도 감소

그림 8 – 2 • 음성피드백

1-1 뇌하수체의 구조 및 호르몬

Q&A 다음 질문에 답하시오.

1 부신겉질자극호르몬[부신피질자극호르몬(ACTH)]은 어디에서 분비되는가?

2 뇌하수체 뒤엽(후엽)에서 분비되는 호르몬은?

3 티록신호르몬은 어디에서 분비되는가?

4 뇌하수체 중간엽(중엽)에서 분비되는 호르몬은?

5 항이뇨호르몬(ADH)은 뇌하수체의 어디에서 분비되는가?

Q&A

1 뇌하수체 앞엽(전엽) **2** 옥시토신, 바소프레신 **3** 갑상샘(갑상선) **4** 멜라닌세포자극호르몬(MSH) **5** 뒤엽(후엽)

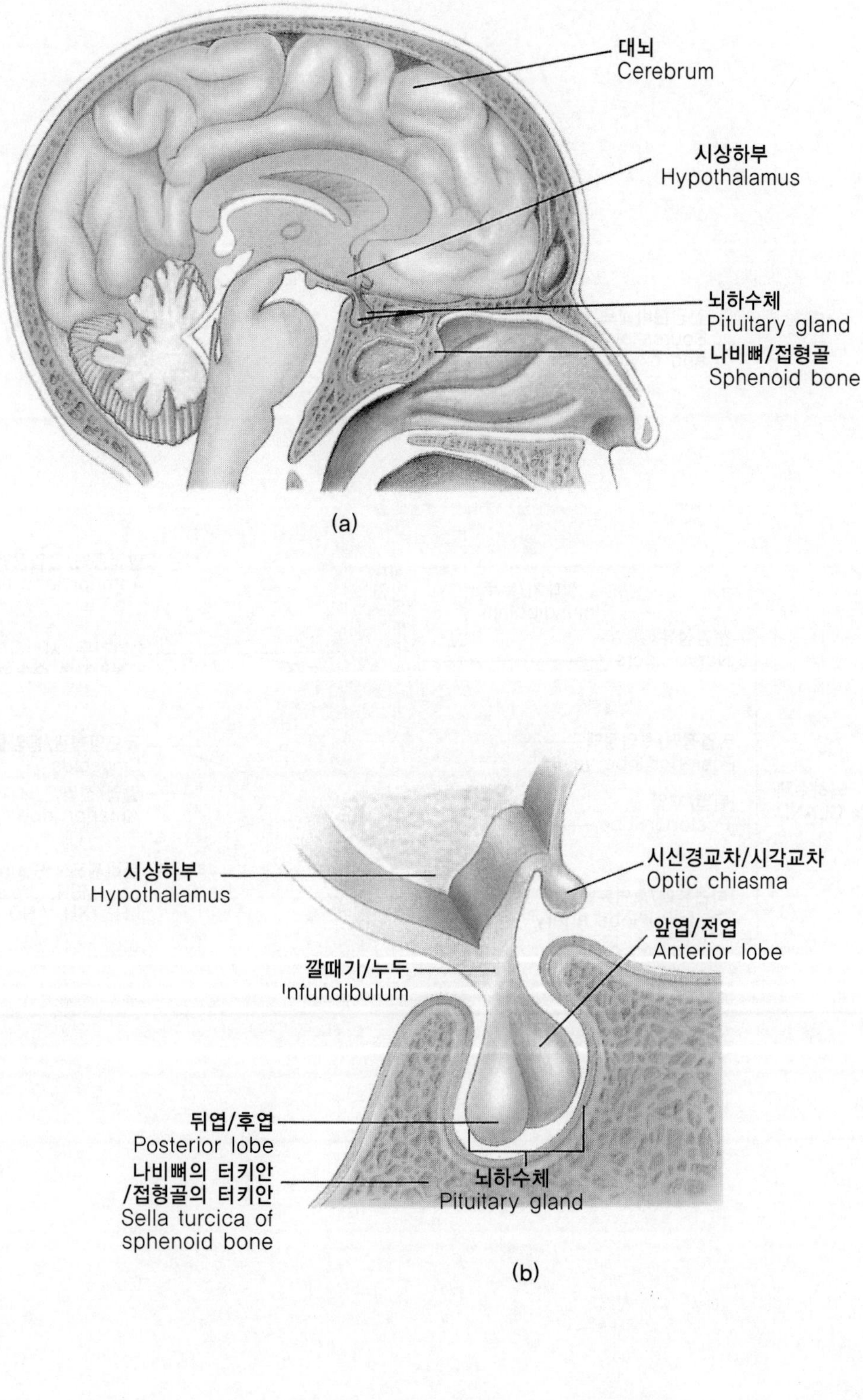
대뇌
Cerebrum
시상하부
Hypothalamus
뇌하수체
Pituitary gland
나비뼈/접형골
Sphenoid bone
(a)
시상하부
Hypothalamus
시신경교차/시각교차
Optic chiasma
앞엽/전엽
Anterior lobe
깔때기/누두
Infundibulum
뒤엽/후엽
Posterior lobe
나비뼈의 터키안
/접형골의 터키안
Sella turcica of
sphenoid bone
뇌하수체
Pituitary gland
(b)

그림 8 – 3 • 뇌하수체

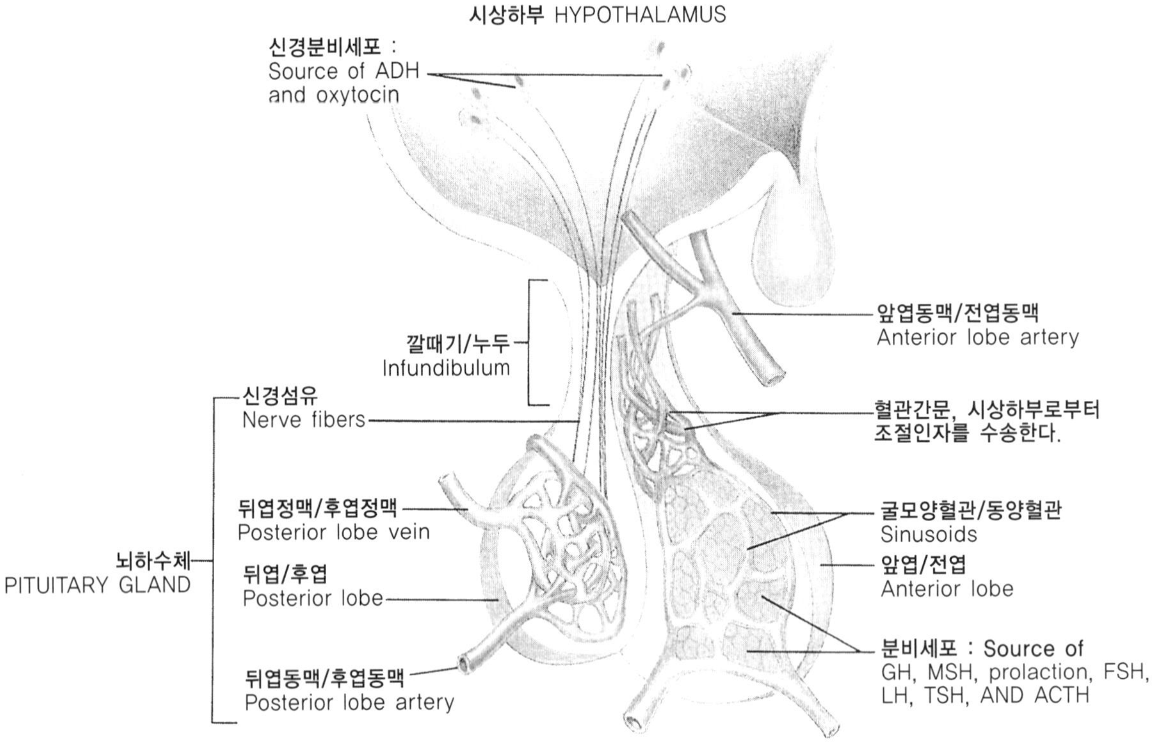

그림 8 – 4 • 시상하부와 뇌하수체의 통로

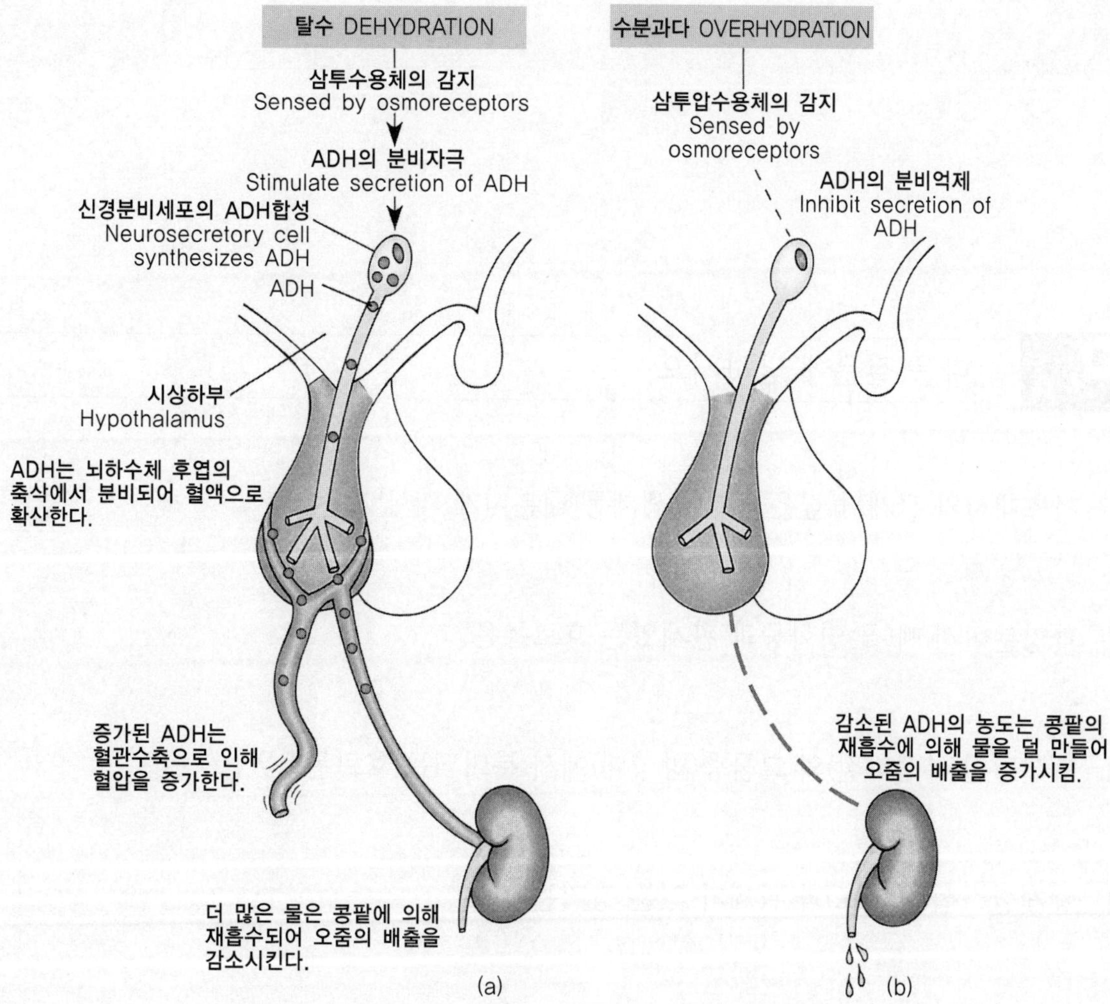

그림 8 - 5 • ADH의 통제와 작용

1-2

내분비기관

Q&A 다음 질문에 답하시오.

1 기초대사와 관계가 깊은 내분비샘계통(내분비계)의 장기는?

2 과잉분비시 뼈(골)연화증과 관계있는 호르몬은?

3 부신겉질(부신피질)의 그물층(망상대)에서 분비되는 호르몬은?

4 랑게한스섬(췌장도)과 관계가 있는 장기는?

5 결핍시 Addison병과 관련있는 호르몬은?

Q&A

1 갑상샘(갑상선) **2** 부갑상샘호르몬(부갑상선호르몬) **3** 안드로겐 **4** 이자(췌장) **5** 부신겉질호르몬(부신피질호르몬)

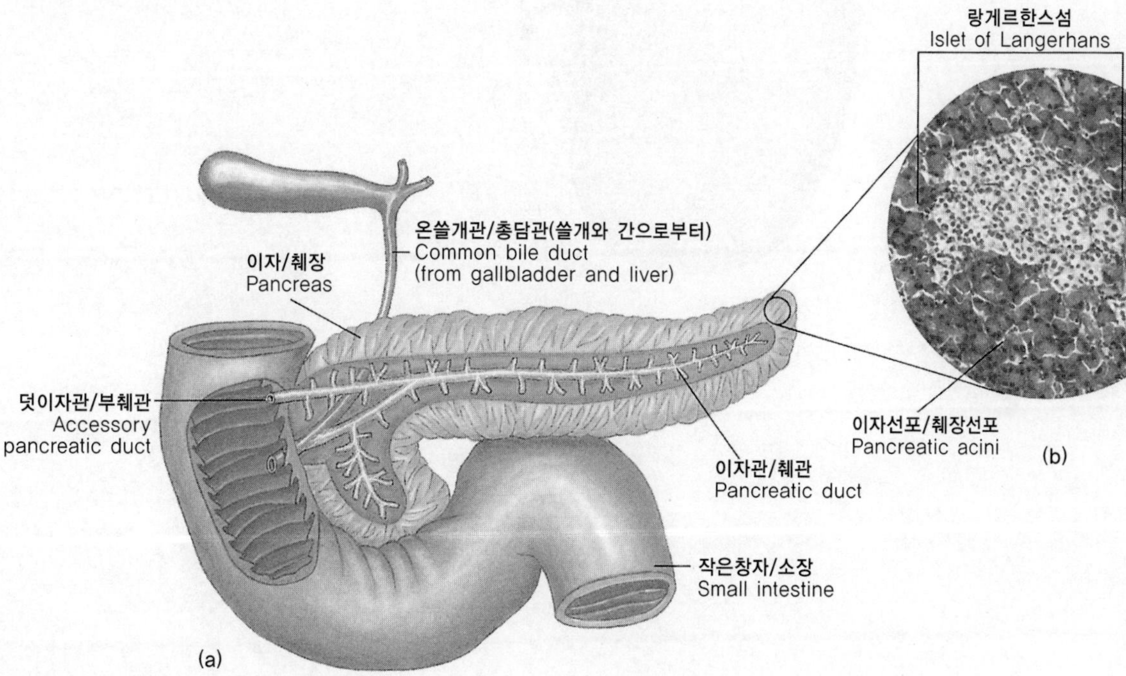
랑게르한스섬
Islet of Langerhans
온쓸개관/총담관(쓸개와 간으로부터)
Common bile duct
(from gallbladder and liver)
이자/췌장
Pancreas
덧이자관/부췌관
Accessory
pancreatic duct
이자선포/췌장선포
Pancreatic acini
(b)
이자관/췌관
Pancreatic duct
작은창자/소장
Small intestine
(a)

그림 8 – 6 • 이자구조

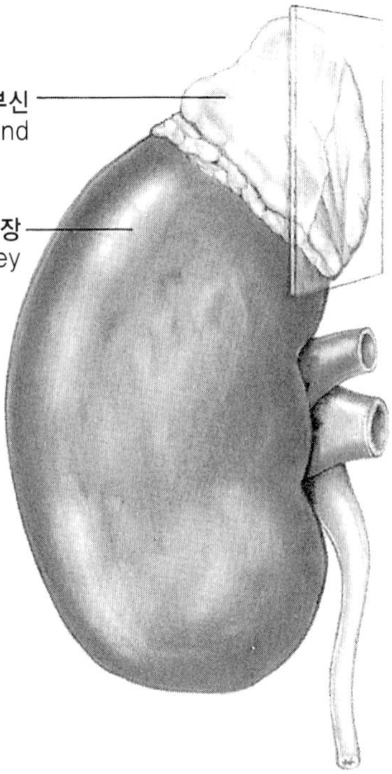

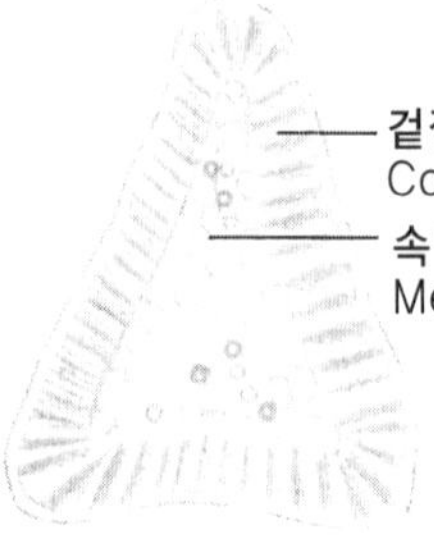

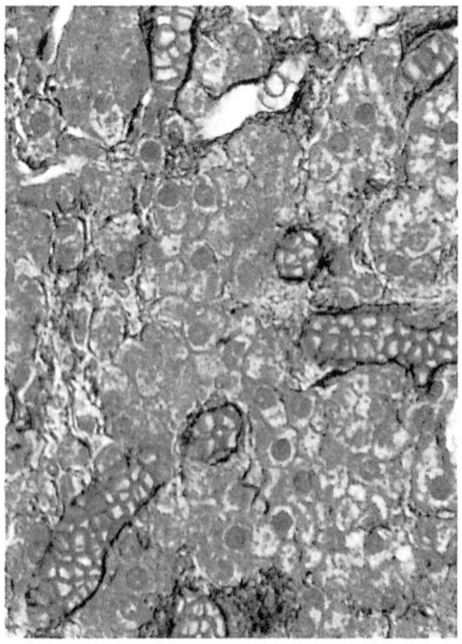

그림 8-7 • 부신의 구조

제 9 장

호흡기계통

1

호흡기계통

Q&A 다음 질문에 답하시오.

1 호흡기계통 장기를 순서대로 쓰시오.

2 인체에서 가스교환이 일어나는 곳은?

3 소화기계통과 호흡기계통을 겸한 장기는?

4 호흡중추는 어느 뇌에 해당되는가?

Q&A

1 코안(비강)–인두–후두–기관–기관지–허파(폐) **2** 허파꽈리(폐포) **3** 입인두(구인두) **4** 숨뇌(연수)

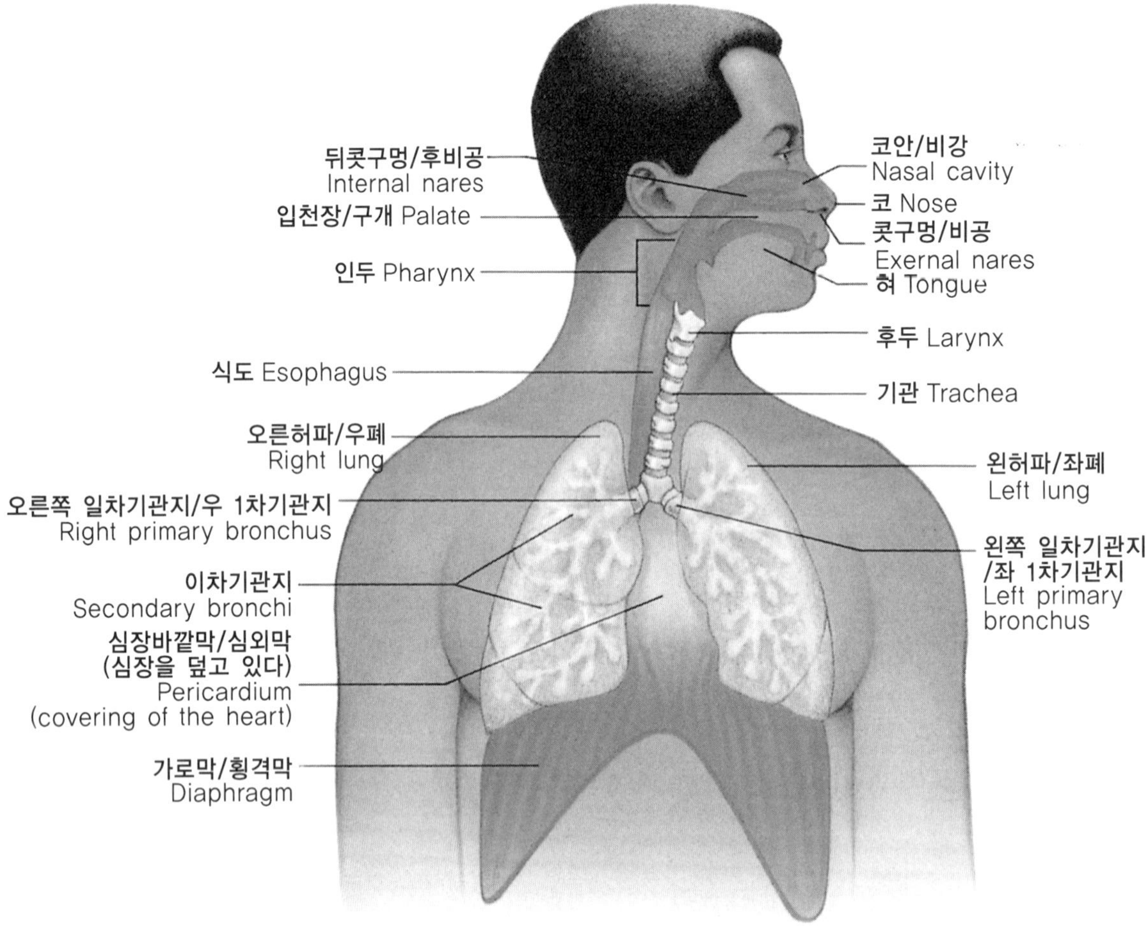

그림 9－1• 호흡기계통과 주위구조

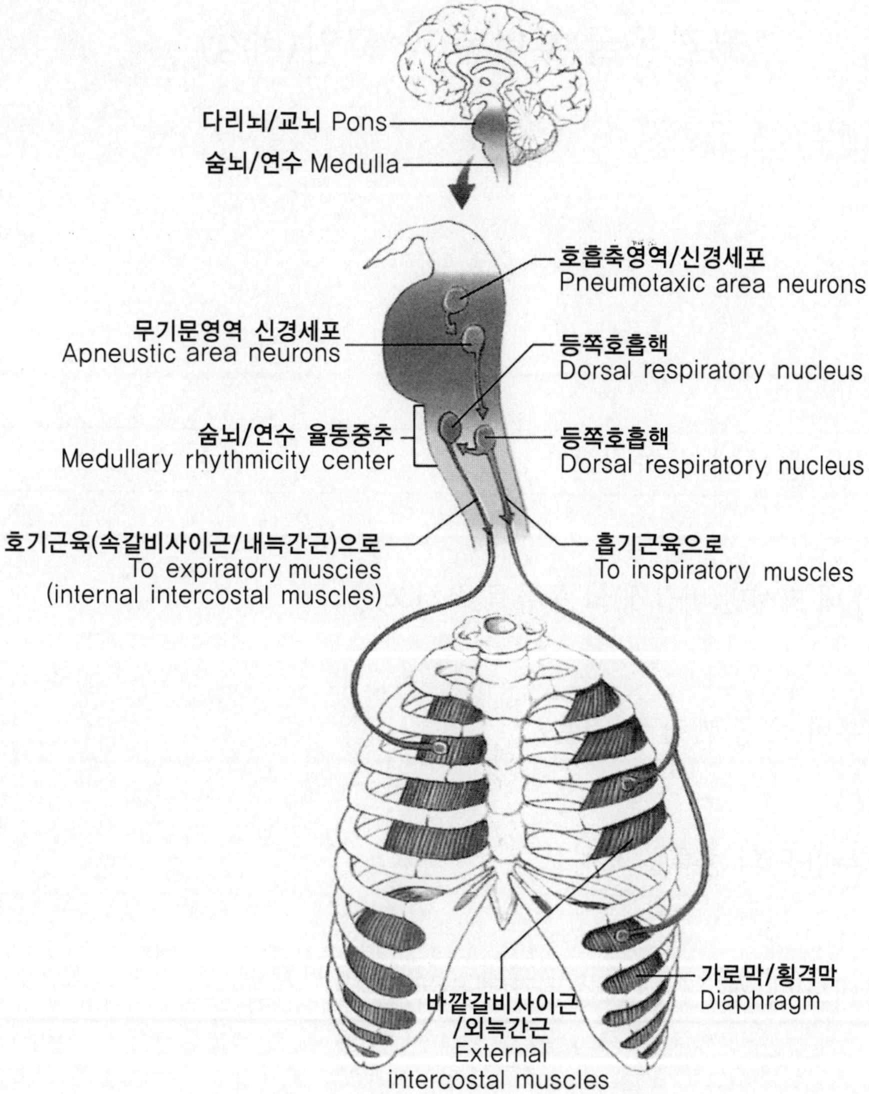
다리뇌/교뇌 Pons
숨뇌/연수 Medulla
호흡축영역/신경세포
Pneumotaxic area neurons
무기문영역 신경세포
Apneustic area neurons
등쪽호흡핵
Dorsal respiratory nucleus
숨뇌/연수 율동중추
Medullary rhythmicity center
등쪽호흡핵
Dorsal respiratory nucleus
호기근육(속갈비사이근/내늑간근)으로
To expiratory muscles
(internal intercostal muscles)
흡기근육으로
To inspiratory muscles
가로막/횡격막
Diaphragm
바깥갈비사이근
/외늑간근
External
intercostal muscles

그림 9-2• 호흡중추

1-1

코곁동굴(부비동)과 코안(비강)

Q&A 다음 질문에 답하시오.

1 코안(비강) 내 코선반(비갑개)의 종류를 쓰시오.

2 코곁동굴(부비동) 중 가장 큰 것은?

3 코곁동굴(부비동)의 종류를 쓰시오.

4 위콧길(상비도)에 개구하는 코곁동굴(부비동)은?

5 중간코선반뼈(중비갑개) 바로 아래의 고랑(비도)을 무엇이라 하는가?

Q&A

1 위 · 중간 · 아래코선반(상 · 중 · 하비갑개) **2** 위턱뼈동굴(상악골동) **3** 이마뼈동굴(전두골동), 나비뼈동굴(접형골동), 벌집뼈동굴(사골동), 위턱뼈동굴(상악골동) **4** 벌집뼈동굴(사골동), 나비뼈동굴(접형골동) **5** 중간콧길(중비도)

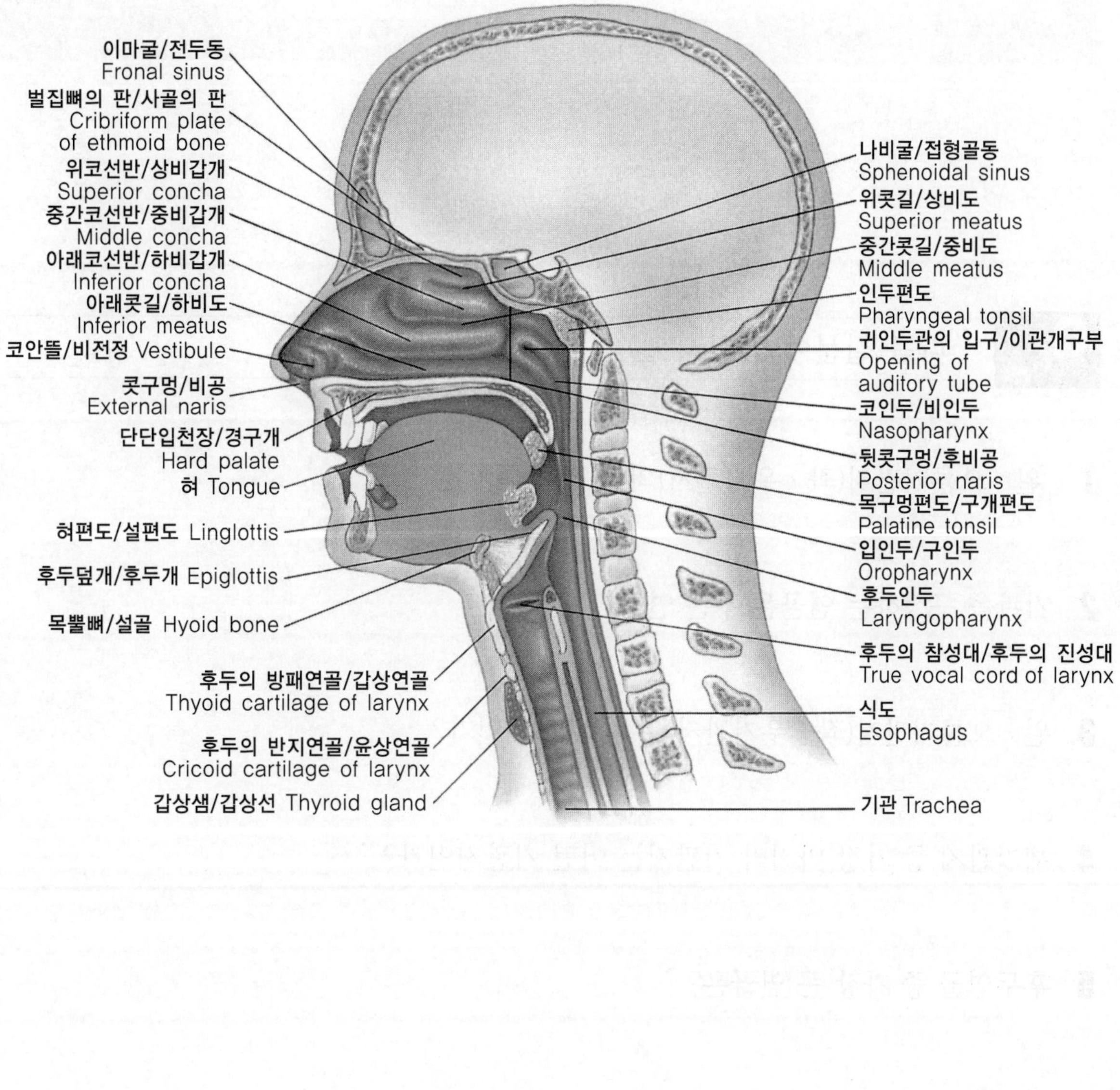

이마굴/전두동
Fronal sinus
벌집뼈의 판/사골의 판
Cribriform plate
of ethmoid bone
위코선반/상비갑개
Superior concha
중간코선반/중비갑개
Middle concha
아래코선반/하비갑개
Inferior concha
아래콧길/하비도
Inferior meatus
코안뜰/비전정 Vestibule
콧구멍/비공
External naris
단단입천장/경구개
Hard palate
혀 Tongue
혀편도/설편도 Linglottis
후두덮개/후두개 Epiglottis
목뿔뼈/설골 Hyoid bone
후두의 방패연골/갑상연골
Thyoid cartilage of larynx
후두의 반지연골/윤상연골
Cricoid cartilage of larynx
갑상샘/갑상선 Thyroid gland
나비굴/접형골동
Sphenoidal sinus
위콧길/상비도
Superior meatus
중간콧길/중비도
Middle meatus
인두편도
Pharyngeal tonsil
귀인두관의 입구/이관개구부
Opening of
auditory tube
코인두/비인두
Nasopharynx
뒷콧구멍/후비공
Posterior naris
목구멍편도/구개편도
Palatine tonsil
입인두/구인두
Oropharynx
후두인두
Laryngopharynx
후두의 참성대/후두의 진성대
True vocal cord of larynx
식도
Esophagus
기관 Trachea

그림 9 – 3 • 상부기도

1-2 기관과 기관지

Q&A 다음 질문에 답하시오.

1 왼 · 오른기관지(좌 · 우기관지)의 분기점 위치는?

2 기관을 구성하는 연골은 무슨 연골인가?

3 왼 · 오른기관지(좌 · 우기관지)는 각각 몇개인가?

4 세기관지 중 가장 마지막 기관지는 어떤 기관지인가?

5 후두연골 중 가장 큰 연골은?

Q&A

1 제4-5등뼈(흉추) **2** 유리연골(초자연골) **3** 2개, 3개 **4** 호흡세기관지 **5** 방패연골(갑상연골)

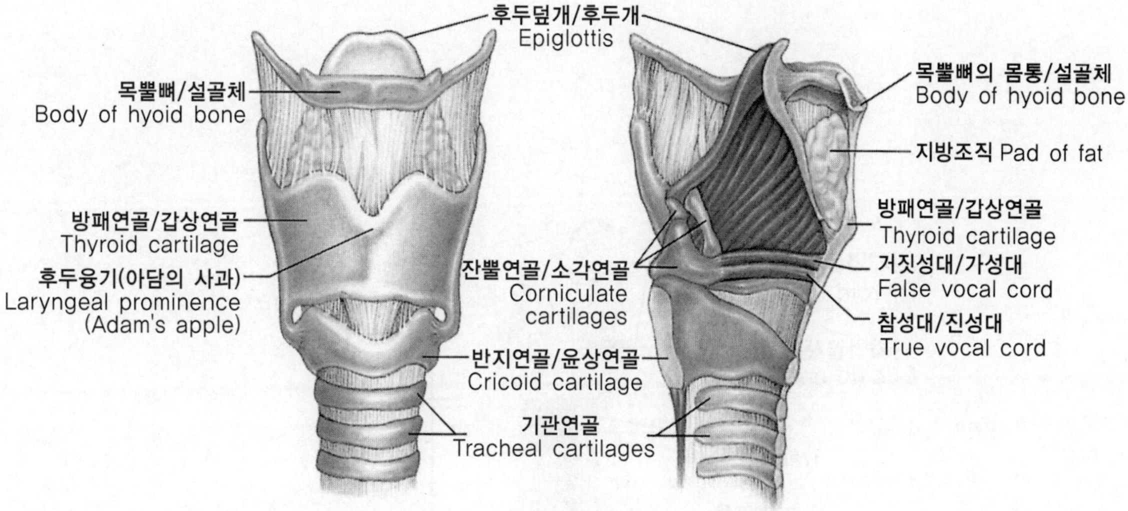

그림 9-4 • 후두

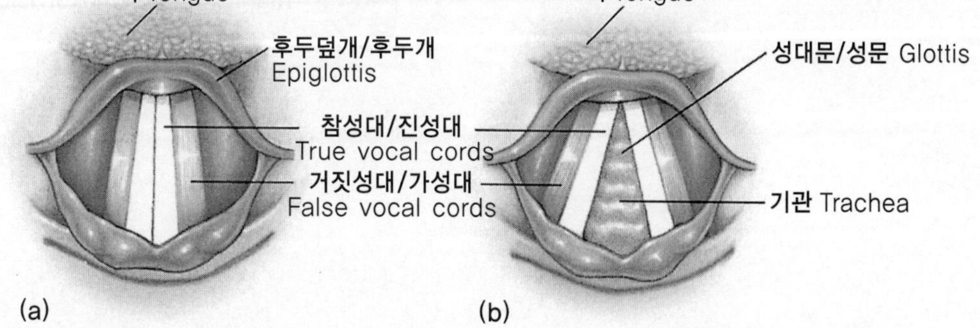

그림 9-5 • 후두의 작용

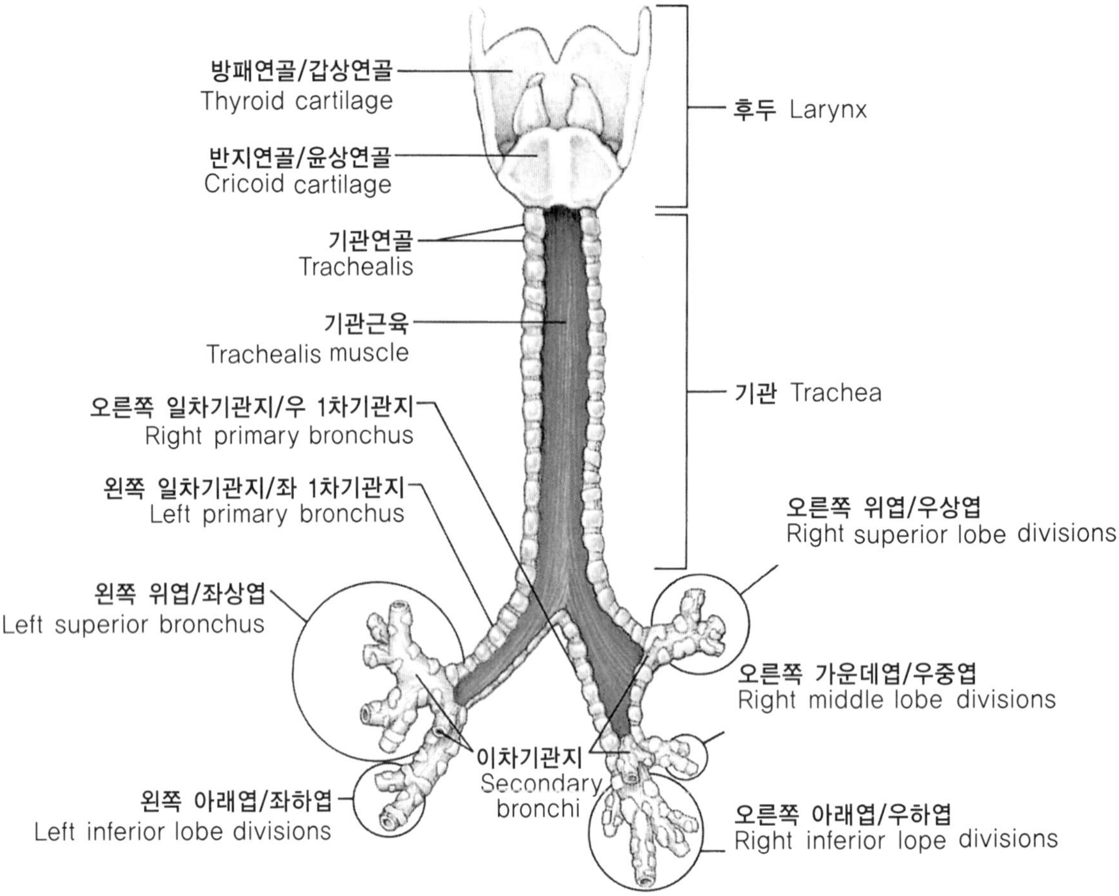
방패연골/갑상연골
Thyroid cartilage
반지연골/윤상연골
Cricoid cartilage
후두 Larynx
기관연골
Trachealis
기관근육
Trachealis muscle
기관 Trachea
오른쪽 일차기관지/우 1차기관지
Right primary bronchus
왼쪽 일차기관지/좌 1차기관지
Left primary bronchus
오른쪽 위엽/우상엽
Right superior lobe divisions
왼쪽 위엽/좌상엽
Left superior bronchus
오른쪽 가운데엽/우중엽
Right middle lobe divisions
이차기관지
Secondary
bronchi
왼쪽 아래엽/좌하엽
Left inferior lobe divisions
오른쪽 아래엽/우하엽
Right inferior lope divisions

그림 9－6 • 후두와 기관

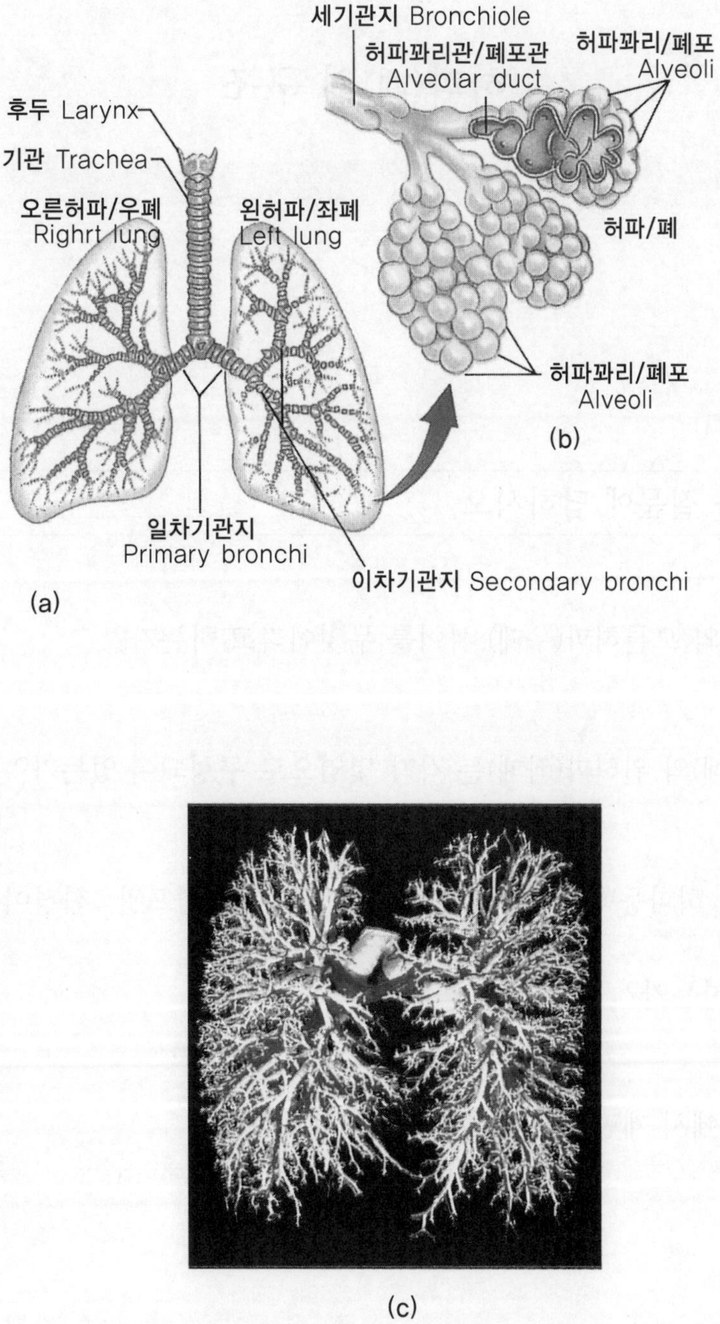

그림 9 – 7 • 기관지 나무와 허파꽈리

1-3 허파(폐)의 구조

Q&A 다음 질문에 답하시오.

1 왼허파(좌폐)와 오른허파(우폐) 사이를 무엇이라고 하는가?

2 오른허파(우폐)와 왼허파(좌폐)는 각각 몇엽으로 구성되어 있는가?

3 허파(폐)에서 허파동맥(폐동맥), 허파정맥(폐정맥), 림프관, 신경이 통과하는 곳을 무엇이라고 하는가?

4 허파(폐)조직에서 계면활성제를 분비하는 세포는?

Q&A

1 가슴세로칸(종격) **2** 오른허파(우폐) 3엽, 왼허파(좌폐) 2엽 **3** 허파문(폐문) **4** type-II세포

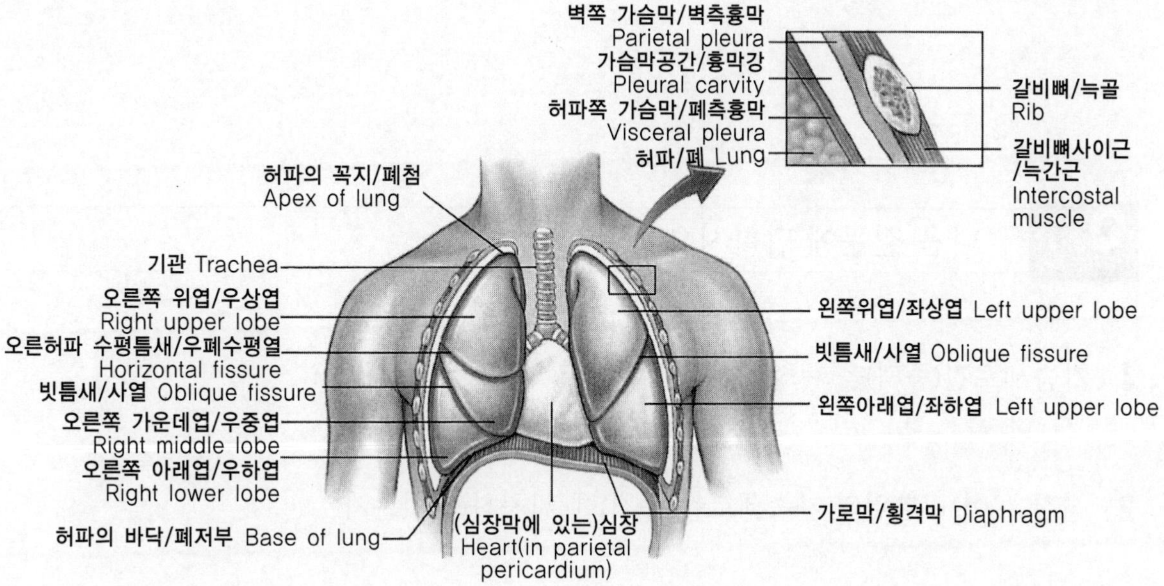

벽쪽 가슴막/벽측흉막
Parietal pleura
가슴막공간/흉막강
Pleural carvity
허파쪽 가슴막/폐측흉막
Visceral pleura
허파/폐 Lung
갈비뼈/늑골
Rib
갈비뼈사이근
/늑간근
Intercostal
muscle
허파의 꼭지/폐첨
Apex of lung
기관 Trachea
오른쪽 위엽/우상엽
Right upper lobe
오른허파 수평틈새/우폐수평열
Horizontal fissure
빗틈새/사열 Oblique fissure
오른쪽 가운데엽/우중엽
Right middle lobe
오른쪽 아래엽/우하엽
Right lower lobe
허파의 바닥/폐저부 Base of lung
(심장막에 있는)심장
Heart(in parietal
pericardium)
왼쪽위엽/좌상엽 Left upper lobe
빗틈새/사열 Oblique fissure
왼쪽아래엽/좌하엽 Left upper lobe
가로막/횡격막 Diaphragm

그림 9 – 8 • 허파의 구조

1-4

가슴세로칸(종격)

Q&A 다음 질문에 답하시오.

1 가슴세로칸(종격)을 형성하는 장기는?

2 심장은 어느 부위의 가슴세로칸(종격)에 위치하고 있는가?

Q&A

1 허파(폐) **2** 중간가슴세로칸(중종격)

제 10 장

소화기계통

1

소화기계통

Q&A 다음 질문에 답하시오.

1 소화관의 장기를 순서대로 쓰시오.

2 작은창자(소장)를 순서대로 쓰시오.

3 잘록창자(결장)를 순서대로 쓰시오.

4 인체의 소화기계 장기 중 가장 큰 분비샘(분비선)은?

5 소화기관의 조직학적 구성순서를 안쪽에서부터 순서대로 쓰시오.

Q&A

1 입안(구강)–인두–식도–위–작은창자(소장)–큰창자(대장)–항문 **2** 샘창자(십이지장)–빈창자(공장)–돌창자(회장)
3 오름잘록창자(상행결장)–가로잘록창자(횡행결장)–내림잘록창자(하행결장)–구불잘록창자(S상결장) **4** 간(간장)
5 점막층–점막밑층(점막하층)–근육층–장막

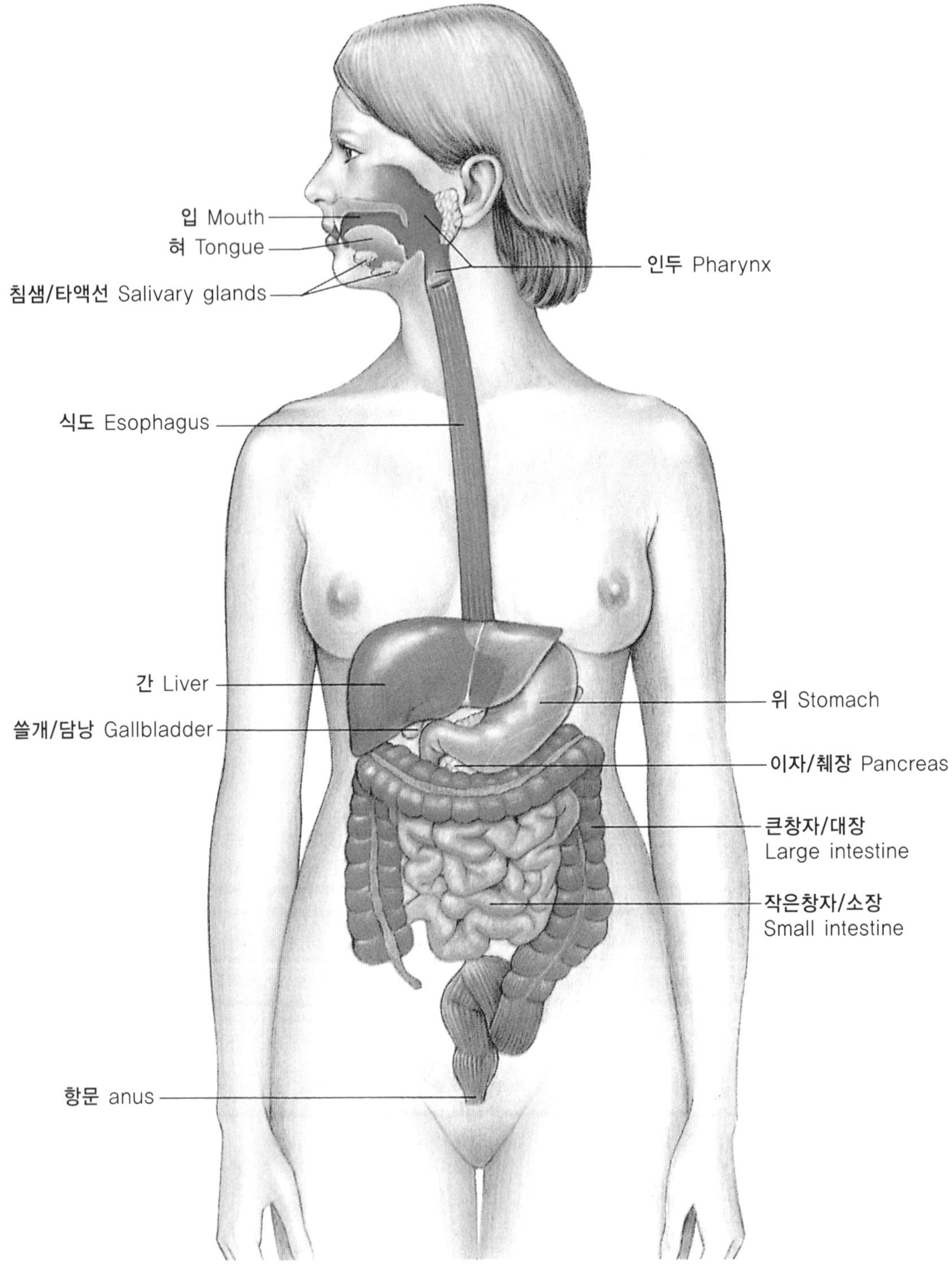

그림 10－1◦ 소화기계통의 기관들

1–1

입안(구강)과 인두

Q&A 다음 질문에 답하시오.

1 입안(구강)에 위치하고 있는 편도의 종류를 쓰시오.

2 입안(구강)에서 음식물이 코안(비강)으로 유입되는 것을 방지하는 장기는?

3 음식물이 후두로 유입되는 것을 방지하는 장기는?

Q&A

1 입천장편도(구개편도), 혀편도(설편도), 인두편도 **2** 목젖(구개수) **3** 후두덮개(후두개)

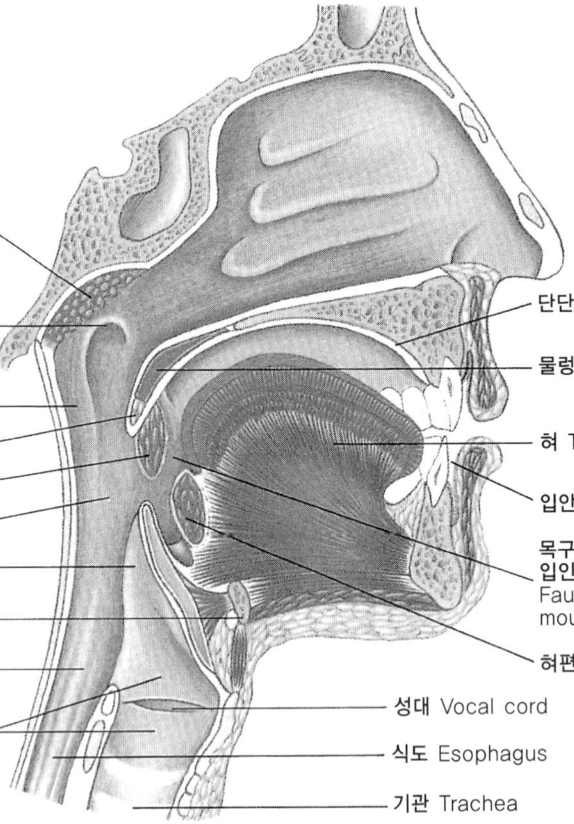

그림 10 – 2

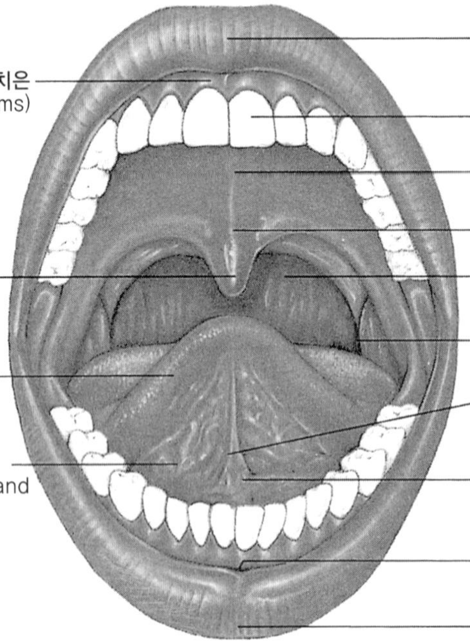

그림 10 – 3 • 입

1-2

혀와 혀유두(설유두)

Q&A 다음 질문에 답하시오.

1 혀에 위치하는 혀유두(설유두)의 종류를 쓰시오.

2 유두의 수는 가장 많으나 맛봉우리(미뢰)가 없는 유두는?

3 혀고랑(설분계구)에 8~15개의 큰 유두로 가장 많은 미뢰를 가지고 있는 유두는?

4 혀에서 맛을 느끼는 곳은?

Q&A

1 실유두(사상유두), 버섯유두(심상유두), 나뭇잎유두(엽상유두), 성곽유두(유곽유두) **2** 실유두(사상유두) **3** 성곽유두(유곽유두) **4** 맛봉오리(미뢰)

1-3

치아의 구조

Q&A 다음 질문에 답하시오.

1 성인의 치아는 모두 몇 개인가?

2 치아는 치아머리(치관), 치아목(치경), 치아뿌리(치근)로 되어 있으며 치아머리(치관)는 사기질(에나멜질)로, 치아뿌리(치근)는 무엇으로 덮여 있는가?

3 치아를 담당하는 위턱뼈신경(상악신경), 아래턱뼈신경(하악신경)을 분지하는 뇌신경은?

4 성인의 치아 중 제3큰어금니(제3대구치)를 무엇이라고 하는가?

5 치아의 조직구조 중 가장 단단한 것은?

Q&A

1 32개 **2** 시멘트질 **3** 삼차신경 **4** 사랑니(지치) **5** 사기질(에나멜질)

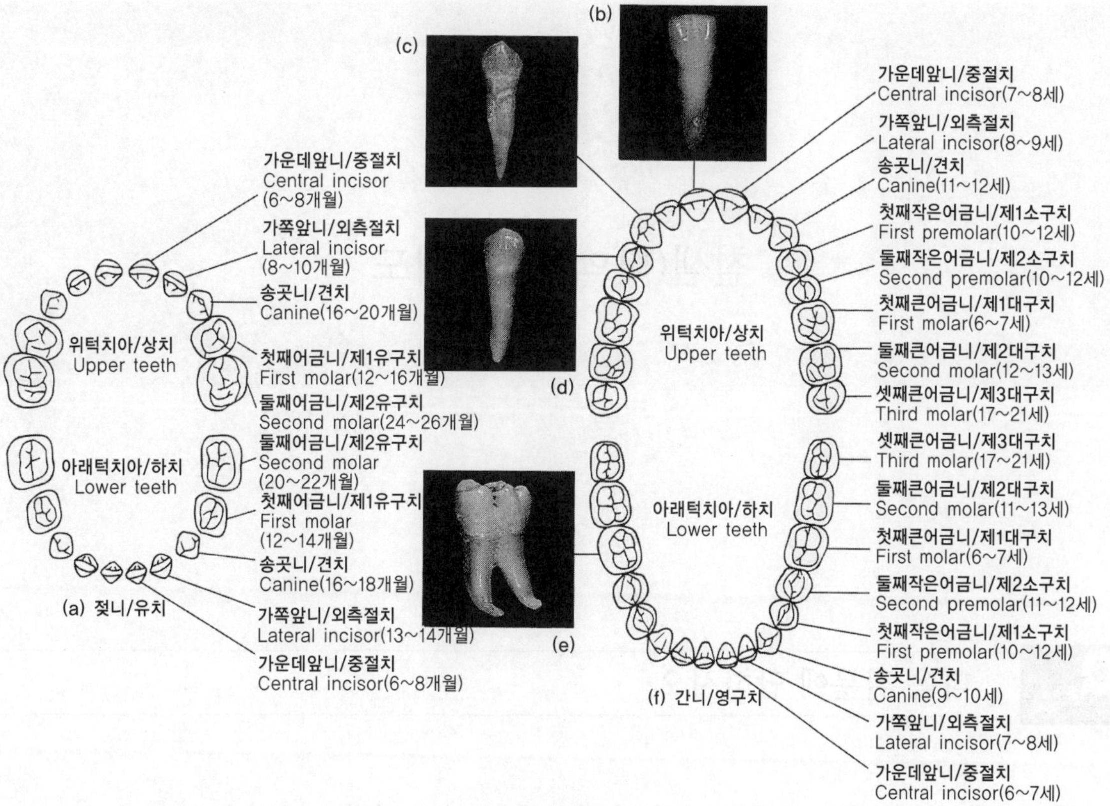

그림 10－4 • 치열

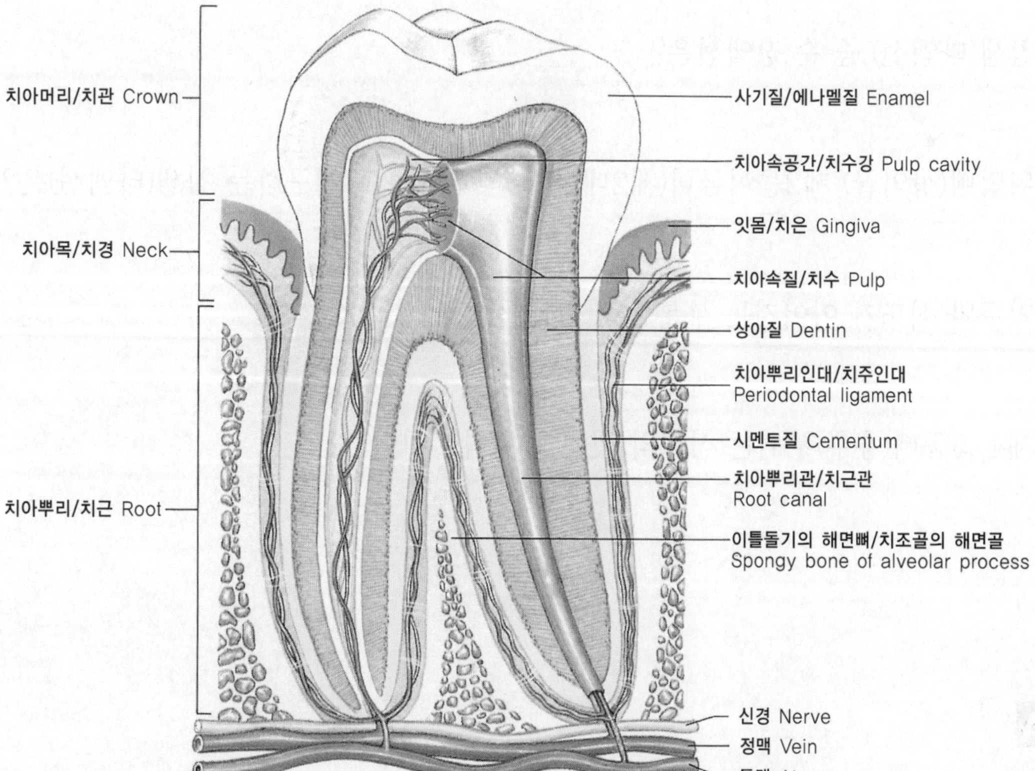

그림 10－5 • 큰어금니(대구치)의 내부특징을 보여주는 단면 그림

1-4

침샘(타액선)과 식도

Q&A 다음 질문에 답하시오.

1 인체에서 볼 수 있는 침샘(타액선)의 종류를 크기 순서대로 쓰시오.

2 침샘(타액선) 중 순 장액선은?

3 위턱뼈(상악골) 제2큰어금니(제2대구치) 맞은편으로 개구하는 침샘(타액선)은?

4 인두와 식도가 이어지는 부분은 몇번째 척추뼈(추골)인가?

5 제4, 5등뼈(흉추)부위는 식도의 몇번째 협착부위인가?

Q&A

1 귀밑샘(이하선)–턱밑샘(악하선)–혀밑샘(설하선) **2** 귀밑샘(이하선) **3** 귀밑샘(이하선) **4** 제6목뼈(경추) **5** 제2 협착부위

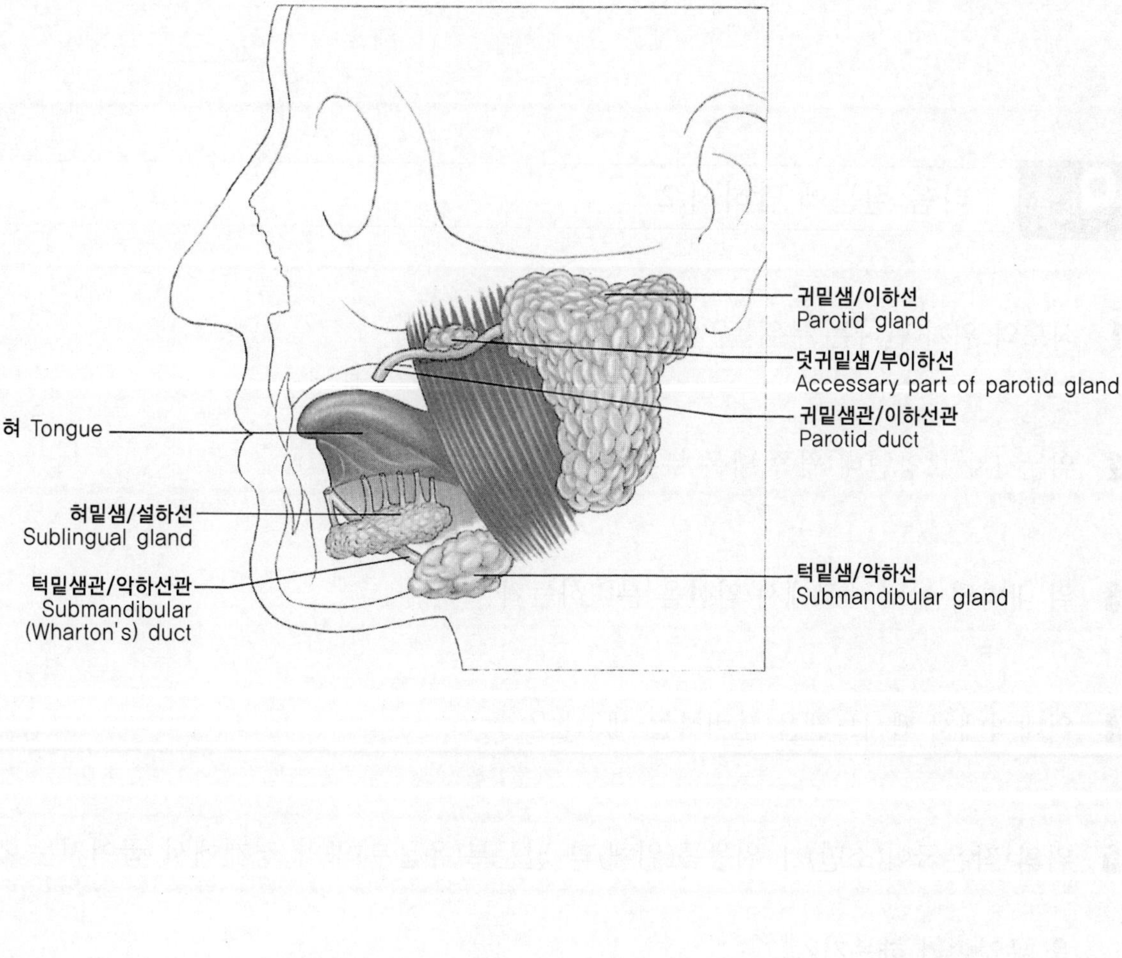
귀밑샘/이하선
Parotid gland
덧귀밑샘/부이하선
Accessary part of parotid gland
귀밑샘관/이하선관
Parotid duct
혀 Tongue
혀밑샘/설하선
Sublingual gland
턱밑샘관/악하선관
Submandibular
(Wharton's) duct
턱밑샘/악하선
Submandibular gland

그림 10 – 6 • 침샘

1-5

위의 구조

Q&A 다음 질문에 답하시오.

1 식도와 위가 만나는 부위는?

2 위는 J자 모양인데 윗쪽 넓은 부위를 무엇이라 하는가?

3 위 내벽의 어느 세포에서 염산을 분비하는가?

4 위내벽에서 펩시노겐을 분비하는 세포는?

5 위의 작은굽이(소만)가 위몸통(위체)과 날문부(유문부)와의 경계에서 굽어지는 것을 무엇이라 하는가?

Q&A

1 들문부(분문부) **2** 위바닥(위저부) **3** 벽세포 **4** 으뜸세포(주세포) **5** 각패임(각절흔)

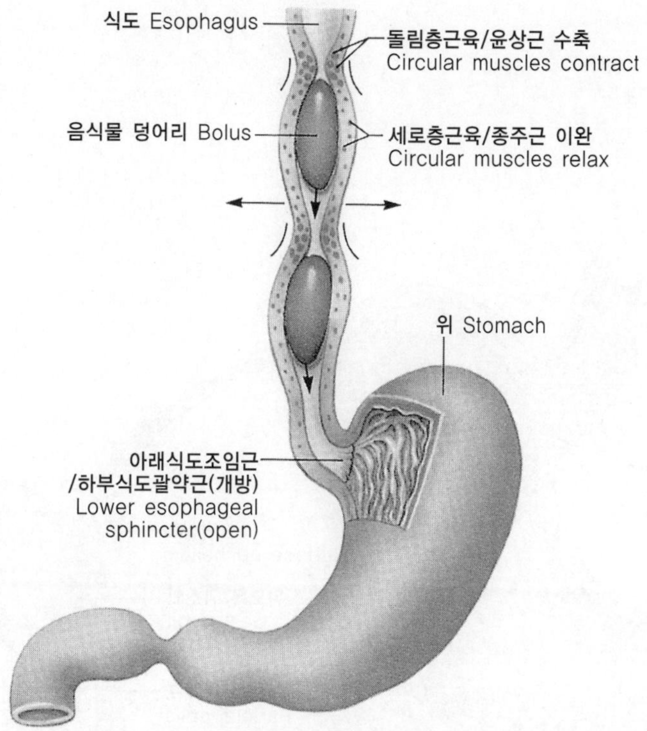

그림 10 – 7 • 식도에서의 꿈틀운동(연동운동)

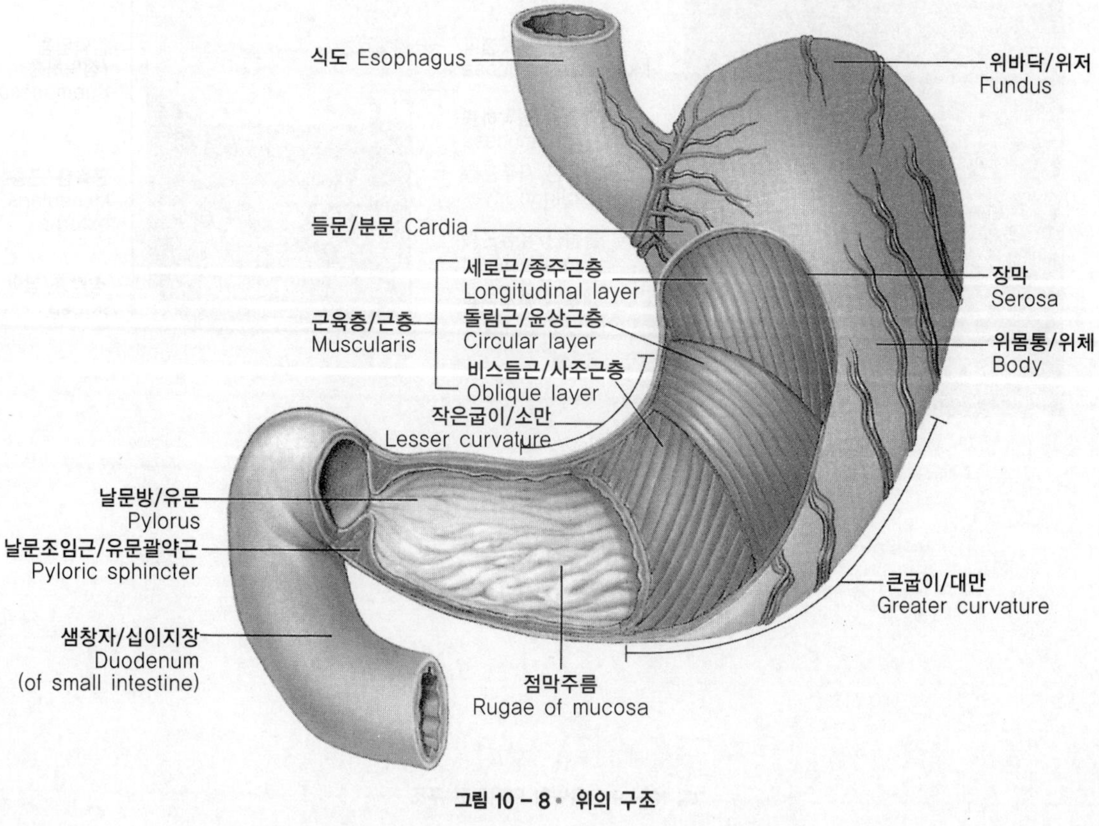

그림 10 – 8 • 위의 구조

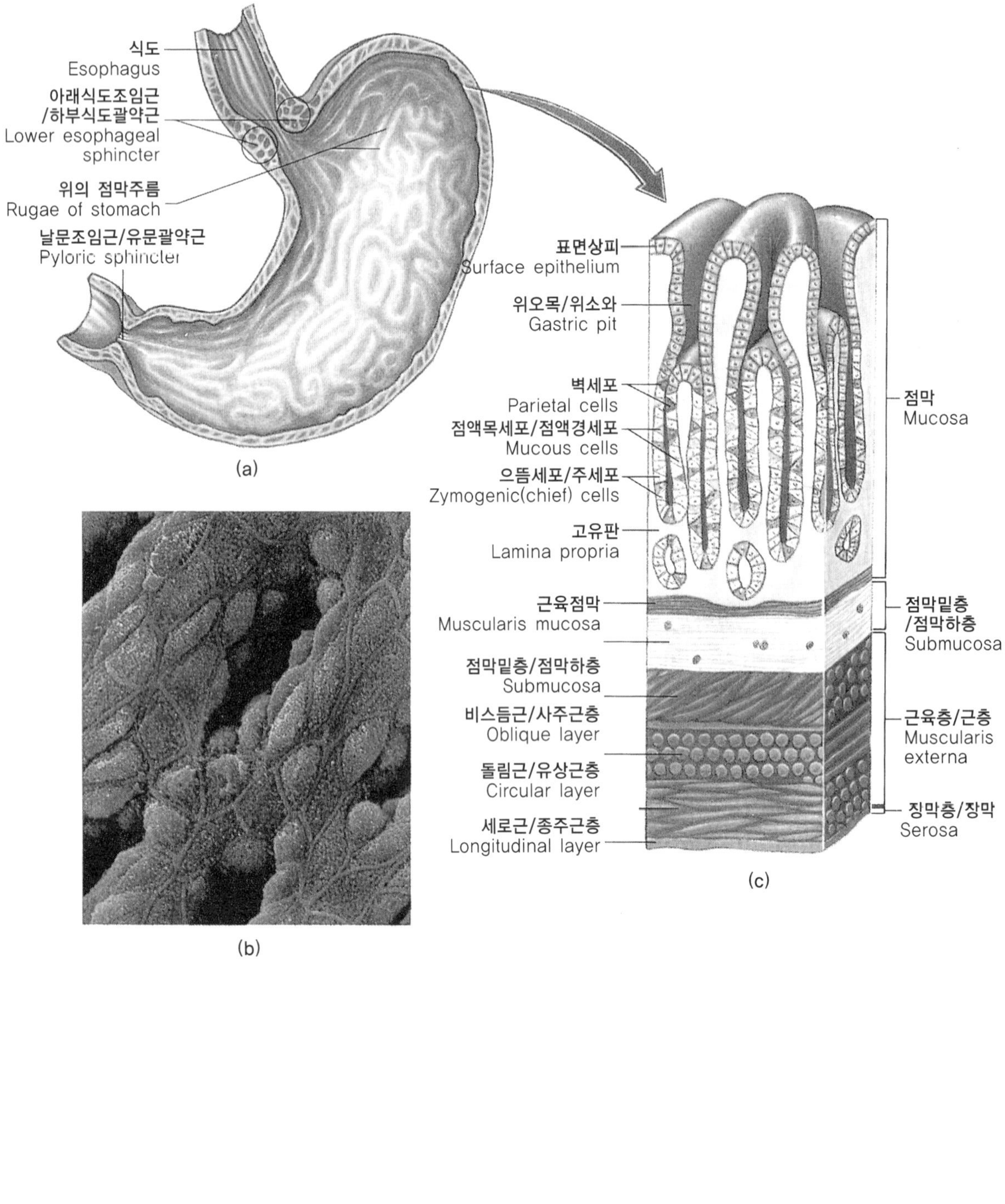

그림 10 – 9 • 위벽의 현미경적 구조

1-6

작은창자(소장)의 구조

Q&A 다음 질문에 답하시오.

1 작은창자(소장)에서 가장 짧은 부위는?

2 샘창자(십이지장)에서 온쓸개관(총담관)과 췌관이 개구하는 부위를 무엇이라고 하는가?

3 집합림프소절을 가지고 있는 작은창자(소장)는?

4 돌창자(회장)와 막창자(맹장) 사이에 있는 것으로 내용물의 역류를 막아주고 있는 구조물은?

5 작은창자(소장)는 어떤 주름형태로 구성되어 있는가?

6 조임근(괄약근)이 발달되어 있지 않은 작은창자(소장)는?

Q&A

1 샘창자(십이지장) **2** 큰샘창자유두(대십이지장유두) **3** 돌창자(회장) **4** 돌막창자판막(회맹판) **5** 돌림주름(윤상주름) **6** 빈창자(공장)

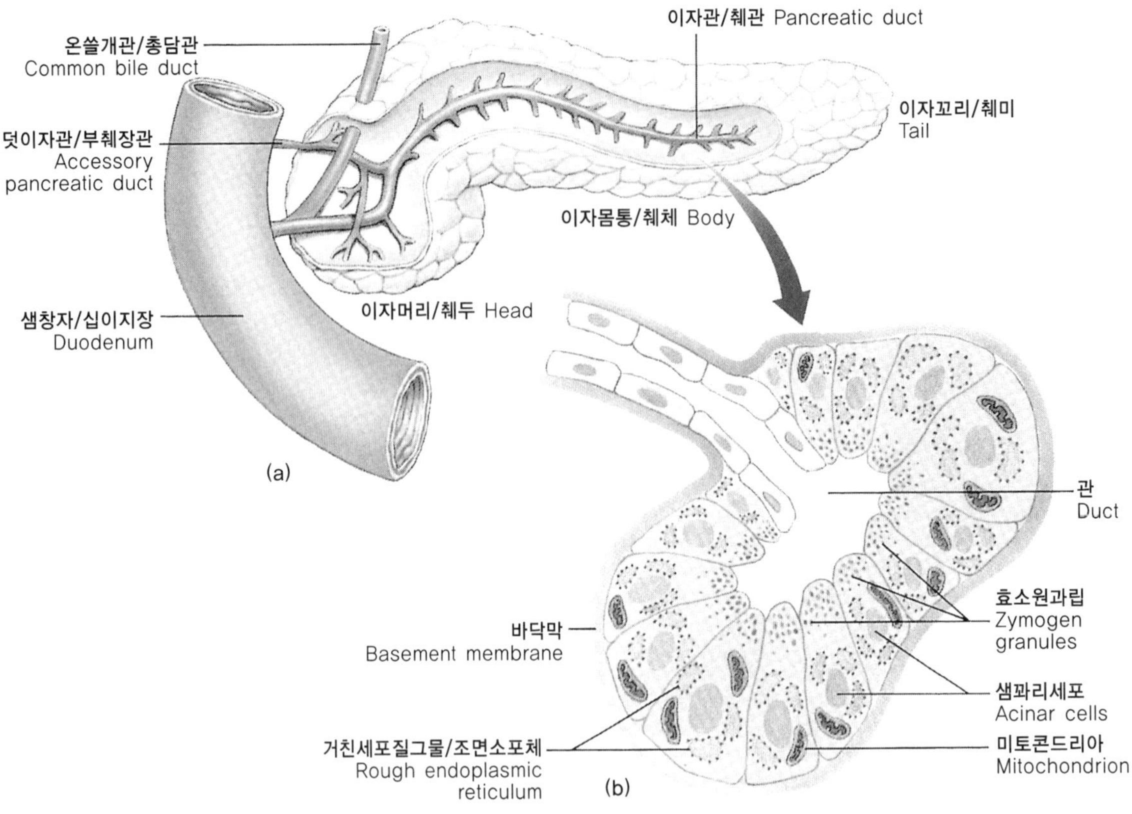

그림 10 – 10 • 이자의 구조

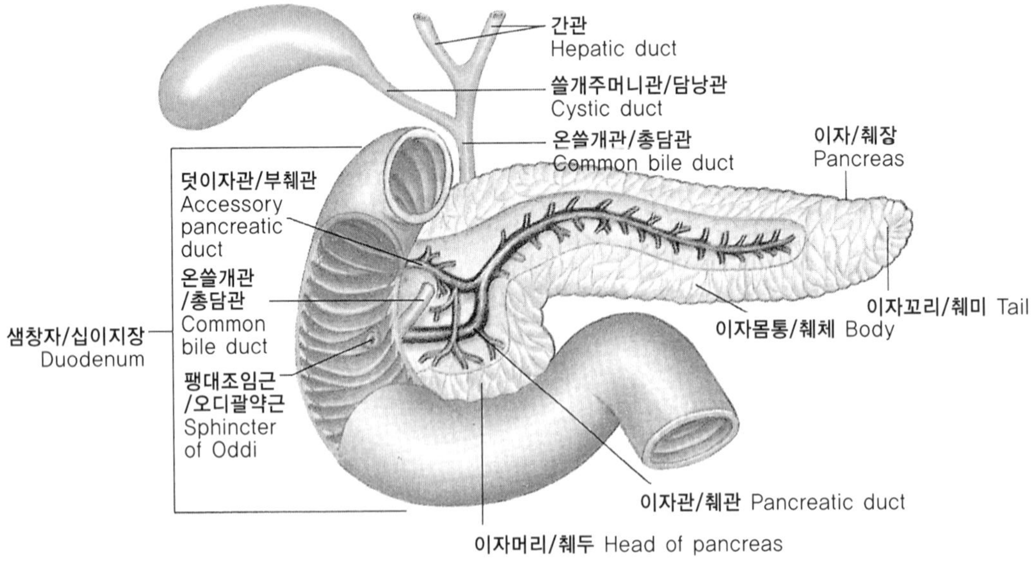

그림 10 – 11 • 쓸개와 관련된 구조들

1-7

큰창자(대장)의 구조

Q&A 다음 질문에 답하시오.

1 잘록창자(결장)의 육안적 특징 중 벨트같은 것을 무엇이라고 하는가?

2 막창자꼬리(충수)는 어느 장기에 부착되어 있는가?

3 잘록창자(결장) 중 가장 긴 부위는?

4 배꼽에서 우위앞엉덩뼈가시(우측상전장골극)를 잇는 선의 장골쪽 1/3 지점을 McBurney's point라 하는데 무엇이 위치하고 있는가?

Q&A

1 창자띠(결장뉴) **2** 막창자(맹장) **3** 가로잘록창자(횡행결장) **4** 막창자꼬리(충수)

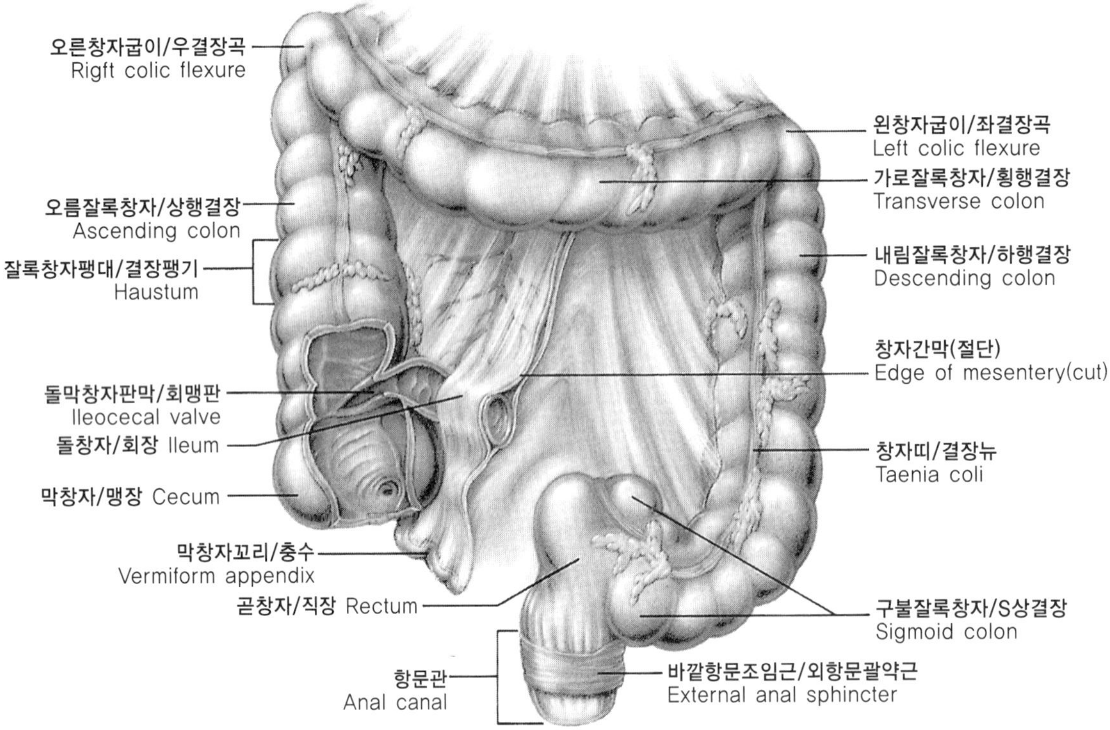

그림 10 – 12 • 큰창자/대장의 구조

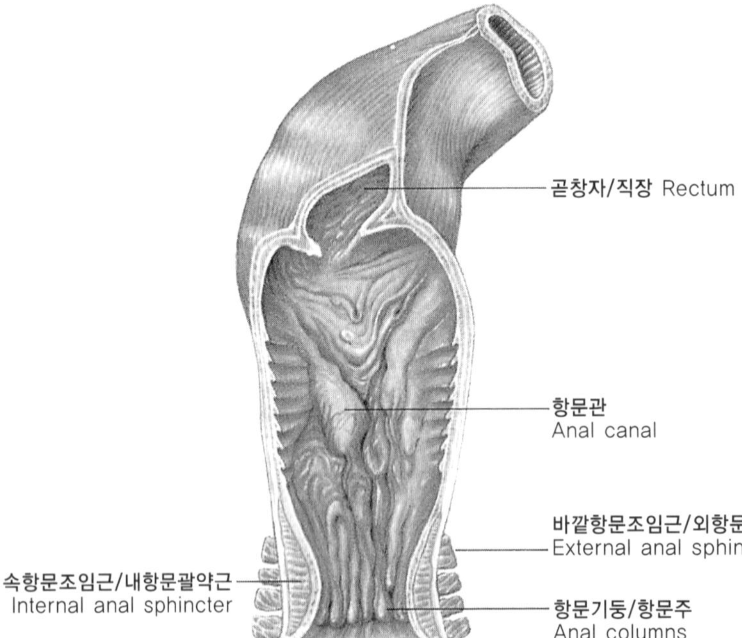

그림 10 – 13 • 곧창자/직장과 항문관

1-8

간(간장)과 복막

Q&A 다음 질문에 답하시오.

1 간(간장)을 왼 · 오른엽(좌 · 우엽)으로 나누는 것은?

2 간(간장)에서 식작용을 하는 세포는?

3 간은 위, 작은창자(소장), 큰창자(대장), 이자(췌장), 쓸개주머니(담낭)에서 오는 정맥혈을 받아 기능혈관이라 하는데 이 혈관의 이름은?

4 여성의 골반내 장기에서 곧은창자(직장)와 자궁 사이의 오목한 지점을 무엇이라고 하는가?

5 콩팥(신장), 요관, 부신, 이자(췌장), 샘창자(십이지장), 배대동맥(복대동맥), 가슴관(흉관)은 복막 뒤에 위치하는데 이를 무슨 장기라고 부르는가?

Q&A

1 겸상인대(겸상간막) **2** 쿠퍼세포 **3** 간문맥(문정맥) **4** 곧창자자궁오목(직장자궁와) **5** 복막뒤(후)장기

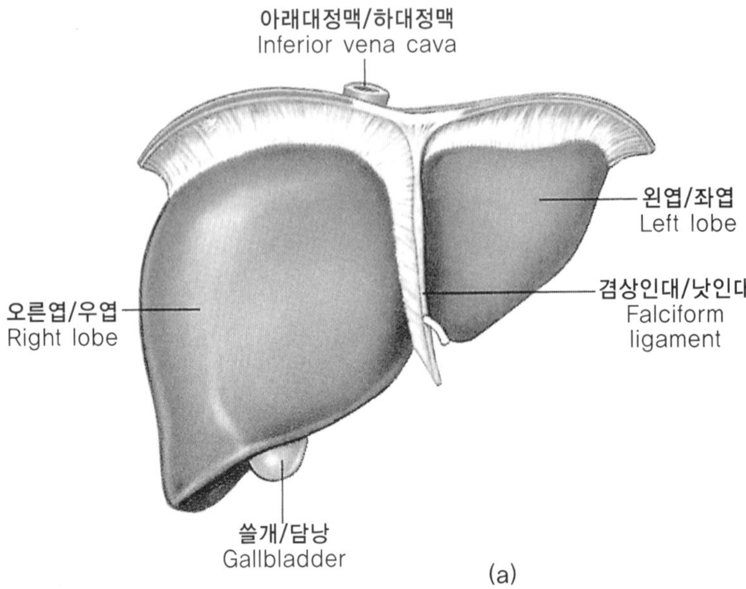

(a)

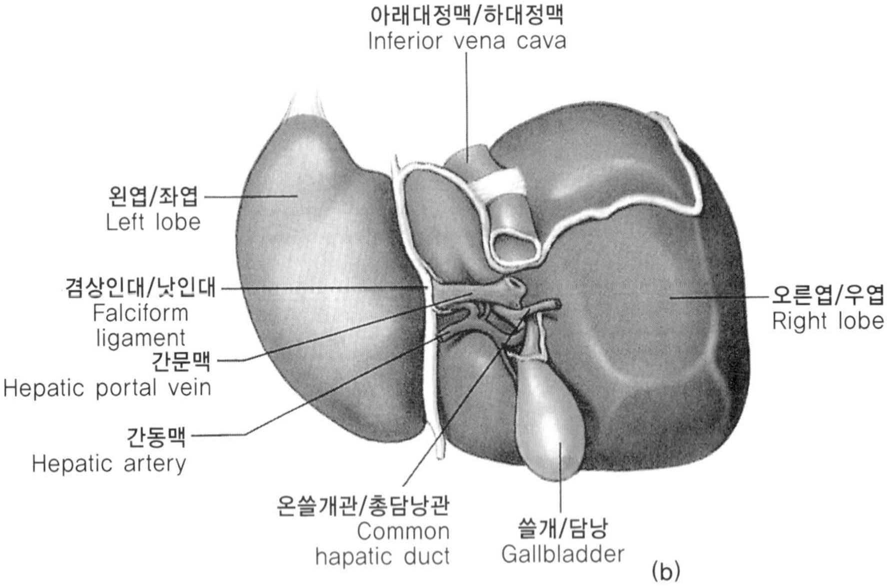

(b)

그림 10－14 • 간의 구조

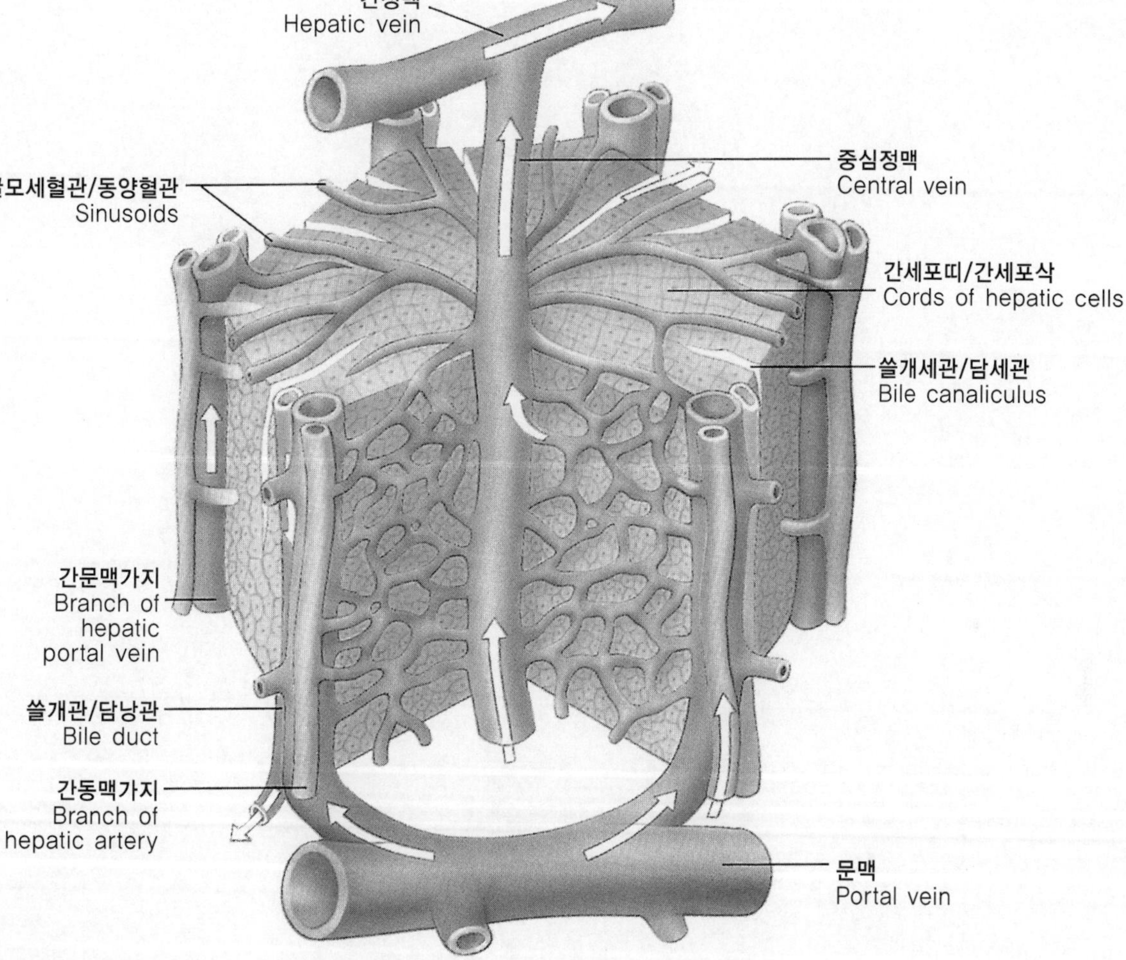
간정맥
Hepatic vein
중심정맥
Central vein
굴모세혈관/동양혈관
Sinusoids
간세포띠/간세포삭
Cords of hepatic cells
쓸개세관/담세관
Bile canaliculus
간문맥가지
Branch of hepatic portal vein
쓸개관/담낭관
Bile duct
간동맥가지
Branch of hepatic artery
문맥
Portal vein

그림 10 – 15 • 간엽

제 11 장

신경계통

1

신경세포(신경원)의 구조와 종류

Q&A 다음 질문에 답하시오.

1 신경조직의 구조상, 기능상 기본단위를 무엇이라고 하는가?

2 축삭돌기(축삭)를 싸고 있으며 이것의 존재 여부에 따라 말이집신경(유수신경), 민말이집신경(무수신경)이라 하는데 이를 무엇이라 부르는가?

3 날심성(원심성) 돌기를 축삭돌기라고 하면 들심성(구심성)인 돌기이름은?

4 신경세포체 내에 있는 작은 과립의 이름은?

Q&A

1 신경세포(신경원) **2** 말이집(수초) **3** 가지돌기(수상돌기) **4** 닛슬소체

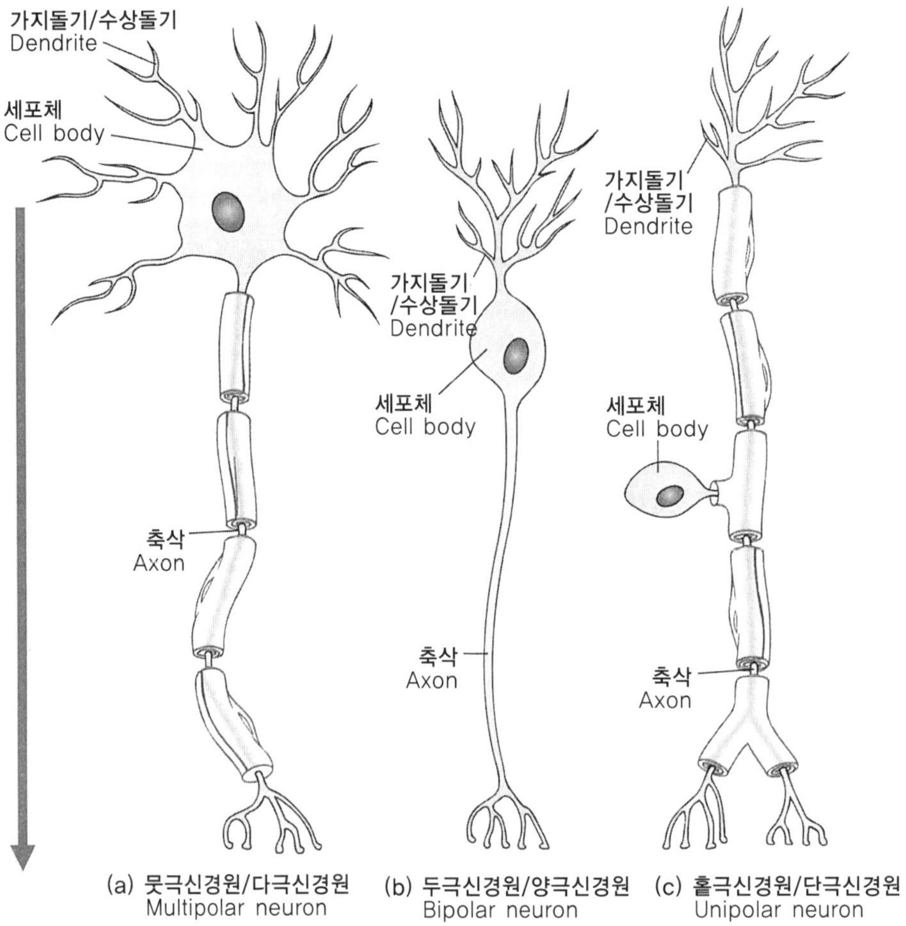

그림 11 – 1• 신경세포(신경원)의 구조적 형태

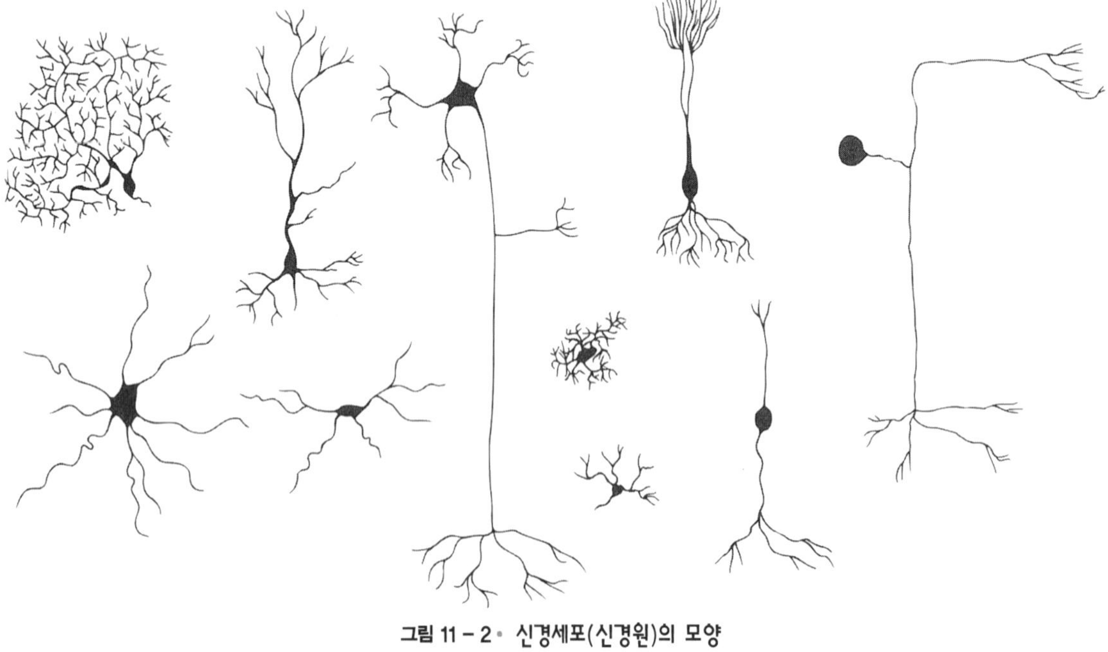

그림 11 – 2• 신경세포(신경원)의 모양

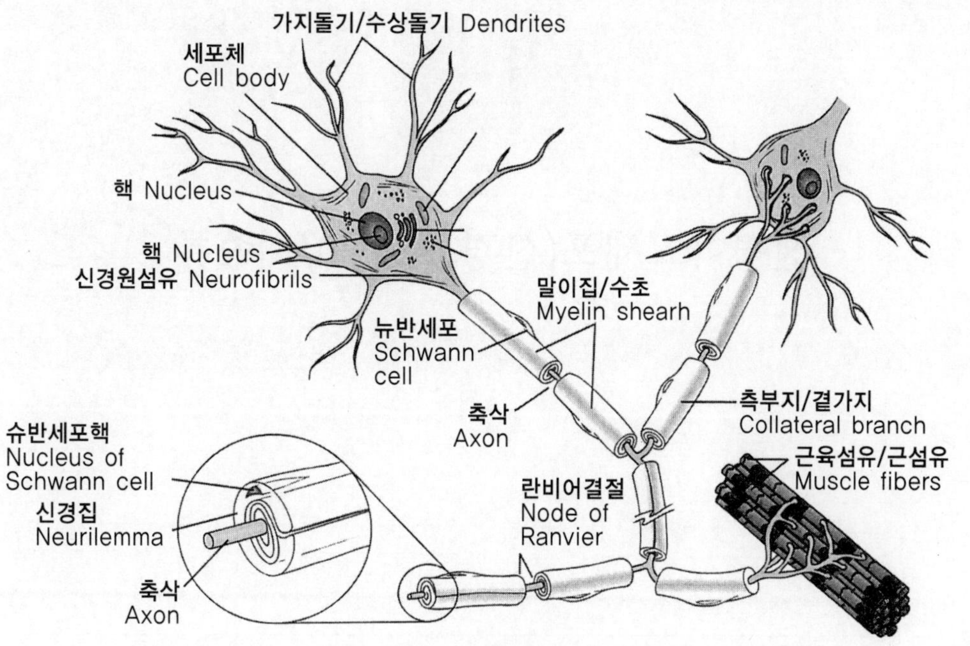

그림 11 – 3 • 신경세포(신경원)의 구조

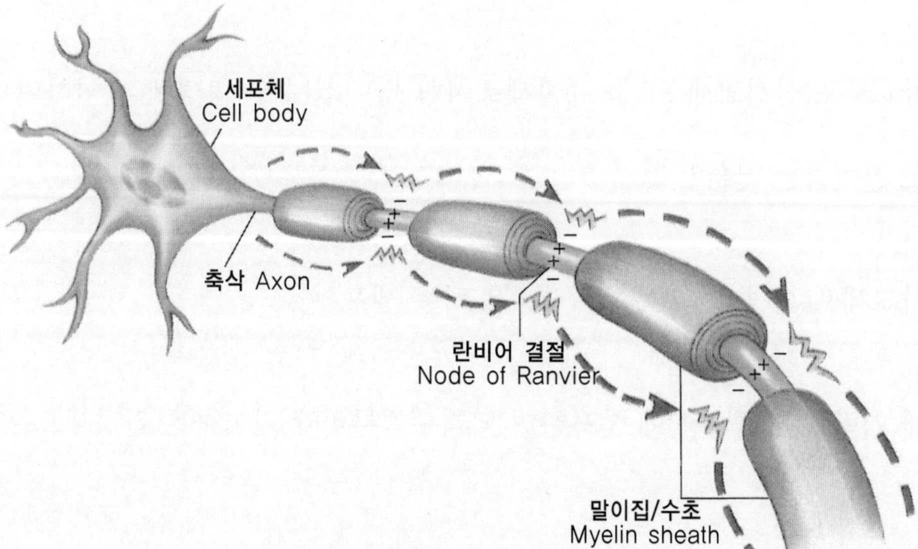

그림 11 – 4 • 도약전도

1-1

신경아교세포(신경교세포)의 종류

Q&A 다음 질문에 답하시오.

1 신경아교세포(신경교세포)의 종류를 쓰시오.

2 긴 방사상의 돌기를 갖고 별모양이며 혈관으로부터 신경세포(신경원)로 대사물질을 운반하는 세포는?

3 신경아교세포(신경교세포) 중 슈반세포처럼 말이집(수초)형성에 관여하며 세포 재생에도 관여하는 것은?

4 신경아교세포(신경교세포) 중 식작용을 하는 세포는?

5 뇌실내 맥락얼기(맥락총)에 분포하며 뇌척수액분비에 관여하는 신경세포는?

Q&A

1 별아교세포(성상교세포), 희돌기교세포, 뇌실막세포(상의세포), 미세아교세포(소교세포) **2** 별아교세포(성상교세포) **3** 희돌기교세포 **4** 미세아교세포(소교세포) **5** 뇌실막세포(상의세포)

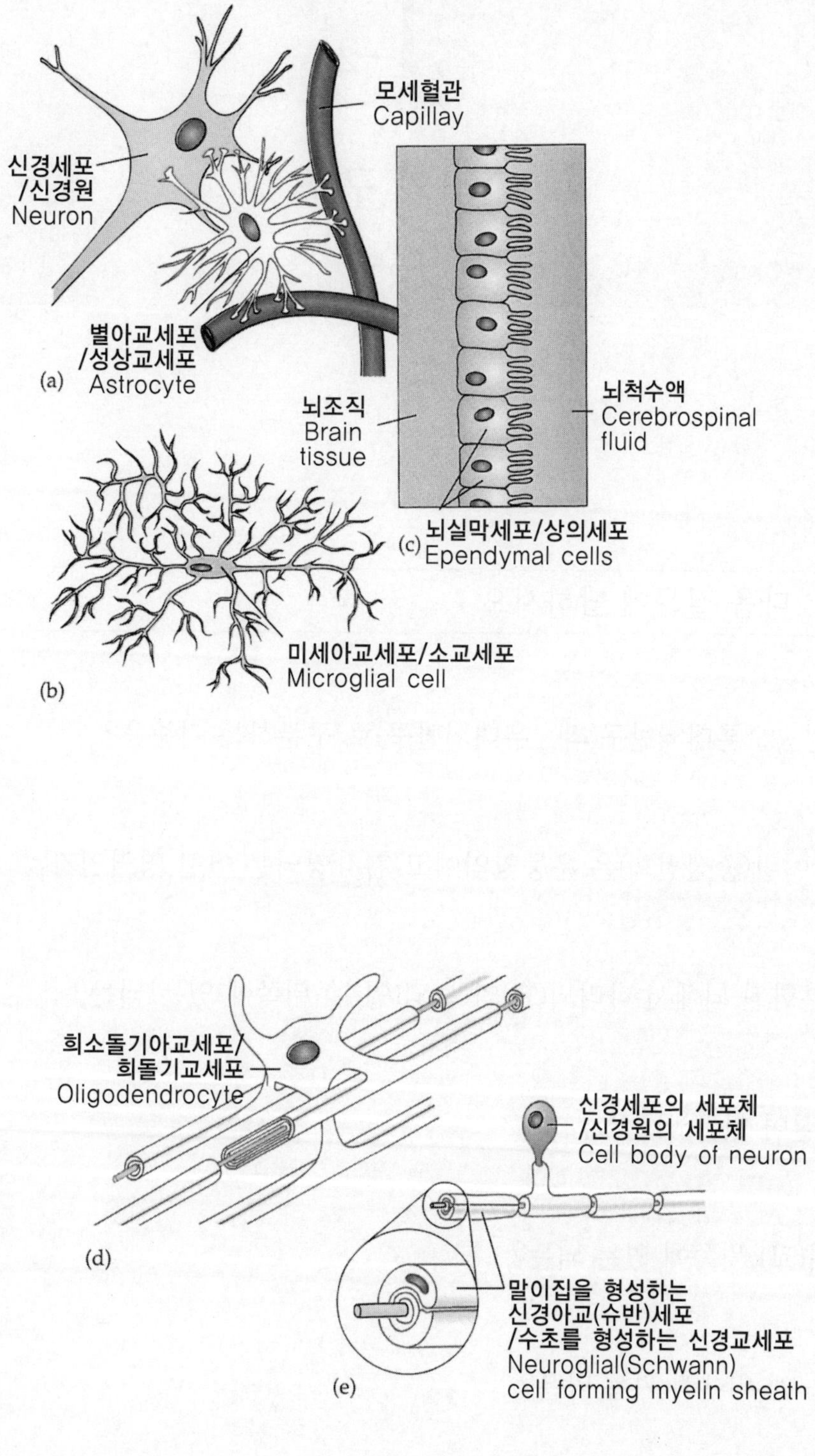

그림 11 – 5 • 신경아교세포(신경교세포)의 형태

1-2

뇌의 구조

Q&A 다음 질문에 답하시오.

1 뇌를 왼 · 오른대뇌반구(좌 · 우대뇌반구)로 구분하는 기준은?

2 중심앞이랑(중심전회)은 운동영역이고 지각영역은 어떤 영역인가?

3 최종 분화된 뇌에서 다리뇌(교)와 숨뇌(연수) 뒤쪽에 있는 뇌는?

4 제3뇌실이 있는 뇌는?

5 다리뇌(교) 윗쪽에 있는 뇌는?

6 신경을 맨 위에서 싸는 막은?

Q&A

1 세로틈새(정중대뇌종열) **2** 중심뒤이랑(중심후회) **3** 작은뇌(소뇌) **4** 사이뇌(간뇌) **5** 중간뇌(중뇌) **6** 신경바깥막(신경외막)

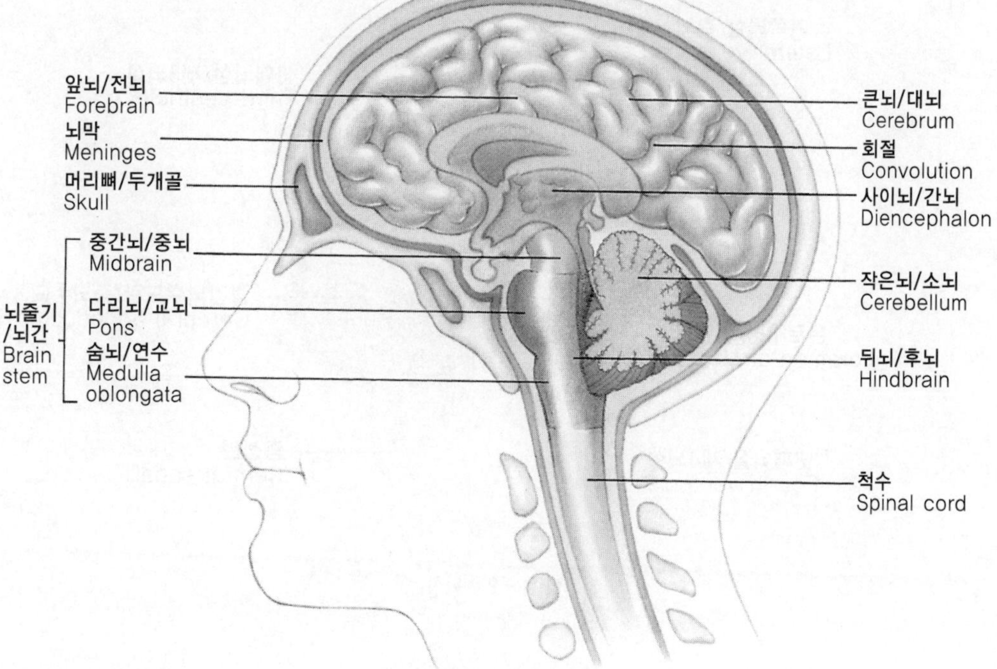

그림 11 – 6 • 뇌

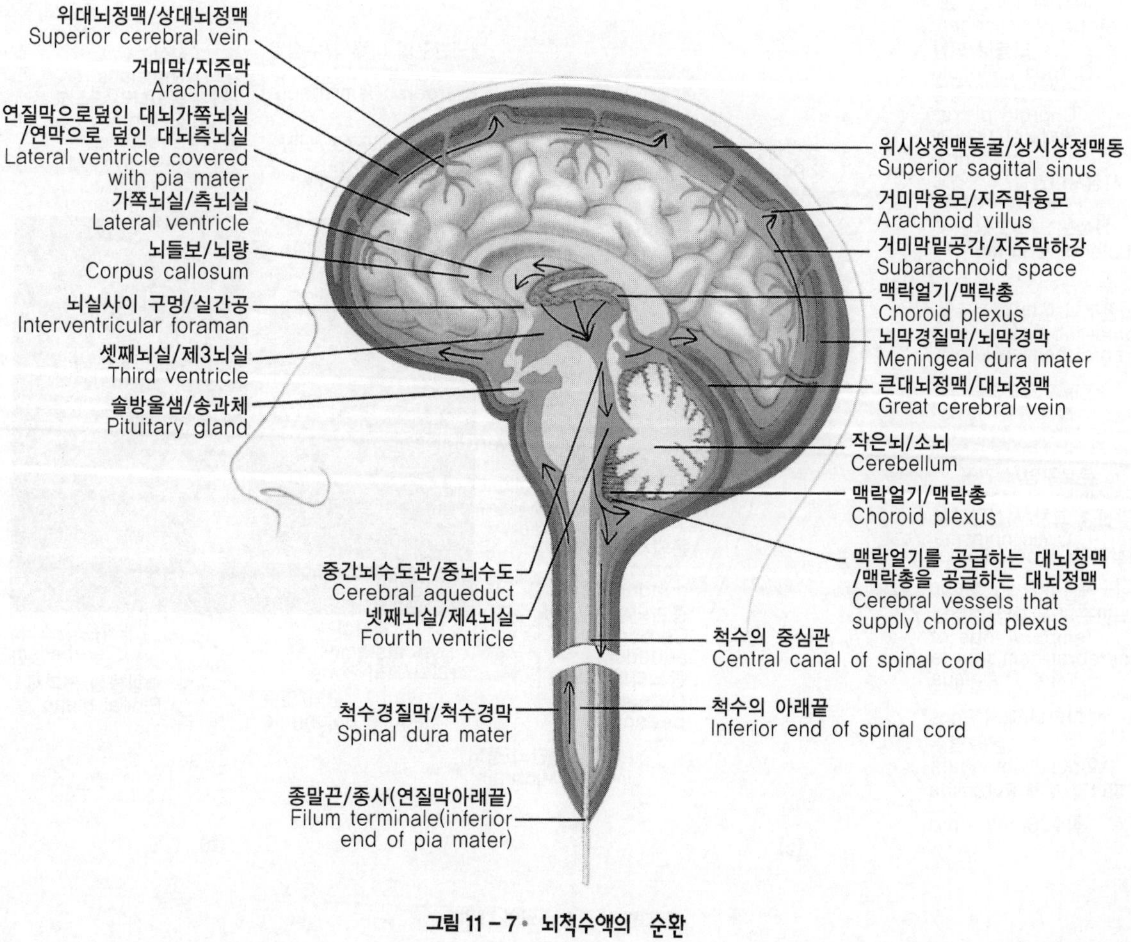

그림 11 – 7 • 뇌척수액의 순환

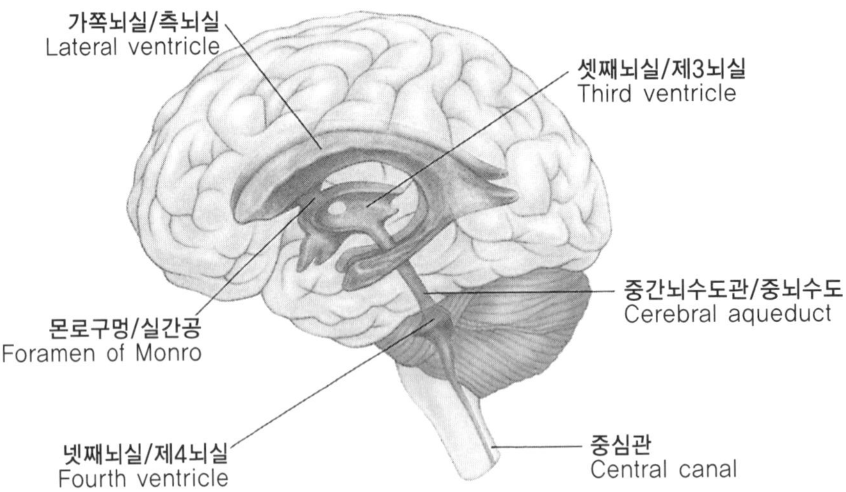

그림 11 – 8 • 뇌실

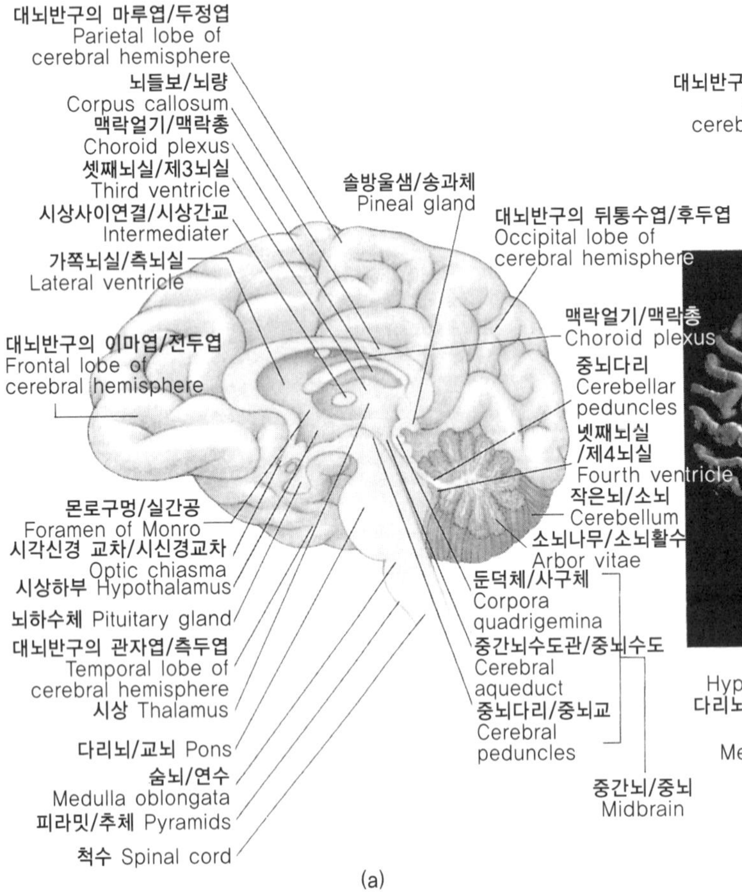

(a)

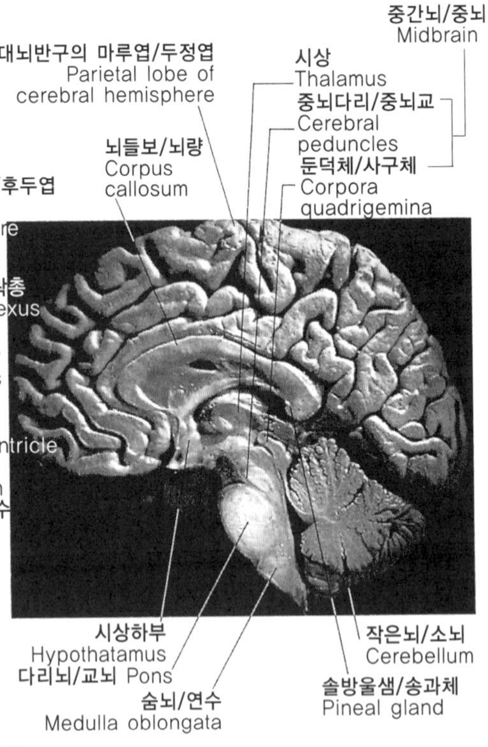

(b)

그림 11 – 9 • 뇌의 내면

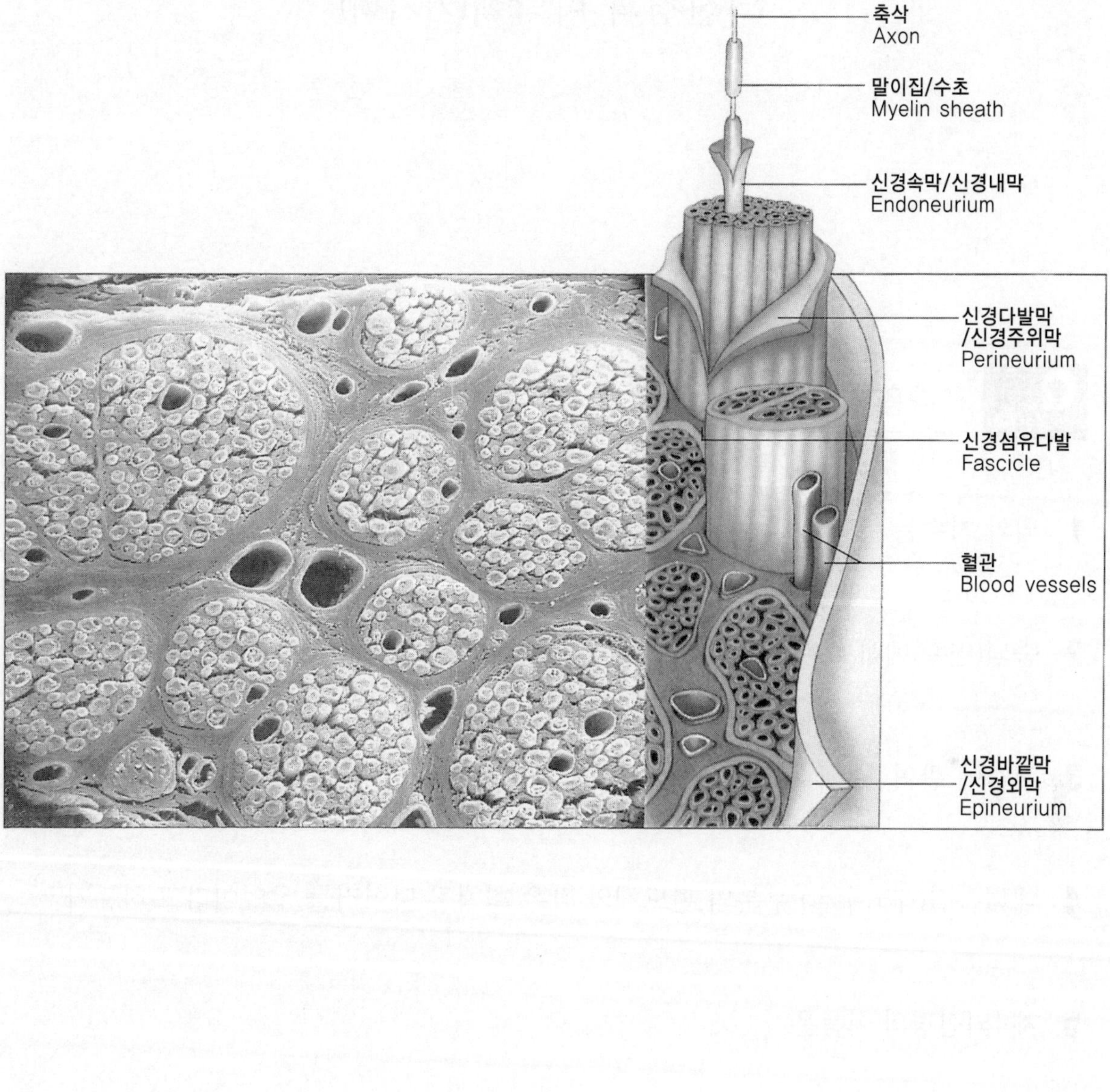
축삭
Axon
말이집/수초
Myelin sheath
신경속막/신경내막
Endoneurium
신경다발막
/신경주위막
Perineurium
신경섬유다발
Fascicle
혈관
Blood vessels
신경바깥막
/신경외막
Epineurium

그림 11 – 10 • 신경구조

1-3

뇌신경과 바닥핵(기저핵)

Q&A 다음 질문에 답하시오.

1 뇌와 척수는 어떤 신경계에 속하는가?

2 숨뇌(연수)에서 기시하는 뇌신경의 종류를 쓰시오.

3 후각에 관여하는 뇌신경은?

4 대뇌속질(대뇌수질) 부분의 편도체와 같은 회백질 덩어리를 무엇이라고 하는가?

5 제4뇌신경의 이름은?

Q&A

1 중추신경계 **2** 제9-12뇌신경 **3** 후각신경(제1뇌신경) **4** 바닥핵(기저핵) **5** 도르래신경(활차신경)

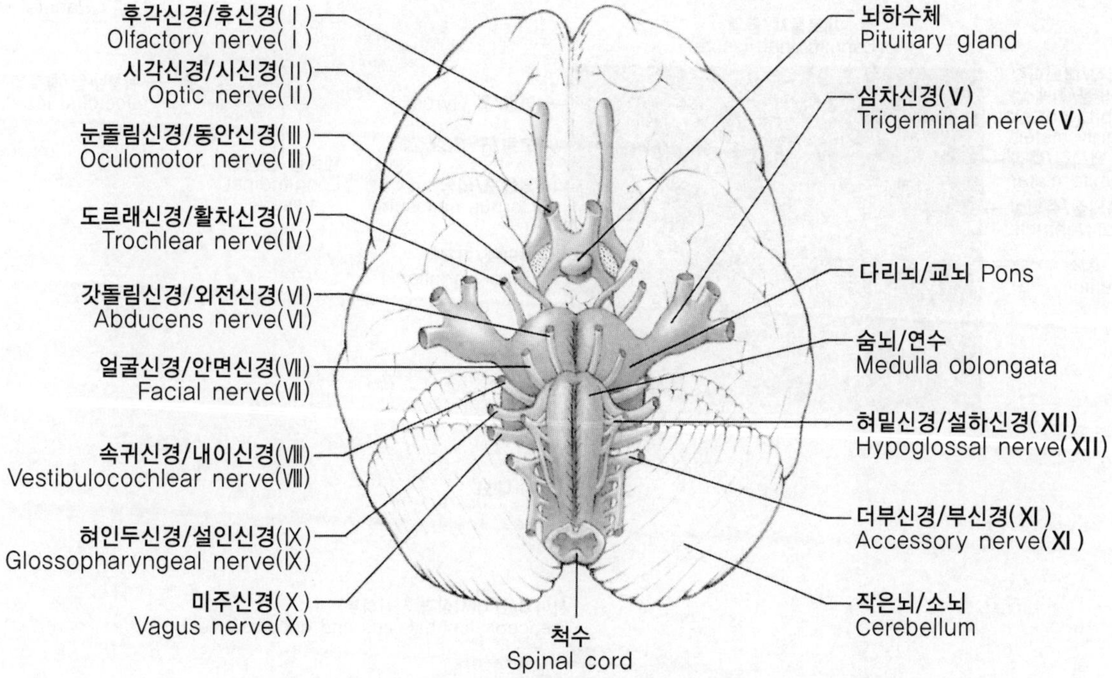
후각신경/후신경(Ⅰ)
Olfactory nerve(Ⅰ)
시각신경/시신경(Ⅱ)
Optic nerve(Ⅱ)
눈돌림신경/동안신경(Ⅲ)
Oculomotor nerve(Ⅲ)
도르래신경/활차신경(Ⅳ)
Trochlear nerve(Ⅳ)
갓돌림신경/외전신경(Ⅵ)
Abducens nerve(Ⅵ)
얼굴신경/안면신경(Ⅶ)
Facial nerve(Ⅶ)
속귀신경/내이신경(Ⅷ)
Vestibulocochlear nerve(Ⅷ)
혀인두신경/설인신경(Ⅸ)
Glossopharyngeal nerve(Ⅸ)
미주신경(Ⅹ)
Vagus nerve(Ⅹ)
척수
Spinal cord
뇌하수체
Pituitary gland
삼차신경(Ⅴ)
Trigerminal nerve(Ⅴ)
다리뇌/교뇌 Pons
숨뇌/연수
Medulla oblongata
혀밑신경/설하신경(Ⅻ)
Hypoglossal nerve(Ⅻ)
더부신경/부신경(Ⅺ)
Accessory nerve(Ⅺ)
작은뇌/소뇌
Cerebellum

그림 11 – 11 • 뇌신경

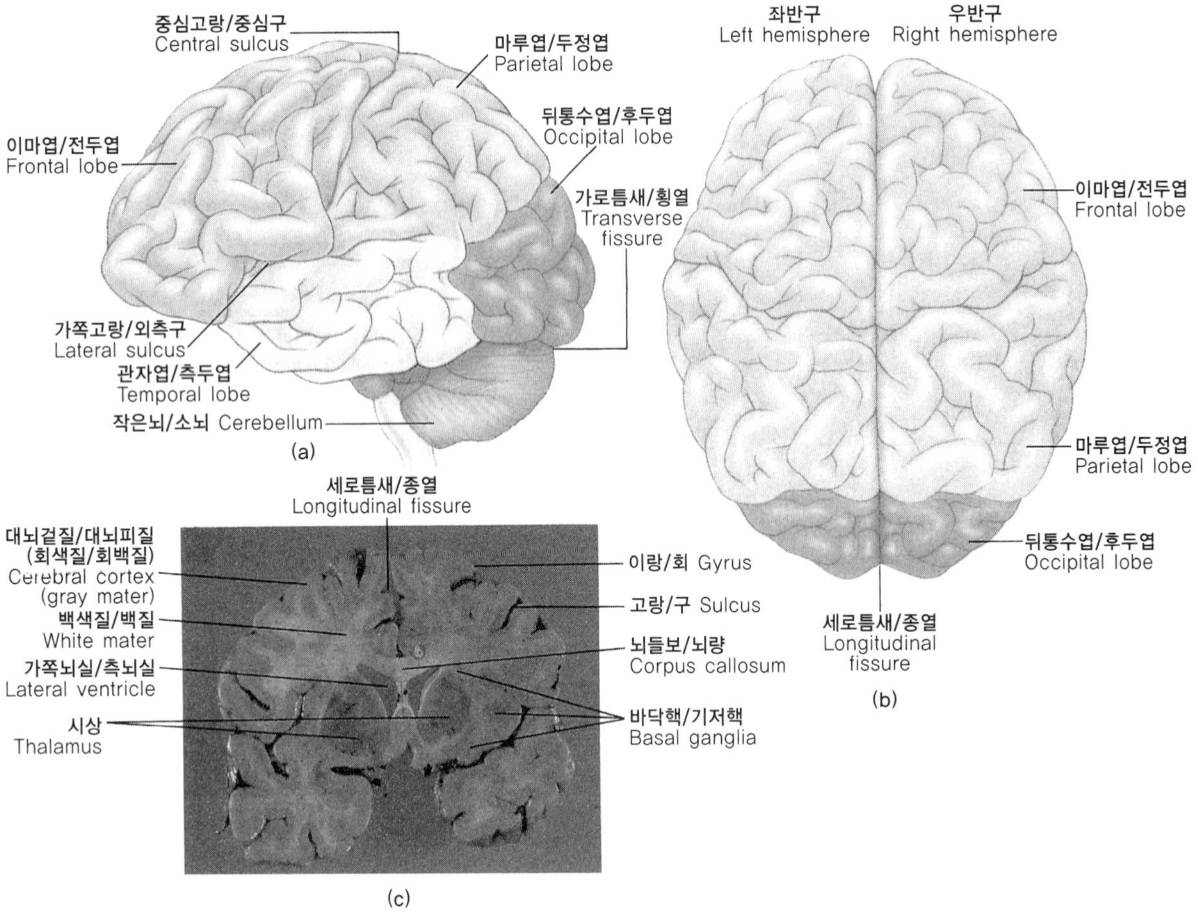

그림 11－12 • 대뇌

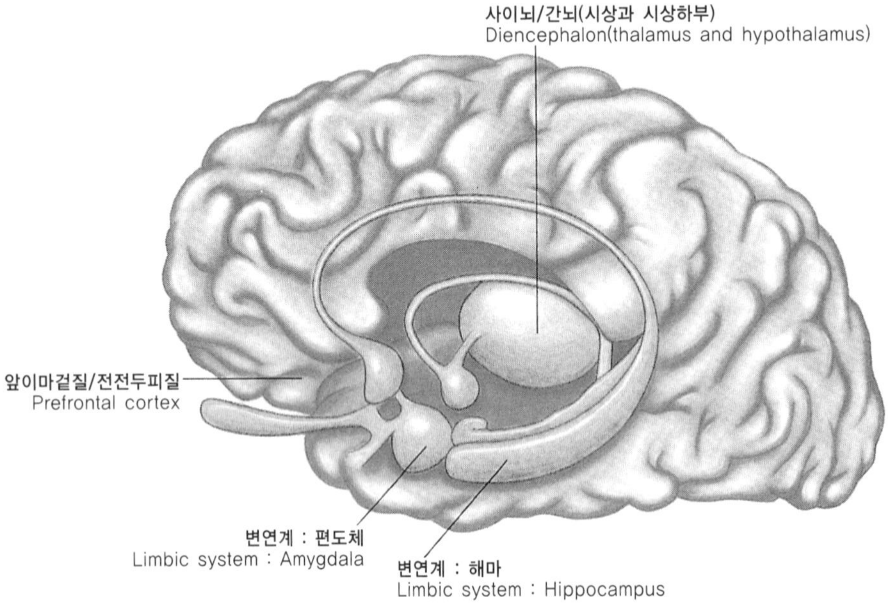

그림 11－13 • 기억과 관련된 뇌의 영역

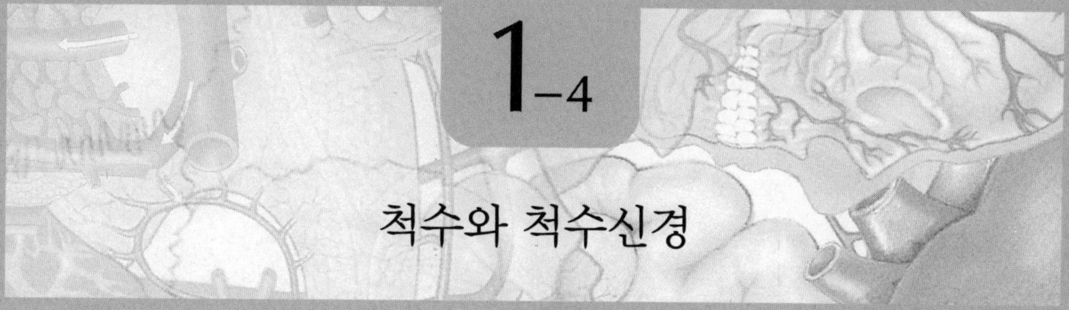

1-4

척수와 척수신경

Q&A 다음 질문에 답하시오.

1 말초신경의 척수신경을 위에서부터 순서대로 분류하시오.

2 척수가 끝나는 위치는?

3 척수신경은 척수의 양쪽 어디로 빠져 나가는가?

4 척수의 팽대종류를 쓰시오.

5 척수내부의 H자 모양은 회백질로서 무엇에 의해 형성된 것인가?

Q&A

1 목신경(경신경), 가슴신경(흉신경), 허리신경(요신경), 엉치신경(천골신경), 꼬리신경(미골신경) **2** 허리뼈(요추) 1–2번째 **3** 척추뼈사이구멍(추간공) **4** 목팽대(경수팽대), 허리팽대(요수팽대) **5** 신경세포체

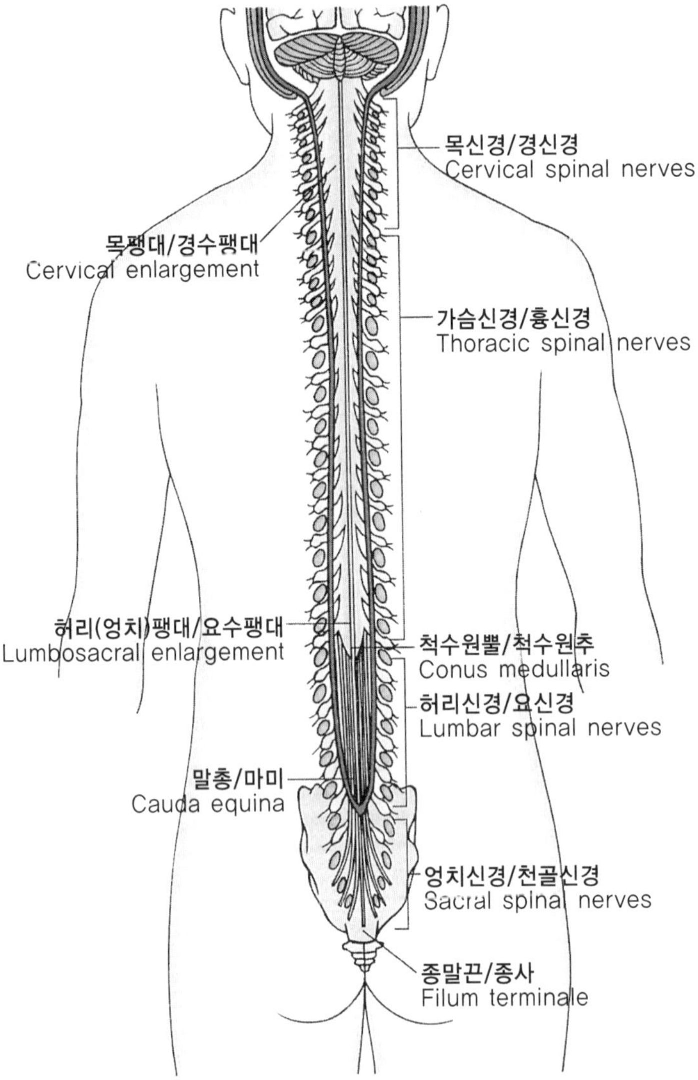
목신경/경신경
Cervical spinal nerves
목팽대/경수팽대
Cervical enlargement
가슴신경/흉신경
Thoracic spinal nerves
허리(엉치)팽대/요수팽대
Lumbosacral enlargement
척수원뿔/척수원추
Conus medullaris
허리신경/요신경
Lumbar spinal nerves
말총/마미
Cauda equina
엉치신경/천골신경
Sacral spinal nerves
종말끈/종사
Filum terminale

그림 11 – 14 • 척수

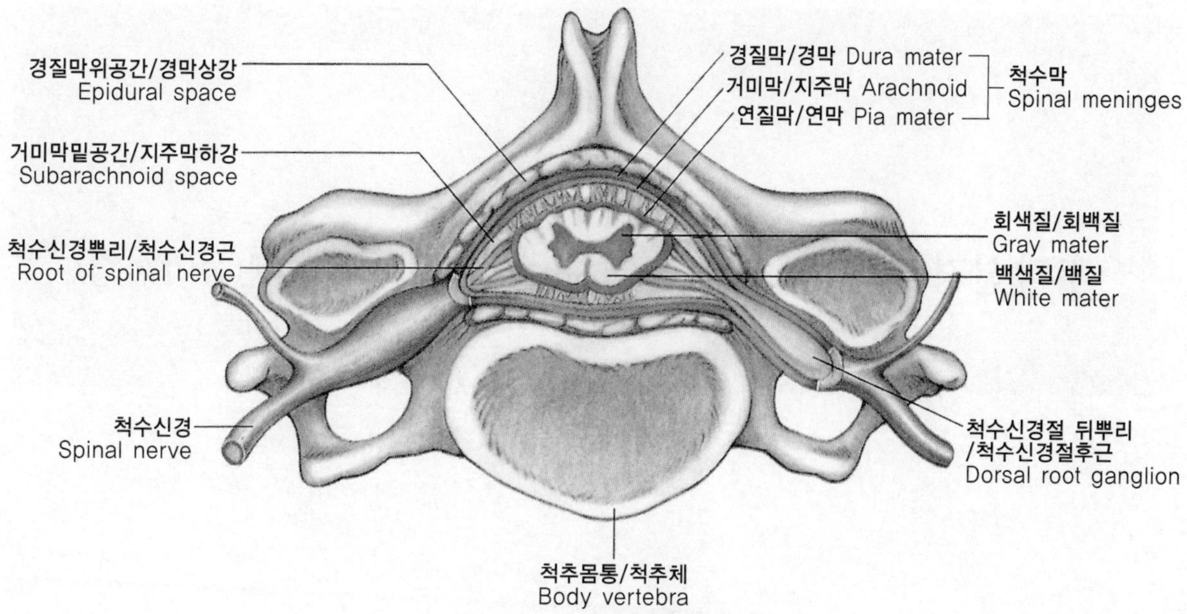

그림 11 – 15 • 척수와 횡단면

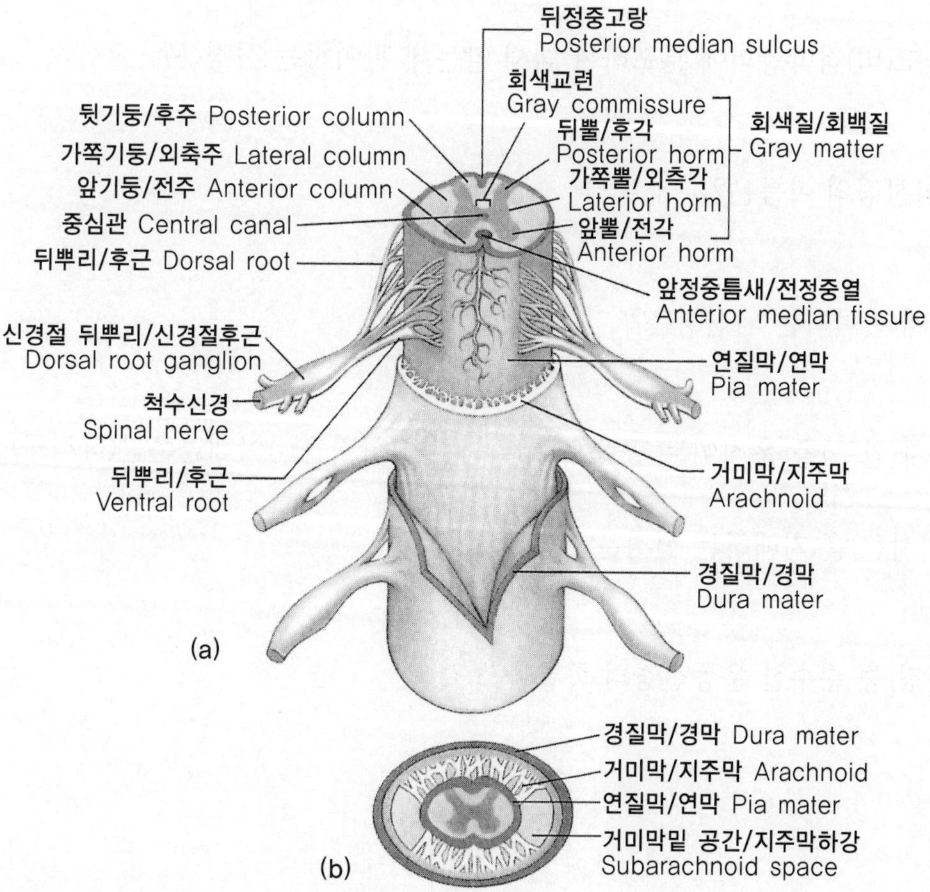

그림 11 – 16 • 척수의 구조

1-5

후각신경(후신경), 시각신경(시신경), 눈돌림신경(동안신경)

Q&A 다음 질문에 답하시오.

1 코의 코(비)점막상피에 분포하여 냄새 맡는데 관여하는 신경은?

2 제4뇌신경의 이름은?

3 시각에 관여하는 뇌신경은?

4 눈동자(안구)를 움직이는 근육으로 위곧은근(상직근), 아래곧은근(하직근), 아래빗근(하사근)을 지배하는 신경은?

5 뇌신경 중 순수한 운동신경의 종류를 쓰시오.

Q&A

1 후각신경(제1뇌신경] **2** 도르래신경(활차신경) **3** 시각신경(시신경) **4** 눈돌림신경(동안신경) **5** 눈돌림신경(동안신경), 도르래신경(활차신경), 갓돌림신경(외전신경), 더부신경(부신경), 혀밑신경(설하신경)

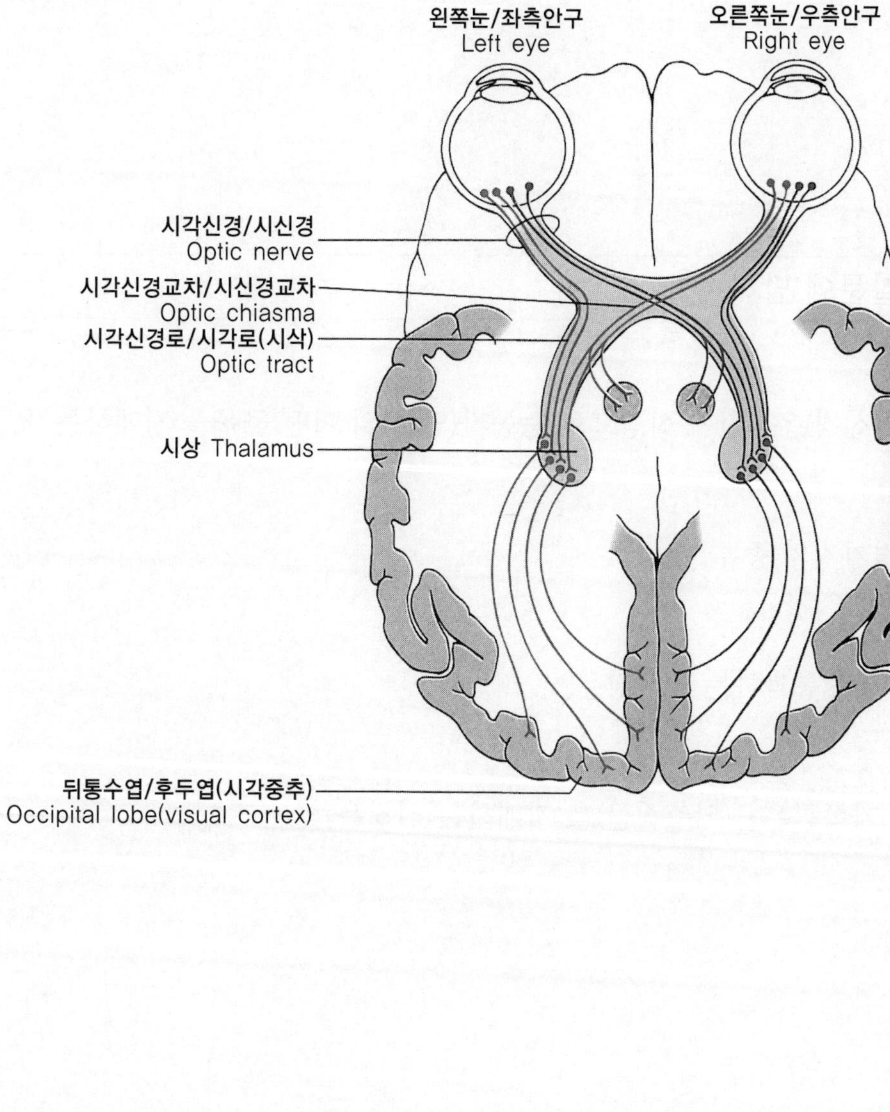

그림 11 - 17 • 시각신경로

1-6

도르래신경(활차신경), 삼차신경, 갓돌림신경(외전신경)

Q&A 다음 질문에 답하시오.

1 도르래신경(활차신경)은 4번째 신경으로 눈동자(안구)의 어떤 근육을 지배하는가?

2 삼차신경의 신경가지의 종류는?

3 타원구멍(난원공)을 통과하는 뇌신경은?

4 눈동자(안구)의 가쪽곧은근(외측직근)을 지배하는 신경은?

Q&A

1 위빗근(상사근) **2** 눈신경(안신경), 위턱신경(상악신경), 아래턱신경(하악신경) **3** 아래턱신경(하악신경) **4** 갓돌림신경(외전신경)

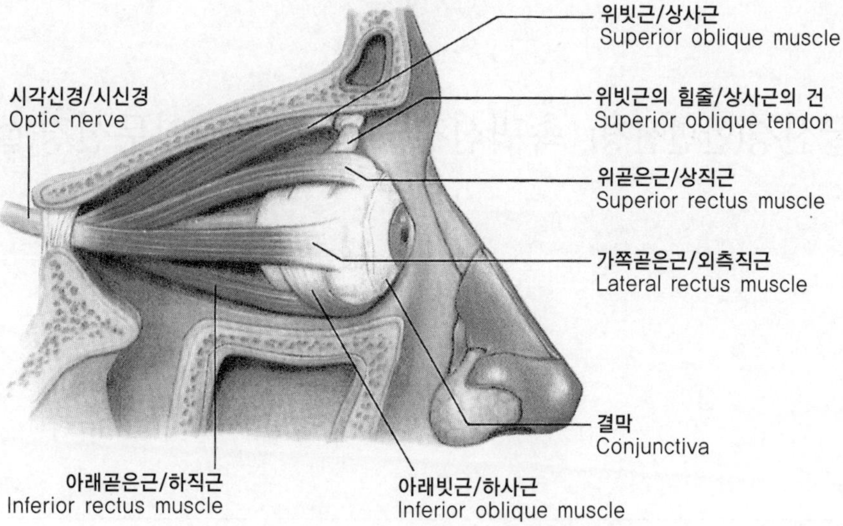

(a)

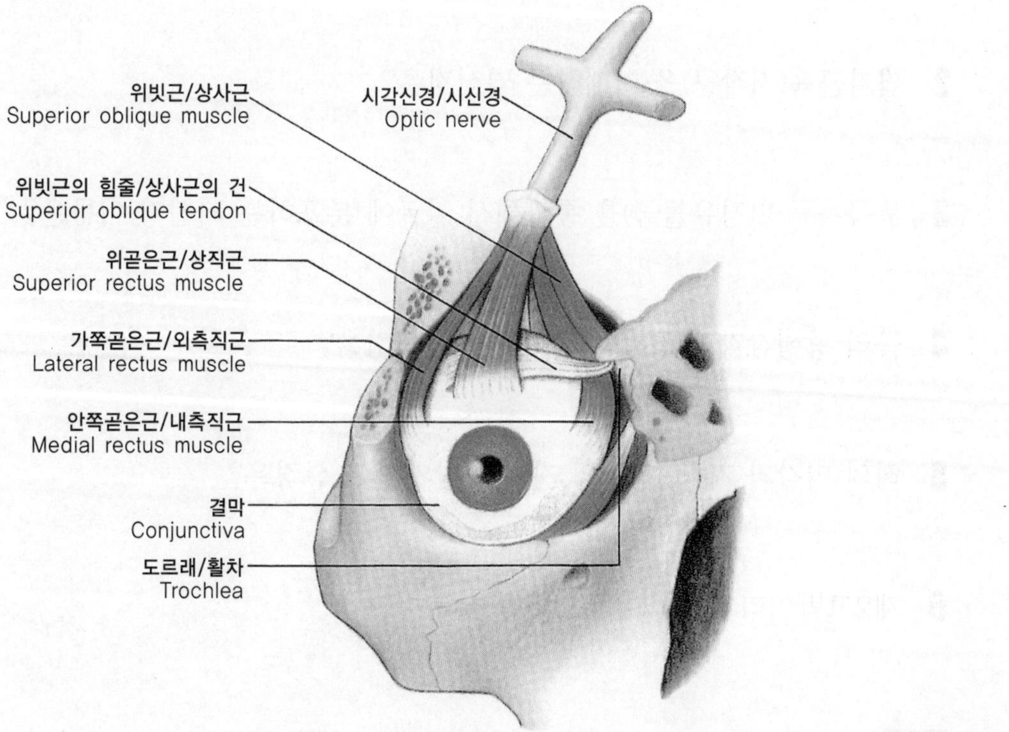

(b)

그림 11 – 18 • 눈의 외재근(extrinsic muscles)

1-7

얼굴신경(안면신경), 속귀신경(내이신경), 혀인두신경(설인신경)

Q&A 다음 질문에 답하시오.

1 얼굴근육(안면근)을 지배하는 뇌신경은?

2 씹기근육(저작근)을 지배하는 뇌신경은?

3 붓꼭지구멍(경유돌공)을 통과해서 얼굴에 분포하는 뇌신경 이름은?

4 몸의 평행감각과 청각에 관여하는 뇌신경은?

5 혀의 미각과 지각, 인두의 지각을 감지하는 신경은?

6 제2고막이라고 불리우는 것은?

Q&A

1 얼굴신경(안면신경) **2** 삼차신경 **3** 얼굴신경(안면신경) **4** 속귀신경(내이신경) **5** 혀인두신경(설인신경) **6** 둥근창(정원창)

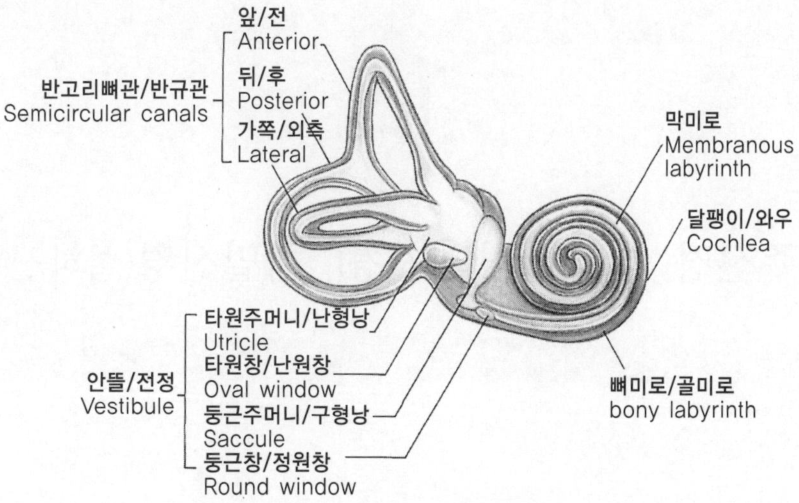

그림 11-19 • 속귀 또는 미로(labyrinth)

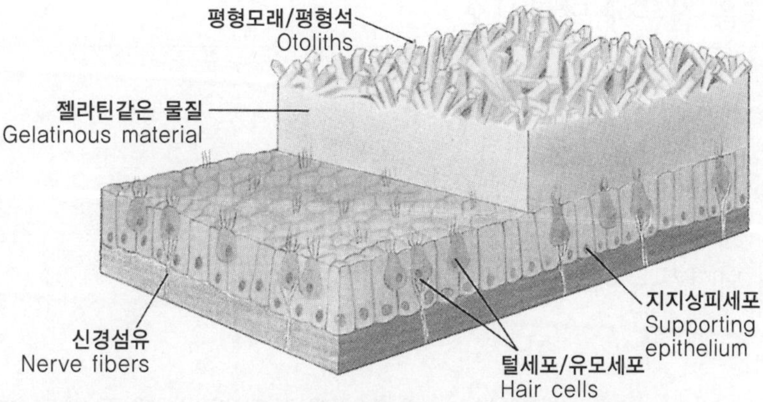

(a)

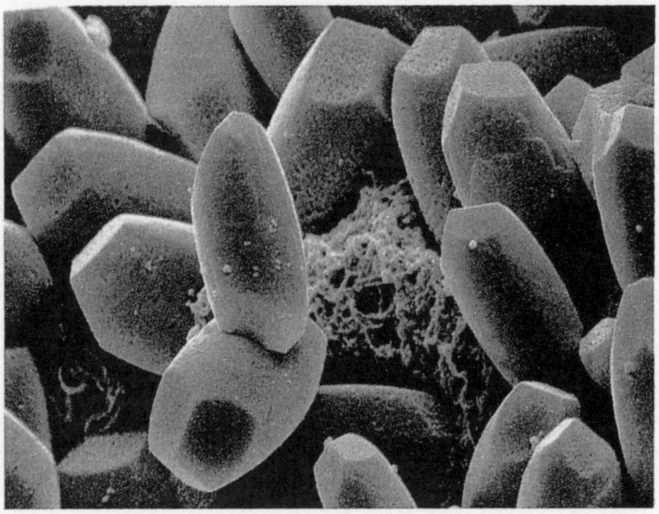

(b)

그림 11-20 • 정적인 균형을 감지하는 귀의 구조물

1-8

미주신경, 더부신경(부신경), 혀밑신경(설하신경)

Q&A 다음 질문에 답하시오.

1 뇌신경 중 혼합신경의 종류명을 쓰시오.

2 9-12번째 뇌신경은 어느 뇌에서 기시하는가?

3 뇌부와 척수부로 나뉘며 척수부는 대공(대후두공)을 통해 목빗근(흉쇄유돌근)과 등세모근(승모근)을 지배하는 신경은?

4 혀의 운동만을 지배하는 운동신경인 것은?

Q&A

1 삼차신경, 얼굴신경(안면신경), 혀인두신경(설인신경), 미주신경 **2** 숨뇌(연수) **3** 더부신경(부신경) **4** 혀밑신경(설하신경)

1-9

목신경얼기(경신경총)과 팔신경얼기(완신경총)

Q&A 다음 질문에 답하시오.

1 C_{1-4}의 전지가 모여 형성된 신경을 무엇이라고 하는가?

2 팔신경얼기(완신경총)의 5개 종말지를 쓰시오.

3 팔신경얼기(완신경총)에 이상이 있을시 손목하수를 일으킬 수 있는 신경은?

4 어깨세모근(삼각근)과 작은원근(소원근)을 지배하는 신경은?

Q&A

1 목신경얼기(경신경총) **2** 겨드랑신경(액와신경), 노신경(요골신경), 자신경(척골신경), 근육피부신경(근피신경), 정중신경 **3** 정중신경 **4** 겨드랑신경(액와신경)

1-10 허리신경얼기(요골신경총)와 엉치신경얼기(천골신경총)

Q&A 다음 질문에 답하시오.

1 허리신경(요신경) L_{1-4} 앞가지(전지)가 모여 형성된 신경은?

2 허리신경얼기(요신경총) 중 가장 크며 넙다리네갈래근(대퇴사두근)과 넙다리빗근(봉공근)을 지배하는 신경은?

3 궁둥신경(좌골신경), 뒤넙다리피신경(후대퇴피신경), 위엉덩신경(상둔신경), 아래엉덩신경(하둔신경)을 내는 신경얼기(신경총)는?

4 인체에서 가장 큰 신경으로 넙다리두갈래근(대퇴이두근), 반힘줄모양근(반건양근), 반막모양근(반막양근)을 지배하는 신경은?

Q&A

1 허리신경얼기(요신경총) **2** 넙다리신경(대퇴신경) **3** 엉치신경얼기(천골신경총) **4** 궁둥신경(좌골신경)

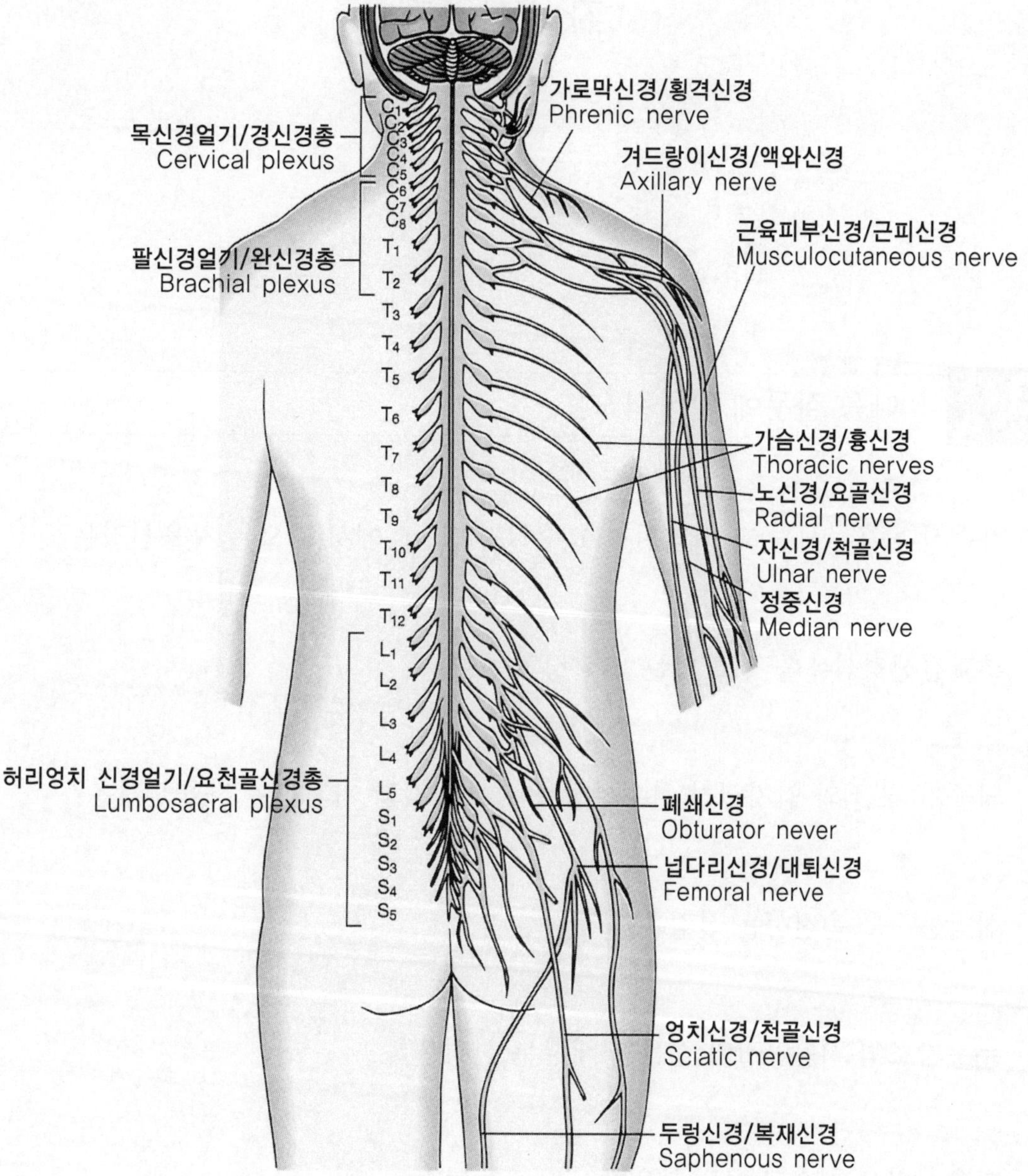
가로막신경/횡격신경
Phrenic nerve
목신경얼기/경신경총
Cervical plexus
겨드랑이신경/액와신경
Axillary nerve
근육피부신경/근피신경
Musculocutaneous nerve
팔신경얼기/완신경총
Brachial plexus
C1
C2
C3
C4
C5
C6
C7
C8
T1
T2
T3
T4
T5
T6
T7
T8
T9
T10
T11
T12
L1
L2
L3
L4
L5
S1
S2
S3
S4
S5
가슴신경/흉신경
Thoracic nerves
노신경/요골신경
Radial nerve
자신경/척골신경
Ulnar nerve
정중신경
Median nerve
허리엉치 신경얼기/요천골신경총
Lumbosacral plexus
폐쇄신경
Obturator never
넙다리신경/대퇴신경
Femoral nerve
엉치신경/천골신경
Sciatic nerve
두렁신경/복재신경
Saphenous nerve

그림 11 – 21 • 척수신경

1-11

자율신경계

Q&A 다음 질문에 답하시오.

1 가슴신경(흉수신경)과 허리신경(요수신경)인 L_{1-2}에서 나오는 자율신경은?

2 부교감신경섬유를 갖고 있는 뇌신경의 종류는?

3 뇌줄기(뇌간)와 엉치신경(천수신경) S_{2-4}에서 각각 기시하는 자율신경은?

4 심박동수를 촉진하는 신경은?

5 눈동자조임근(동공괄약근)을 지배하는 신경은?

6 자율신경은 척수의 어느 부위에서 나오는가?

Q&A

1 교감신경 **2** 제3, 7, 9, 10뇌신경 **3** 부교감신경 **4** 교감신경 **5** 부교감신경 **6** 가쪽뿔(측각)

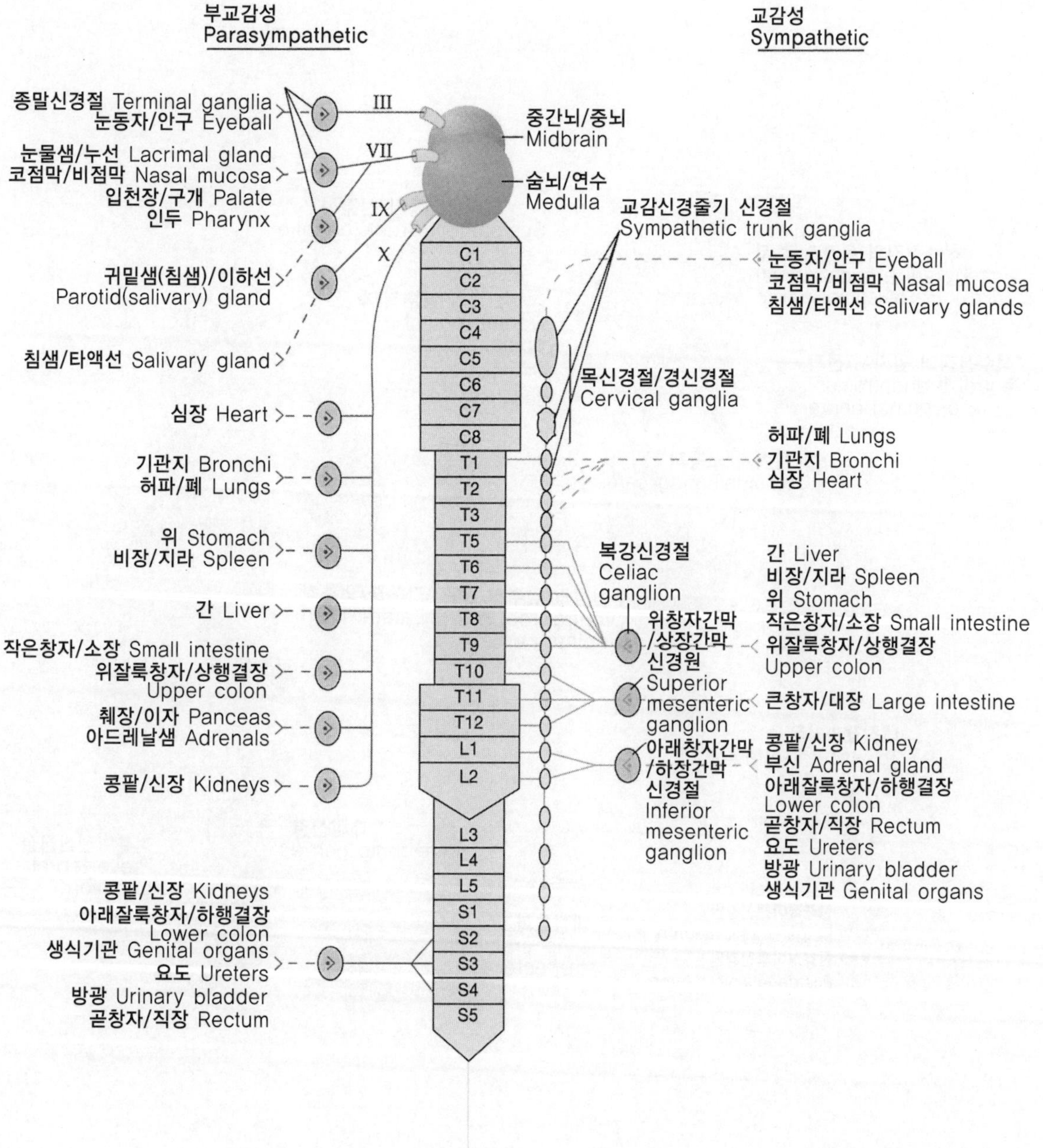

그림 11－22 • 자율성 운동전도로

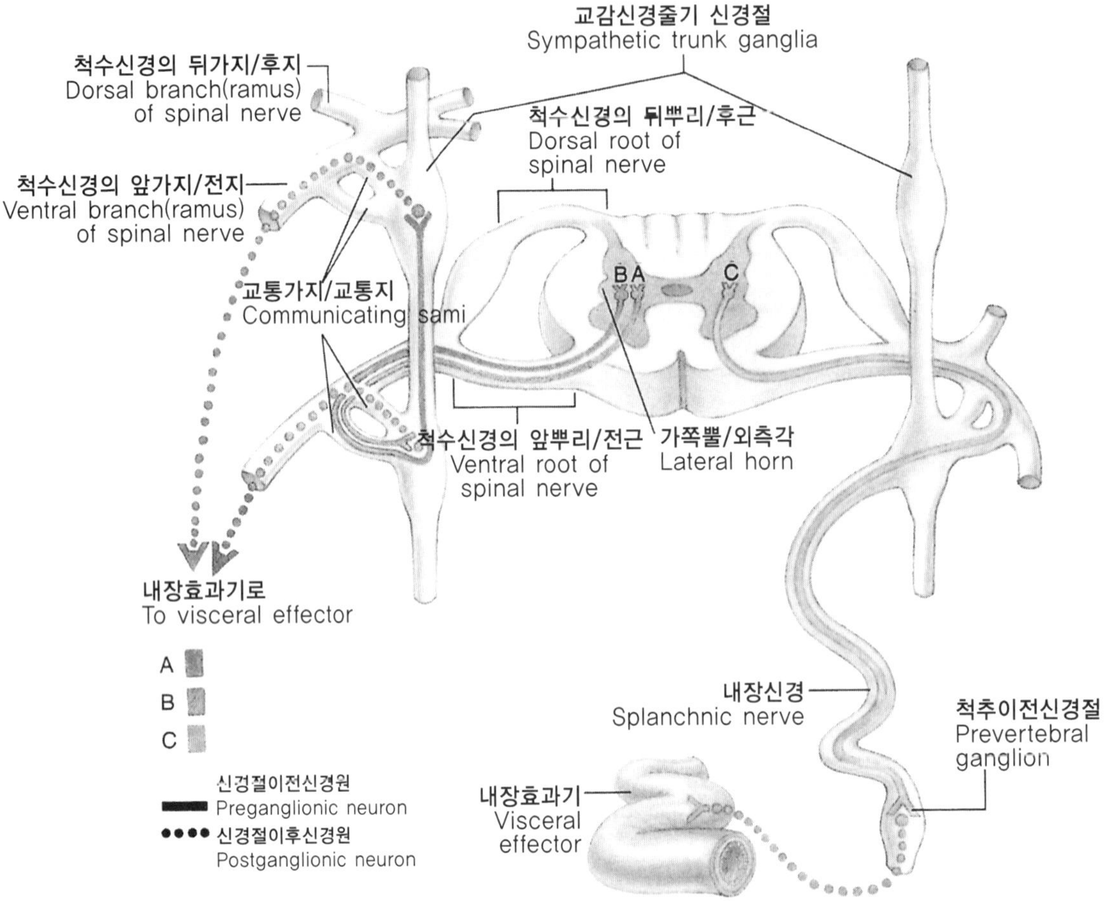

그림 11 – 23 • 교감신경운동전도로의 상호통로

제 12 장

감각기계통

1

피부

Q&A 다음 질문에 답하시오.

1 피부조직에서 아래 조직을 진피라고 하며 위층을 무엇이라고 하는가?

2 피부조직의 표피층을 바깥으로부터 차례대로 쓰시오.

3 지문을 나타내는 조직층을 무엇이라고 하는가?

4 피부주름선을 무엇이라고 하는가?

5 피부의 표층 가장 아래 조직층으로 멜라닌색소를 가지고 있는 층은?

Q&A

1 표피 **2** 각질층–투명층–과립층–가시층(유극층)–바닥층(기저층) **3** 진피의 유두층 **4** 랑거선 **5** 바닥층(기저층)

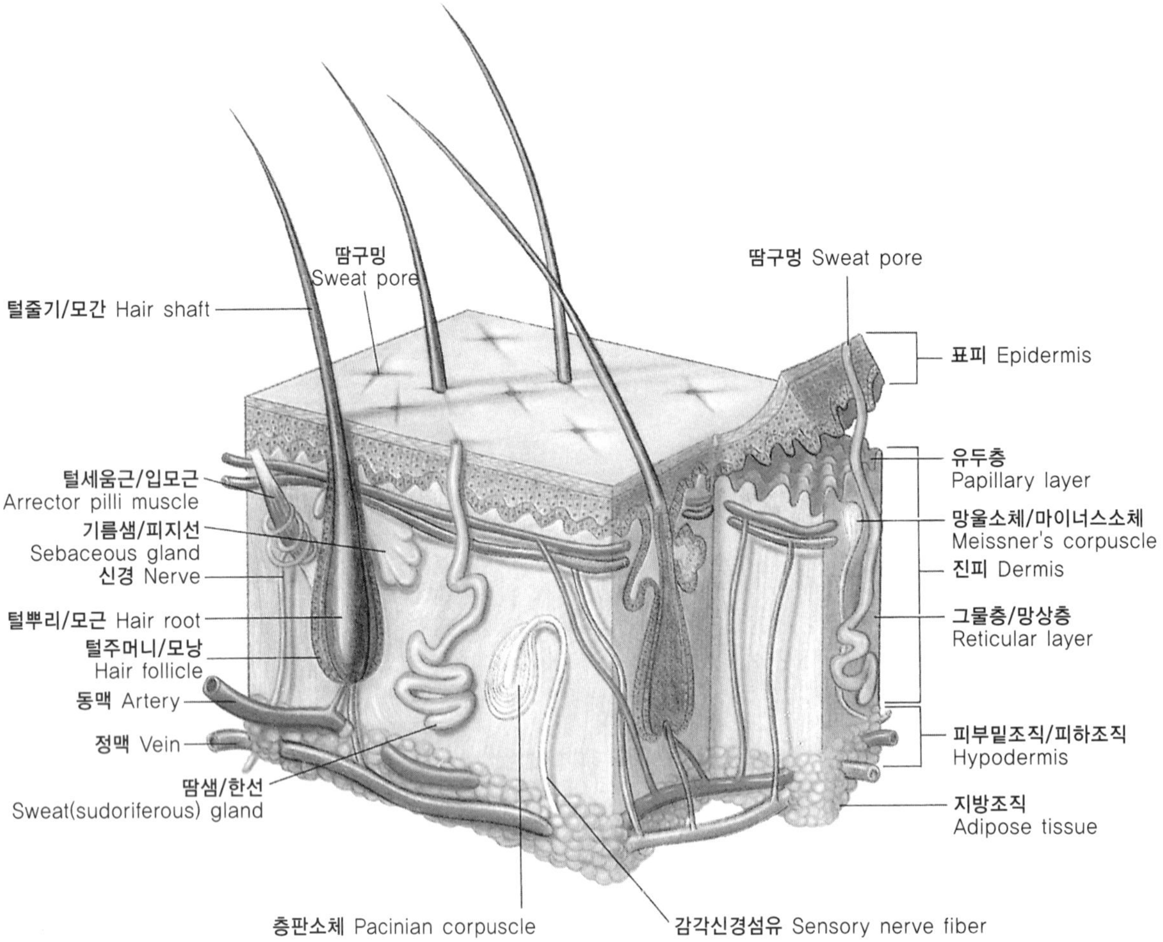

그림 12 – 1 • 사람피부의 단면

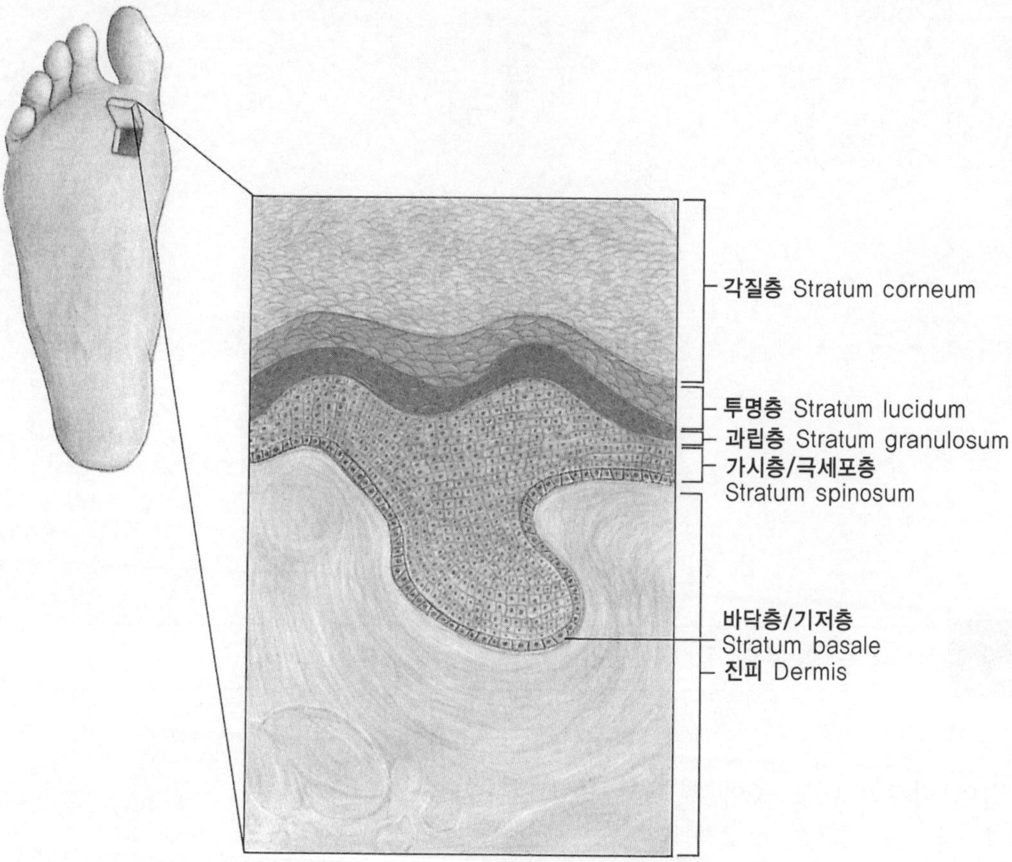
각질층 Stratum corneum
투명층 Stratum lucidum
과립층 Stratum granulosum
가시층/극세포층
Stratum spinosum
바닥층/기저층
Stratum basale
진피 Dermis

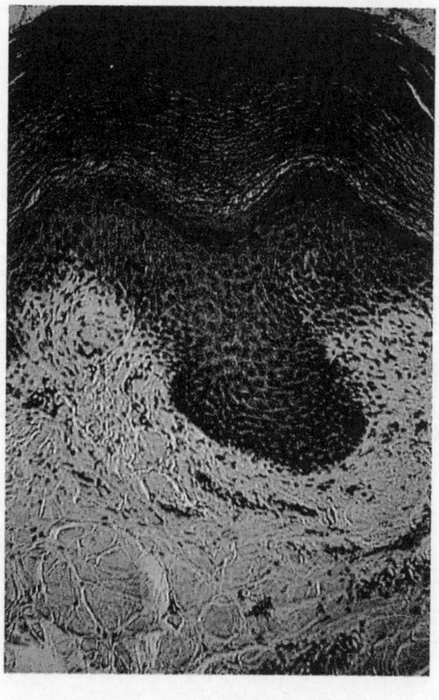

그림 12 – 2 • 표피의 충돌

1-1

털과 손 · 발톱

Q&A 다음 질문에 답하시오.

1 털이 피부의 어느 층에 뿌리를 박고 있는가?

2 털에 영양공급을 담당하는 곳은?

3 털의 재생에 관여하는 곳은?

4 털의 성장에 관여하는 곳은?

5 손 · 발톱의 성장 및 재생에 관여하는 곳은?

Q&A

1 진피의 그물층(망상층) **2** 털유두(모유두) **3** 털주머니(모낭) **4** 털망울(모구) **5** 손 · 발톱기질(조기질)

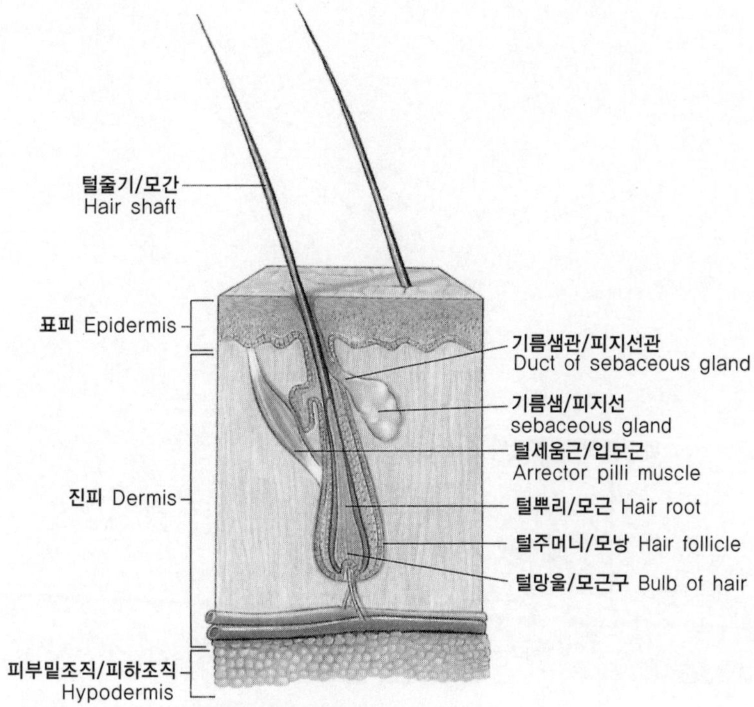

그림 12－3 • 털의 구조

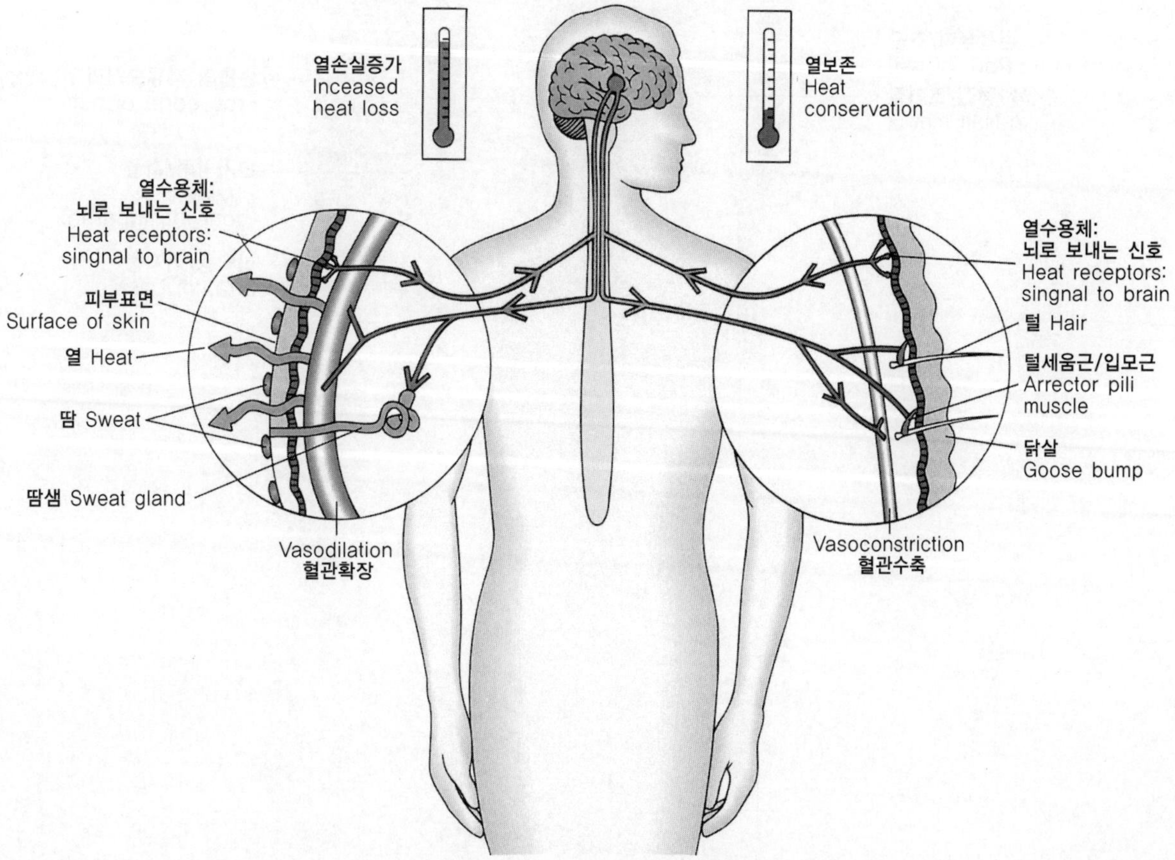

그림 12－4 • 체온 조절에서 피부의 역할

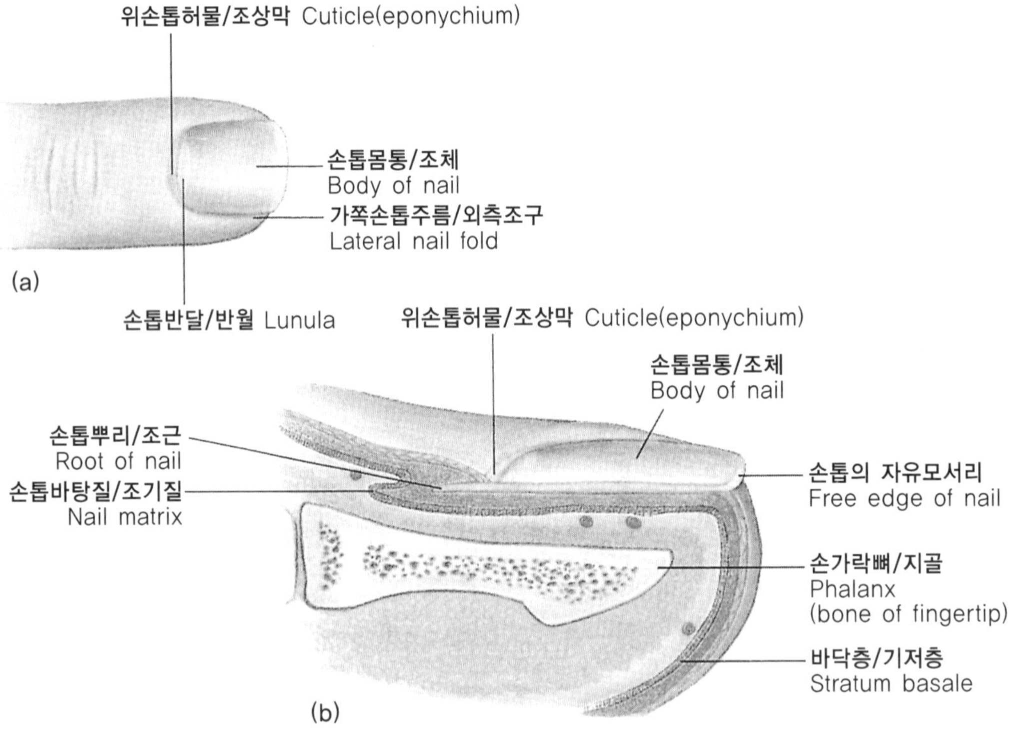
위손톱허물/조상막 Cuticle(eponychium)
손톱몸통/조체
Body of nail
가쪽손톱주름/외측조구
Lateral nail fold
(a)
손톱반달/반월 Lunula
위손톱허물/조상막 Cuticle(eponychium)
손톱몸통/조체
Body of nail
손톱뿌리/조근
Root of nail
손톱바탕질/조기질
Nail matrix
손톱의 자유모서리
Free edge of nail
손가락뼈/지골
Phalanx
(bone of fingertip)
바닥층/기저층
Stratum basale
(b)

그림 12 – 5 • 손톱의 구조

1-2

눈과 망막의 구조

Q&A 다음 질문에 답하시오.

1 눈동자(안구)의 구조 중 가장 겉에 있는 층으로 눈동자(안구) 뒤쪽 5/6를 차지하는 층의 이름은?

2 맥락막, 모양체, 홍채로 구성된 층을 무엇이라고 하는가?

3 눈동자(안구)에서 빛의 굴절질의 순서를 쓰시오.

4 망막에 있는 시각세포(시세포) 중 색구분을 할 수 있는 시각세포(시세포)는?

5 렌즈(수정체) 두께를 조절하는 것은?

6 안구방수(안방수)가 순환하여 최종적으로 어느 곳으로 유입되는가?

Q&A

1 공막 **2** 혈관층(포도막) **3** 각막-안구방수(안방수)-렌즈(수정체)-유리체(초자체)-망막 **4** 원뿔세포(추상체세포) **5** 섬모체띠(모양체소대) **6** 공막정맥동굴(공막정맥동)

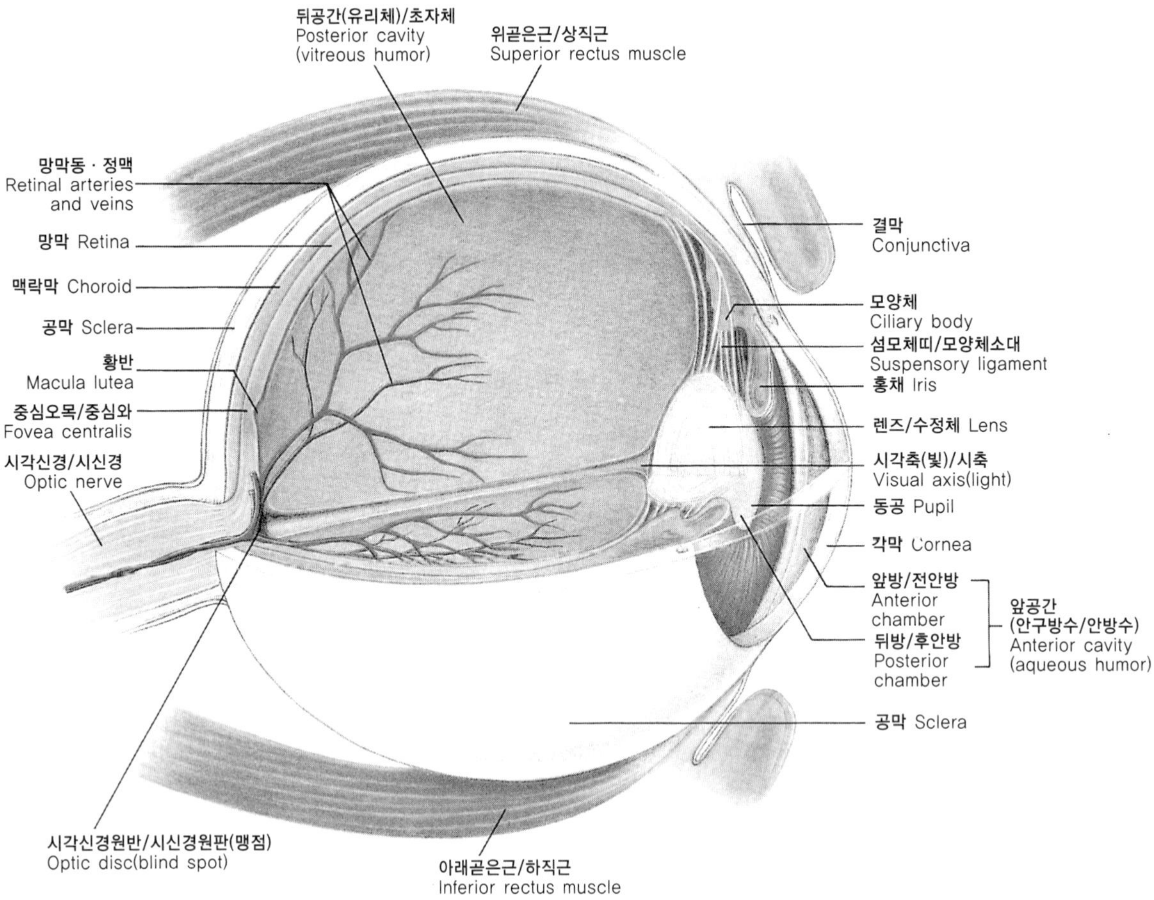

그림 12 – 6 • 눈의 구조

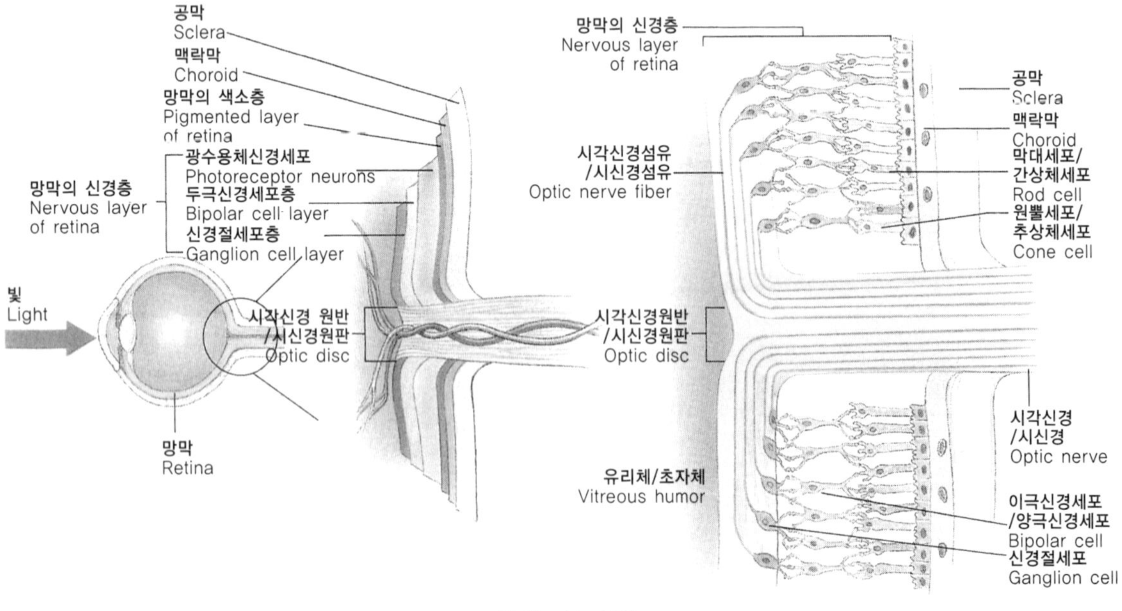

그림 12 – 7 • 망막

1-3

눈의 부속기와 누기

Q&A 다음 질문에 답하시오.

1 마이봄샘이라고도 하며 피지를 분비하는 샘(선)을 무엇이라 하는가?

2 눈꺼풀을 올리는 위눈꺼풀올림근(상안검거근)은 어떤 신경의 지배를 받는가?

3 눈물뼈(누골)에는 무엇이 위치하고 있는가?

Q&A

1 눈꺼풀판샘(검판선) **2** 눈돌림신경(동안신경) **3** 눈물주머니(누낭)

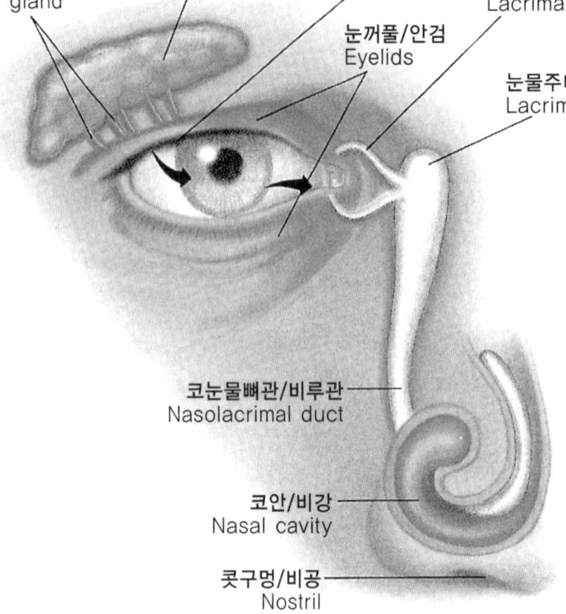

그림 12 – 8 • 눈의 부속구조(앞에서 본 모습)

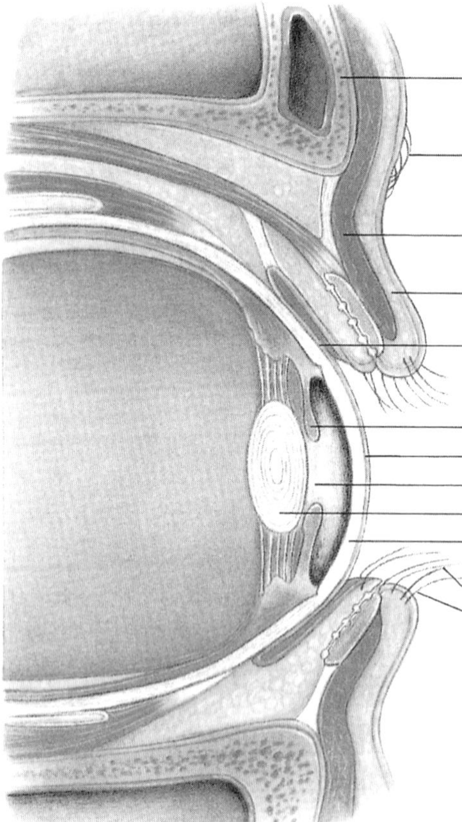

그림 12 – 9 • 눈의 부속구조(외측에서 본 모습)

1-4

귀의 구조

Q&A 다음 질문에 답하시오.

1 귀에서 본질적인 청각기는?

2 가운데귀(중이)와 인두 사이의 기관을 무엇이라고 하는가?

3 고실 내에 있는 뼈를 밖에서부터 순서대로 쓰시오.

4 고실 내의 압력과 대기의 압력을 일정하게 유지하는 기관은?

5 귓속뼈(이소골)에서 소리음을 22배로 증폭시킨 후 어디를 거쳐 속귀(내이)로 전달되는가?

Q&A

1 달팽이(와우) **2** 귀인두관(이관) **3** 망치뼈(추골)–모루뼈(침골)–등자뼈(등골) **4** 귀인두관(이관) **5** 안뜰창(난원창)

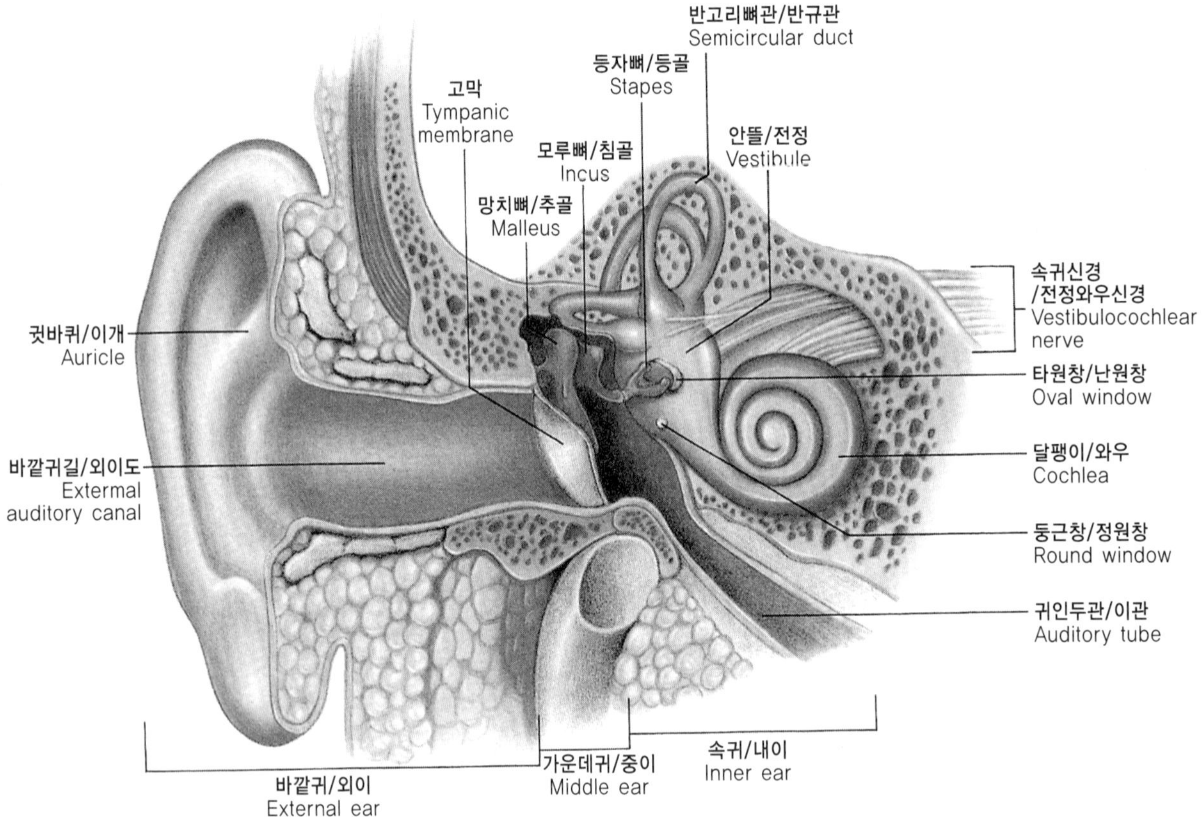
반고리뼈관/반규관
Semicircular duct
등자뼈/등골
Stapes
고막
Tympanic membrane
안뜰/전정
Vestibule
모루뼈/침골
Incus
망치뼈/추골
Malleus
속귀신경
/전정와우신경
Vestibulocochlear nerve
귓바퀴/이개
Auricle
타원창/난원창
Oval window
바깥귀길/외이도
Extermal auditory canal
달팽이/와우
Cochlea
둥근창/정원창
Round window
귀인두관/이관
Auditory tube
속귀/내이
Inner ear
가운데귀/중이
Middle ear
바깥귀/외이
External ear

그림 12 – 10 • 귀의 구조

1-5 안뜰기관(전정기관)과 반고리뼈관(반규관)

Q&A 다음 질문에 답하시오.

1 몸의 위치감각을 감지하는 기관은?

2 몸의 회전감각을 감지하는 기관은?

3 뼈미로(골미로)와 막미로 사이는 바깥림프(외림프)로, 막미로 안에는 무엇으로 채워져 있는가?

Q&A

1 안뜰기관(전정기관) **2** 반고리뼈관(반규관) **3** 속림프(내림프)

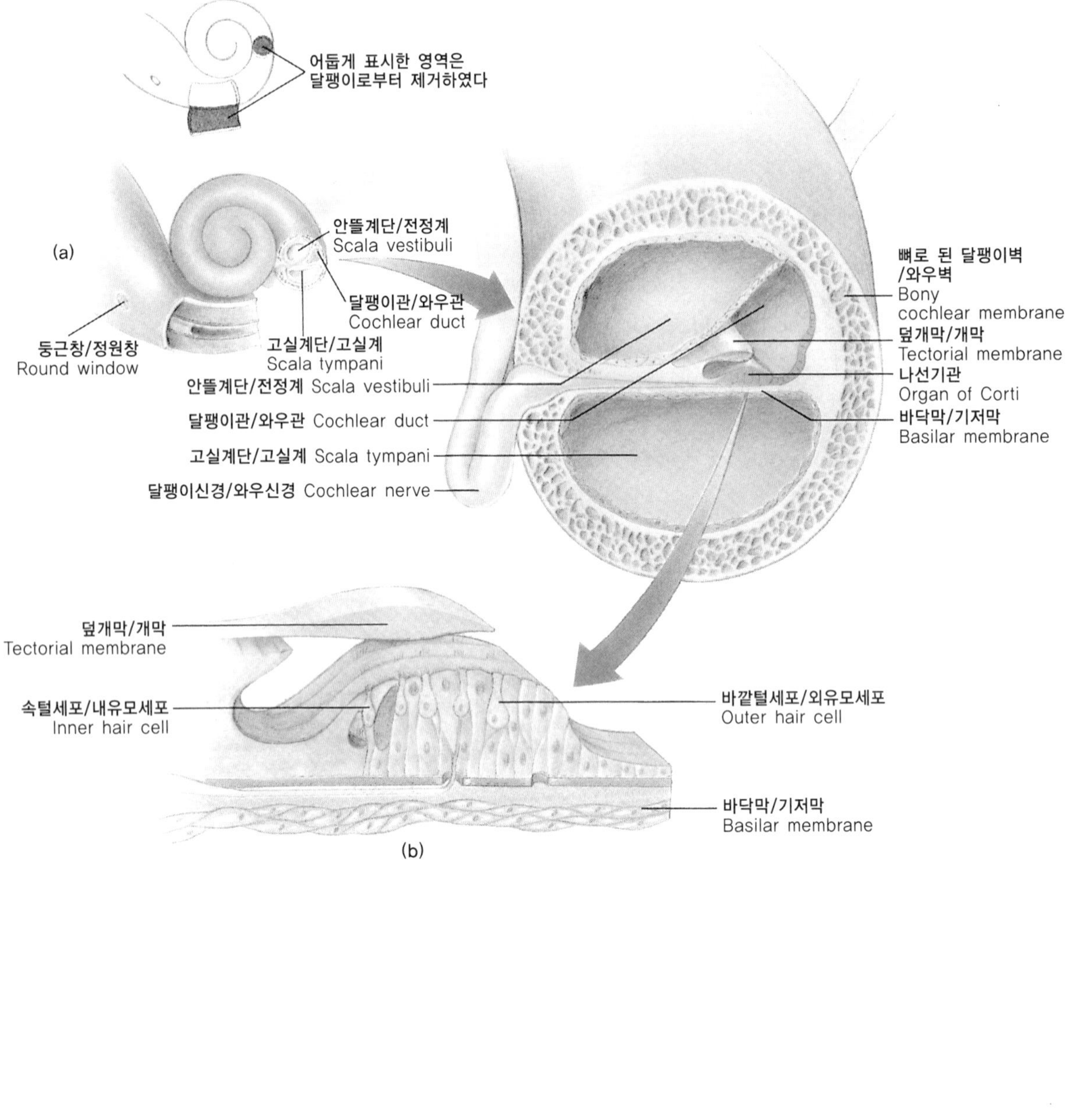
어둡게 표시한 영역은
달팽이로부터 제거하였다
(a)
안뜰계단/전정계
Scala vestibuli
달팽이관/와우관
Cochlear duct
둥근창/정원창
Round window
고실계단/고실계
Scala tympani
뼈로 된 달팽이벽
/와우벽
Bony
cochlear membrane
덮개막/개막
Tectorial membrane
나선기관
Organ of Corti
바닥막/기저막
Basilar membrane
안뜰계단/전정계 Scala vestibuli
달팽이관/와우관 Cochlear duct
고실계단/고실계 Scala tympani
달팽이신경/와우신경 Cochlear nerve
덮개막/개막
Tectorial membrane
속털세포/내유모세포
Inner hair cell
바깥털세포/외유모세포
Outer hair cell
바닥막/기저막
Basilar membrane
(b)

그림 12 – 11 • 청각기관

1-6

달팽이관(와우)와 콜티기관

Q&A 다음 질문에 답하시오.

1 2와 1/2 회전되어 있어 달팽이 모양을 하고 있는 청각기는?

2 속귀(내이)에서 털세포(유모세포)가 붙어 있는 실질적인 청각기는?

Q&A

1 달팽이(와우) **2** 나선기관(콜티기관)

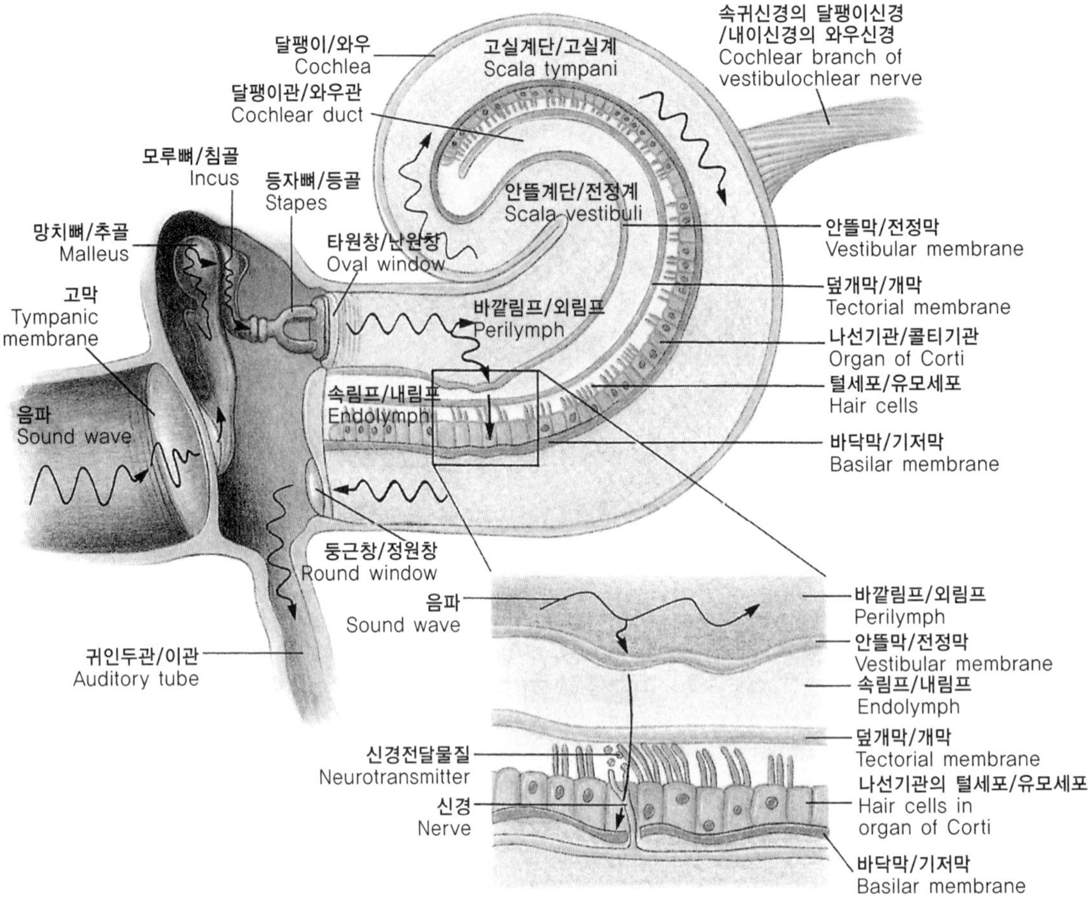

그림 12 – 12 • 진동으로부터 신경자극의 전달

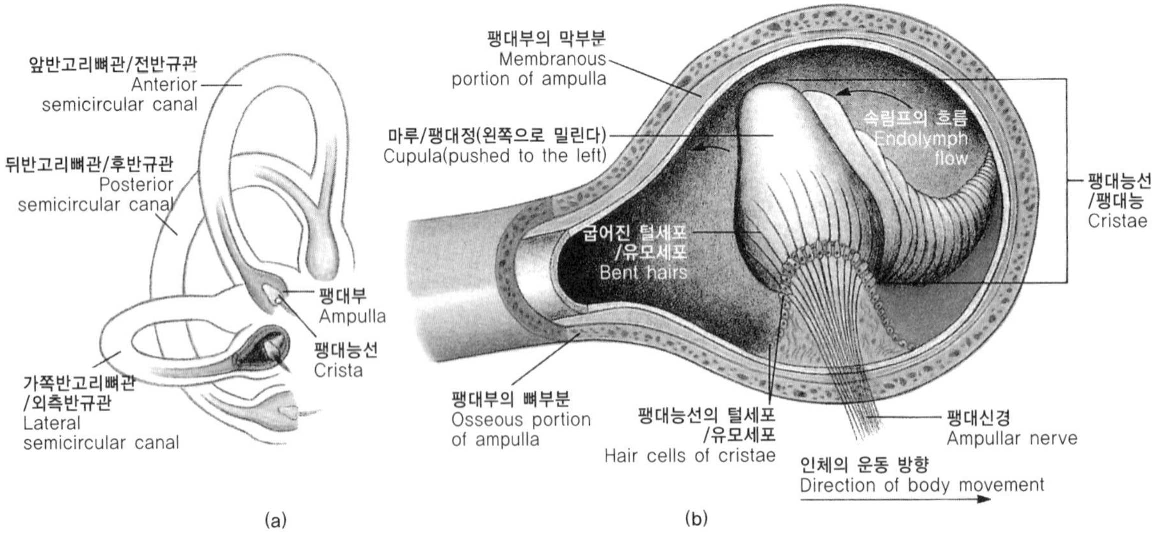

그림 12 – 13 • 동적인 균형을 감지하는 귀의 구조물

1-7

후각의 구조

Q&A 다음 질문에 답하시오.

1 후각신경(후신경)은 벌집뼈(사골)의 어느 곳을 통하여 뇌로 들어오는가?

2 뇌로 들어온 후각신경(후신경)은 후각망울(후구)을 형성하며 여기서 나온 축삭은 무엇을 구성하는가?

3 뇌의 후각중추는 대뇌의 어느 부위에 있는가?

Q&A

1 체판(사판) **2** 후각로(후삭) **3** 관자엽(측두엽)의 안쪽(내측)

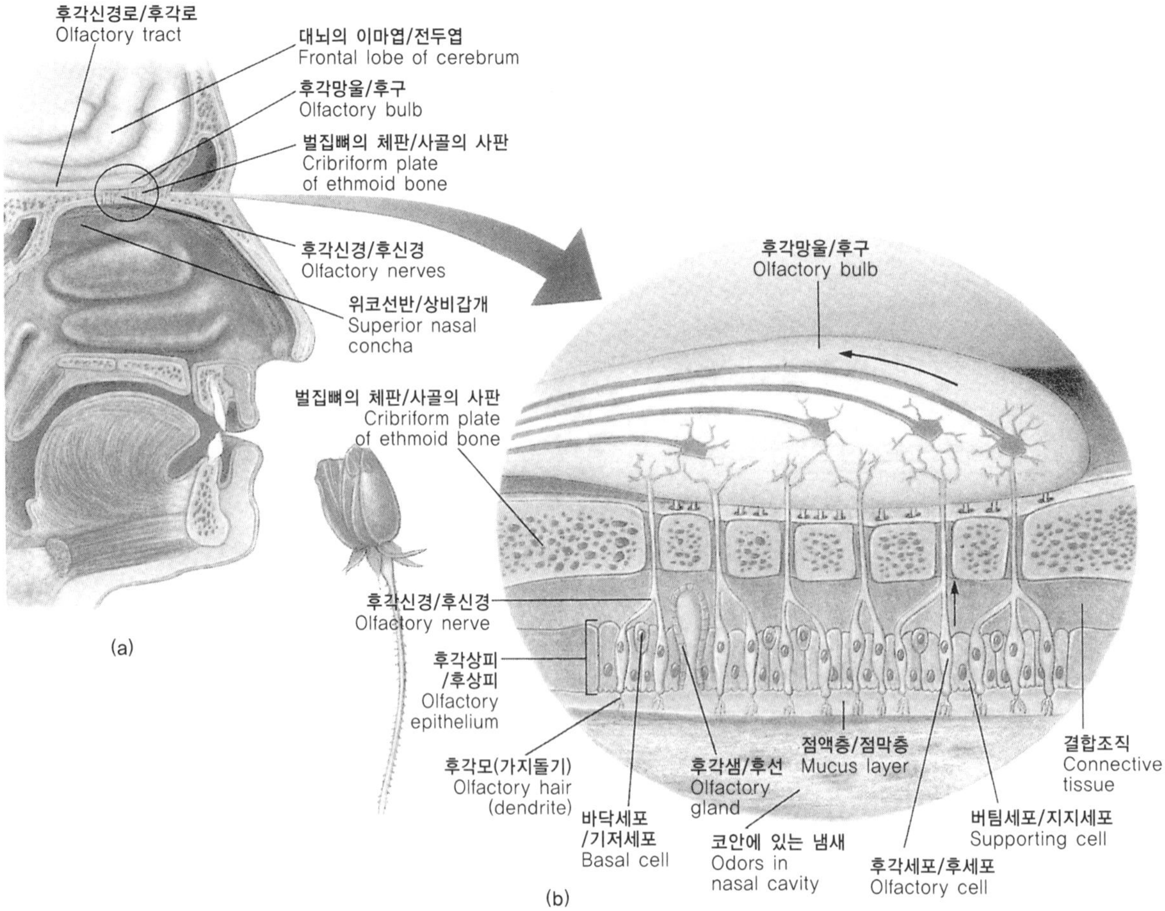

그림 12 - 14 • 후각

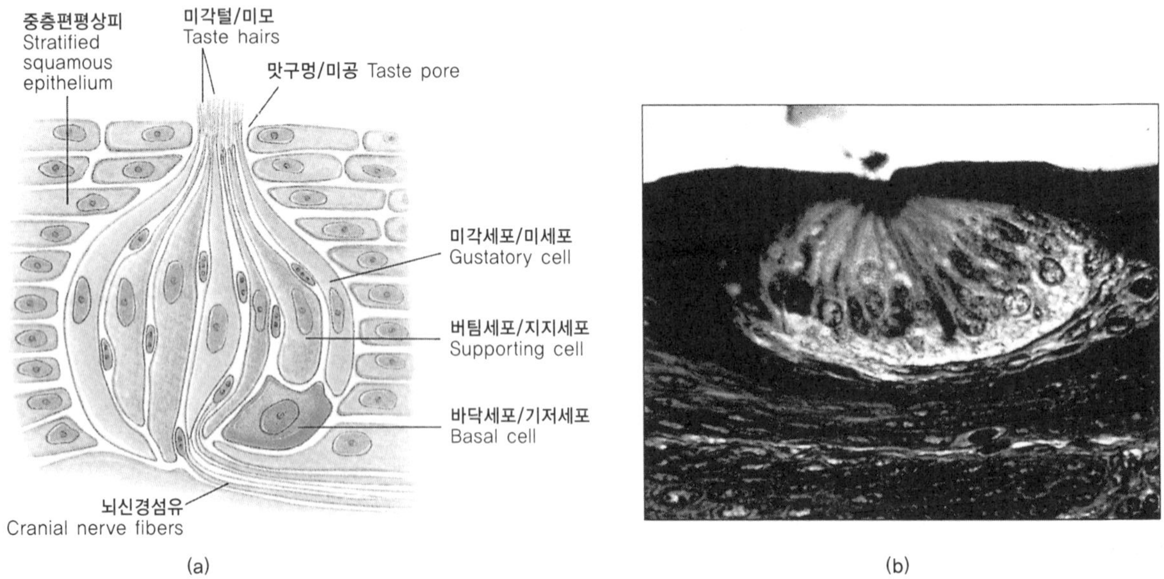

그림 12 - 15 • 미각

인체해부학실습

1-8

미각의 구조

Q&A 다음 질문에 답하시오.

1 혀끝을 무엇이라고 하는가?

2 혀등(설배)에는 혀유두(설유두)가 있는데 혀뿌리(설근)에 있는 림프양조직을 무엇이라고 하는가?

3 혀분계고랑(혀분계구)에 배열되어 있고 많은 수의 맛봉오리(미뢰)를 가지고 있는 유두는?

4 혀유두(설유두)에 위치하며 미각에 관여하는 것은?

5 혀후방 1/3의 미각은 혀인두신경(설인신경)이 지배하며 혀전방 2/3미각에 관여하는 신경은?

Q&A

1 혀끝(설첨) **2** 혀편도(설편도) **3** 성곽유두(유곽유두) **4** 맛봉오리(미뢰) **5** 고실끈신경(고삭신경)

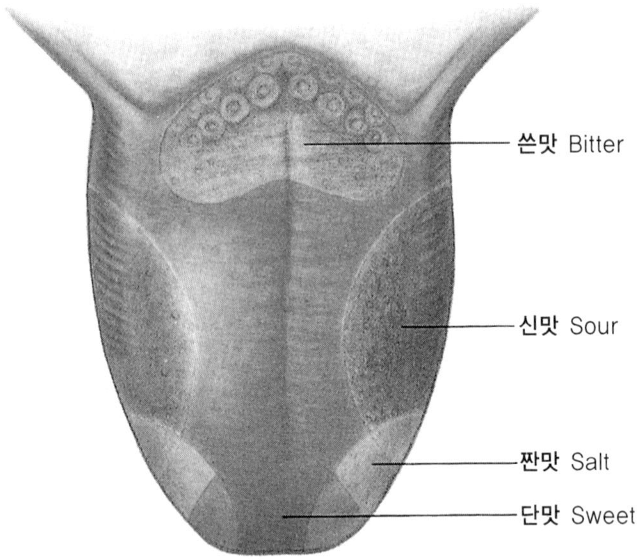

그림 12 – 16 • 미각의 종류

● 저자소개

박승택	원광대학교 의과대학 해부학교실
최영자	원광보건대학 방사선과
서영미	원광대학교 의과대학 해부학교실

판권
소유

인체해부학실습

초판 발행 • 2010년 2월 12일
2판 발행 • 2010년 2월 19일

저자 • 박승택 · 최영자 · 서영미

펴낸이 • 김기봉
펴낸곳 • 메디컬코리아

주소 • 서울시 영등포구 문래동 1가 39 센터플러스 1118호
출판등록 • 2005년 12월 7일 제307-2005-50호
전화 • 02-909-3141
팩스 • 02-338-4832
전자우편 • meko7@paran.com
홈페이지 • www.medical-korea.co.kr

* 낙장 및 파본은 교환해 드립니다.
* 본 도서는 무단 전재 및 복제를 법으로 금합니다.

ISBN 978-89-6315-157-1 (93510)

정가 20,000원